INTRODUÇÃO À ADMINISTRAÇÃO FINANCEIRA

Dados Internacionais de Catalogação na Publicação (CIP)
(Câmara Brasileira do Livro, SP, Brasil)

Padoveze, Clóvis Luís
 Introdução à administração financeira : texto e exercícios / Clóvis Luís Padoveze. — 2. ed. — São Paulo : Cengage Learning, 2022.

 5. reimpr. da 2. ed. de 2010.
 Bibliografia
 ISBN 978-85-221-0803-9

 1. Administração financeira 2. Administração financeira - Problemas, exercícios etc I. Título.

10-08994 CDD—658.15

Índice para catálogo sistemático:
1. Administração financeira : Empresas 658.15

INTRODUÇÃO À ADMINISTRAÇÃO FINANCEIRA

Texto e Exercícios

2ª edição

Clóvis Luís Padoveze

Austrália • Brasil • México • Cingapura • Reino Unido • Estados Unidos

Introdução à Administração Financeira – 2ª edição
Clóvis Luís Padoveze

Gerente Editorial: Patricia La Rosa

Editora de Desenvolvimento: Gisela Carnicelli

Supervisora de Produção Editorial: Fabiana Alencar Albuquerque

Revisão: Daniele Fátima Oliveira e Ivaldo Soares

Diagramação: Cia. Editorial

Capa: Ale Gustavo

©2011 Cengage Learning Edições Ltda.

Todos os direitos reservados. Nenhuma parte deste livro poderá ser reproduzida, sejam quais forem os meios empregados, sem a permissão, por escrito, da Editora. Aos infratores aplicam-se as sanções previstas nos artigos 102, 104, 106 e 107 da Lei nº 9.610, de 19 de fevereiro de 1998.

Esta editora empenhou-se em contatar os responsáveis pelos direitos autorais de todas as imagens e de outros materiais utilizados neste livro. Se porventura for constatada a omissão involuntária na identificação de algum deles, dispomo-nos a efetuar, futuramente, os possíveis acertos.

A Editora não se responsabiliza pelo funcionamento dos sites contidos neste livro que possam estar suspensos.

Para informações sobre nossos produtos, entre em contato pelo telefone **0800 11 19 39**

Para permissão de uso de material desta obra, envie seu pedido para
direitosautorais@cengage.com

©2011 Cengage Learning. Todos os direitos reservados.

ISBN-13: 978-85-221-0803-9
ISBN-10: 85-221-0803-X

Cengage Learning
Condomínio E-Business Park
Rua Werner Siemens, 111 – Prédio 11 – Torre A – Conjunto 12 – Lapa de Baixo – CEP 05069-900
São Paulo – SP
Tel.: (11) 3665-9900 – Fax: (11) 3665-9901
SAC: 0800 11 19 39

Para suas soluções de curso e aprendizado, visite
www.cengage.com.br

Impresso no Brasil
Printed in Brazil
5. reimpr. – 2022

Sumário

PARTE I – FUNDAMENTOS

Prefácio IX
Prefácio à 2ª edição XI
Capítulo 1 – Fluxo Financeiro ou de Caixa 3
    Fluxo Financeiro 3
    Demonstrações Financeiras 11
    Demonstração do Fluxo de Caixa 16
    Métodos de Apresentação do Fluxo de Caixa: Direto e Indireto 20
    Fórmulas para Obtenção dos Dados do Fluxo de Caixa pelo Método Direto .. 25
    Análise do Fluxo de Caixa 28
    Periodicidade do Fluxo de Caixa 29
    Depreciação como Fonte de Caixa 29
    Apêndice: Critérios Básicos de Avaliação dos Elementos do Balanço Patrimonial .. 32
    Questões e Exercícios 35

Capítulo 2 – Objetivos, Funções e Estrutura de Finanças 39
    Objetivo de Finanças: Maximização do Lucro x Maximização
    da Riqueza x Criação de Valor 39
    Lucro Econômico x Lucro Contábil 41
    Criação de Valor – Atividade Produtiva e Valor Agregado 43
    Criação de Valor para o Acionista e Valor Econômico Adicionado
    (EVA – *Economic Value Added*) 44
    Modelo de Gestão Econômica para Criação de Valor 46
    Valor de Mercado Adicionado (MVA – *Market Value Added*) 47
    Funções de Finanças 48
    Responsabilidade Social 52
    Risco, Retorno e Liquidez 52
    Teoria da Agência (*Agency Theory*) 54
    Governança Corporativa 55
    Estrutura Administrativa 57
    Questões e Exercícios 60

Capítulo 3 – Custo de Capital e Rentabilidade do Investimento 63
    Análise de Rentabilidade 64
    Custo de Capital: Parâmetro para Avaliação da Rentabilidade 72
    Rentabilidade do Acionista pelo Lucro Líquido 75

Rentabilidade da Empresa pelo Lucro Operacional 78
Rentabilidade do Financiamento pela Alavancagem Financeira 83
Análise Geral da Rentabilidade 83
Custo de Capital, Estrutura do Passivo e Valor da Empresa 84
Custo do Capital Próprio: Introdução ao Modelo CAPM 90
Questões e Exercícios 94

Capítulo 4 – O Processo de Gestão e o Valor do Dinheiro no Tempo 99
O Processo de Gestão 99
Planejamento Estratégico 100
Planejamento Operacional e Planejamento de Curto Prazo 102
Planejamento Financeiro de Longo Prazo ou Orçamento de Capital 102
O Valor do Dinheiro no Tempo 103
Critérios de Avaliação dos Investimentos – VPL, TIR, Tirm, *Payback* 106
Projetos de Investimento e Fluxo de Caixa Descontado 114
Questões e Exercícios 120

PARTE II – PLANEJAMENTO FINANCEIRO

Capítulo 5 – Decisão de Investimento e Estrutura do Ativo 125
Conceito e Classificação de Investimentos 125
Determinação da Estrutura do Ativo 127
Modelo de Decisão para Definição da Estrutura do Ativo 128
Exemplo de Estruturas de Ativos 129
Estrutura do Ativo, Estrutura de Custos e Alavancagem Operacional 131
Risco Operacional 136
Modelo de Decisão da Margem de Contribuição 138
Margem de Contribuição 143
Ponto de Equilíbrio (*Break-Even Point*) 145
Modelo de Decisão da Margem de Contribuição – Vários Produtos 152
Utilização do Modelo de Decisão da Margem de
    Contribuição para Maximização do Lucro 153
Exemplo de Utilização do Modelo e suas Variáveis 153
Questões e Exercícios 155

Capítulo 6 – Decisão de Financiamento e Estrutura do Passivo 161
Estrutura do Passivo como Opção 162
Capital Próprio e Capital de Terceiros 162
Grau de Endividamento e Risco Financeiro 163
Alavancagem Financeira e Alavancagem Combinada 167

O Impacto Tributário na Alavancagem Financeira 174
Modelos de Decisão para Emprestar ou Não Emprestar: Ponto de Indiferença 174
Mercados Financeiros e Sistema Financeiro Nacional 178
Fontes de Financiamento 179
Fontes de Recursos Próprios 181
Fontes de Recursos de Terceiros 183
Questões e Exercícios 186

Capítulo 7 – Decisão de Dividendos 189
Sinalização para os Investidores 189
Política de Dividendos 190
Continuidade da Empresa e Manutenção do Capital 191
O Caso Brasileiro – Algumas Características 192
Juros sobre o Capital Próprio (JSCP) 193
Questões e Exercícios 194

Capítulo 8 – Introdução à Gestão do Capital de Giro 195
Ciclo Operacional, Ciclo Econômico e Ciclo Financeiro 195
Mensuração e Gestão do Ciclo Operacional 198
Mensuração e Gestão dos Ciclos Econômico e Financeiro 201
Mensuração Contábil dos Ciclos Econômico e Financeiro 201
Gestão do Capital de Giro 204
Principais Fatores que Afetam a Necessidade Líquida de Capital de Giro 211
Estratégias Financeiras: *Hedging*, Derivativos, Securitização, *Factoring* 214
Questões e Exercícios 216

Capítulo 9 – Análise das Demonstrações Financeiras 219
Análise Financeira ou de Balanço 219
Análise da Rentabilidade 231
Valor Econômico Agregado ou Adicionado (EVA® – *Economic Value Added*) 231
Questões e Exercícios 234

PARTE III – PLANEJAMENTO ORÇAMENTÁRIO

Capítulo 10 – Planejamento e Controle Orçamentário 239
Conceitos e Tipos de Orçamento 241
Orçamento, Inflação e Moedas 245
Organização e Processo de Elaboração 246
Estrutura do Plano Orçamentário 249
Orçamento de Vendas 252

Orçamento de Produção 256
Orçamento de Capacidade e Logística 257
Orçamento de Materiais e Estoques 258
Orçamento de Impostos a Recolher 262
Orçamento de Despesas Gerais 263
Orçamento de Investimentos e Financiamentos 272
Controle Orçamentário 277
Questões e Exercícios 279

Capítulo 11 – Projeção das Demonstrações Financeiras 289
Demonstrativos Contábeis a Serem Projetados 289
Metodologia das Projeções 290
Questões e Exercícios 295

REFERÊNCIAS BIBLIOGRÁFICAS 301

Prefácio

Nosso trabalho foi estruturado tendo como referência uma visão geral de finanças empresariais para a disciplina Administração Financeira e Orçamentária em cursos de graduação em Administração, Economia, Contabilidade e Engenharia. Portanto, caracteriza-se dentro de uma abordagem introdutória. Como, de um modo geral, há o contato com essa disciplina após disciplina ou disciplinas introdutórias de Contabilidade, partimos da premissa de que o leitor já conhece os conceitos básicos das demonstrações financeiras fundamentais, do balanço patrimonial e da demonstração de resultados.

A estrutura do trabalho está centralizada na apresentação dos objetivos e modelos que embasam as decisões financeiras fundamentais: a decisão de investimento, a decisão de financiamento e a decisão de dividendos. Para tanto, é necessário entender os fluxos econômicos e financeiros, os fundamentos do custo de capital, a análise financeira, a análise de investimentos e as projeções.

A principal opção metodológica que adotamos foi a de fazer uma apresentação do fluxo financeiro ou de caixa antes da apresentação dos objetivos e fundamentos de finanças. Os motivos principais são:

a) essa opção permite um reencontro com os fundamentos da demonstração de resultados e o balanço patrimonial, e as inter-relações de seus valores e contas;
b) permite ao docente a possibilidade de uma revisão das principais movimentações econômico-financeiras de uma empresa;
c) possibilita também uma revisão das diferenças entre os conceitos de geração de lucro e geração de caixa;
d) permite desenvolver os modelos de fluxos de caixa direto e indireto, seus elementos formadores e as fórmulas de obtenção dos dados;
e) deixa claro o fluxo de caixa como demonstrativo complementar e fundamental ao balanço e à demonstração de resultados para a gestão financeira das empresas.

Após o contato com o fluxo financeiro e uma revisão das demonstrações financeiras fundamentais, entendemos que se torna mais fácil e assimilável a apresentação dos objetivos e funções das finanças. Em termos metodológicos, sugerimos aos docentes que, enquanto o primeiro capítulo foi apresentado e treinado, solicitem aos alunos trabalhos de leitura e resumo dos objetivos e funções financeiras, utilizando textos de outros autores. Dessa maneira, a apresentação do segundo capítulo em classe será mais discussão e debate do que propriamente apresentação. Outros recursos didáticos podem ser utilizados – por exemplo, apresentações do tema por grupos de alunos, de forma resumida.

A segunda opção metodológica que introduzimos é a apresentação, logo em seguida, do conceito de custo de capital. Temos notado que, em cursos de graduação, esse conceito nem sempre é enfatizado, sendo apresentado de maneira rápida, normalmente em conjunto com os critérios de avaliação de investimentos. Nesse momento, faz-se a apresentação conjugada dos conceitos de custo de capital e rentabilidade do investimento.

Os demais temas são apresentados dentro de uma sequência tradicional, em que cada docente pode trabalhar os diversos temas com mais ou menos ênfase. Todos os capítulos trazem exercícios para aprendizagem. Esperamos que nosso trabalho seja útil, e ficamos gratos por qualquer sugestão de tema a ser inserido.

Prefácio à Segunda Edição

É com imensa satisfação que temos a oportunidade de rever o conteúdo de nosso trabalho para esta segunda edição. Nosso entendimento é que uma nova edição representa uma resposta dos usuários de nosso livro, aprovando sua concepção. Isto nos deixa gratificado, mas também dá-nos uma responsabilidade e desafio de continuar tendo a aprovação de todos, mantendo a qualidade do trabalho.

Nesta oportunidade procuramos fazer os ajustes necessários e mesmo algumas correções, procurando sempre deixar o material em condições de utilização para os docentes, discentes e profissionais da área.

Várias alterações foram realizadas tendo em vista as recentes modificações na estrutura de apresentação das demonstrações financeiras em razão da adaptação das práticas contábeis brasileiras às normas internacionais de contabilidade determinada pela Lei 11.638 de dezembro de 2007 e corroboradas pela Lei 11.941 de maio de 2009, que alteraram as disposições contábeis da Lei 6.406/76, conhecida como Lei das S/A. As alterações principais nas demonstrações financeiras e práticas contábeis foram:

a) Supressão do conceito de Ativo Permanente, sendo substituído pelo conceito de Ativo Não Circulante, que passou a englobar o Realizável a Longo Prazo, os Investimentos, o Imobilizado e o Intangível;

b) Eliminação do conceito de Ativo Diferido, que não mais existirá;

c) Inclusão do grupo Intangível, que absorverá os direitos de bens incorpóreos que tenham condição de produzir benefícios econômicos futuros e possam ser eles mesmos comercializáveis;

d) Introdução do conceito de Passivo Não Circulante, que englobará o Exigível a Longo Prazo;

e) Eliminação da possibilidade de Reavaliação de Ativos;

f) Introdução do conceito de redução ao valor recuperável de ativos (*impairment*) para provisionar valores contábeis de ativos acima de valor do mercado ou do valor em uso;

g) Introdução do conceito de valor justo (*fair value*) para aferir o valor dos ativos e passivos ao preço de mercado ou pelo fluxo de caixa descontado (valor em uso).

Em relação ao livro, essas alterações restringiram-se basicamente ao formato de apresentação, uma vez que as alterações não trazem substancialmente nenhuma modificação nos aspectos gerenciais e de retorno do investimento.

Consideramos a principal alteração financeira nesta nova edição a inclusão no Capítulo 4 – O Processo de Gestão e o Valor do Dinheiro no Tempo, do conceito de Tirm – Taxa Interna de Retorno Modificada. Era uma lacuna que queríamos eliminar e esta nova edição nos deu essa oportunidade.

Agradecemos mais uma vez a todos que nos honram com a utilização de nosso trabalho e continuamos disponíveis para sugestões e modificações.

Clóvis Luís Padoveze

PARTE I – FUNDAMENTOS

1 Fluxo Financeiro ou de Caixa

A geração de caixa é o objetivo que suporta a missão das empresas, efetivando financeiramente os lucros necessários à remuneração do capital investido, com isso permitindo a sua continuidade – sua existência por tempo indeterminado. A compreensão da movimentação financeira, portanto, é fundamental para o entendimento das operações da empresa e para a avaliação da viabilidade e retorno do investimento.

As empresas nascem a partir de investimentos nas operações necessárias para produzir e vender os produtos e serviços escolhidos. Esses investimentos são destinados aos diversos ativos necessários a essas operações, ativos esses que, movimentados pelas pessoas, produzem e comercializam os produtos e serviços, gerando os lucros necessários para dar o retorno esperado pelos investidores. O retorno necessário é denominado *criação de valor*.

O pequeno e simples exemplo sobre o objetivo de finanças com a abertura de uma empresa, de Ross *et al.* (2002, p. 26), ilustra bem a questão: "No linguajar financeiro, seria feito um investimento em ativos, como estoques, máquinas, terrenos e mão de obra. O dinheiro aplicado em ativos deve ser contrabalançado por uma quantia idêntica de dinheiro gerado por algum financiamento. *Quando começar a vender, sua empresa irá gerar dinheiro. Essa é a base da criação de valor* (grifo nosso). A finalidade da empresa é criar valor para o seu proprietário. O valor está refletido no modelo básico da empresa, representado pelo seu balanço patrimonial".

Fluxo Financeiro

As operações para produzir e vender produtos e serviços exigem recursos, que, por sua vez, têm que ser pagos em dinheiro. O recebimento de dinheiro pela venda desses produtos e serviços é a contrapartida pelos esforços realizados. A diferença entre os valores pagos pelos recursos utilizados e os valores recebidos pela venda dos produtos e serviços é a geração operacional de caixa, que decorre do lucro gerado por esses produtos e serviços.

Denominamos *fluxo financeiro* ou *de caixa* essa movimentação básica de recursos. Acoplado às movimentações financeiras de investimento e entradas de capital, temos o fluxo financeiro geral do empreendimento. Assim, o fluxo financeiro ou de caixa pode ser definido como o conjunto de movimentações financeiras decorrente do pagamento e recebimento dos eventos econômicos das operações da empresa e das atividades de captação de recursos e investimentos de capital.

Geração de Lucro *versus* Geração de Caixa das Operações

Considerando a empresa em continuidade, dentro de uma visão de longo prazo, todos os lucros devem se transformar em caixa. Contudo, no mundo real, o momento da geração de lucro não coincide com o momento da geração de caixa. Só há coincidência desses momentos quando todas as operações são realizadas à vista, o que é improvável em uma empresa em condições normais de operação. De um modo geral, a geração de caixa é um evento que acontece em um momento posterior à geração do lucro. Isso pode ser exemplificado de forma simples, considerando as duas atividades principais de uma empresa comercial: a compra e a venda de mercadorias.

Vamos supor que uma empresa adquira mercadorias para revenda no valor de $ 100, para pagamento em 30 dias. Essas mercadorias ficarão estocadas nesse primeiro momento. O balanço patrimonial da empresa registra essa movimentação apontando no ativo a conta de Estoque de Mercadorias, e no passivo, a conta de Duplicatas a Pagar a fornecedores, ambas no valor de $ 100. Nesse exemplo, deixaremos de lado quaisquer outros valores patrimoniais, atendo-nos puramente aos eventos dessas operações.

Ativo		Passivo	
Estoques	100	Duplicatas a Pagar	100

Essa contabilização é feita considerando-se o *momento econômico* do evento, ou seja, o momento em que aconteceu a compra. A metodologia contábil trabalha sempre com esse conceito, contabilizando os dois momentos básicos das operações: o momento econômico, quando acontece o evento, e o *momento financeiro*, quando a operação é finalizada financeiramente. O método da contabilidade é executado, então, *sob o princípio da competência*, que diz que um evento econômico tem que ser escriturado quando de sua ocorrência, independentemente do seu pagamento ou recebimento.

Continuando nosso exemplo, vamos supor agora que as mercadorias sejam vendidas, também para recebimento em 30 dias, pelo valor de $ 180. Nesse momento, identificamos três novos elementos:

1. O surgimento de um direito, a ser registrado na conta Duplicatas a Receber, porque o cliente que adquiriu a mercadoria pagará em 30 dias.
2. A geração do lucro de $ 80, uma vez que o valor da venda foi superior ao valor da compra ($ 180 do valor da venda (–) $ 100 do valor da compra).
3. O registro do lucro no passivo, que ficará à disposição dos donos do capital à espera de distribuição.

O balanço patrimonial fica agora da seguinte forma:

Ativo		Passivo	
Duplicatas a Receber	180	Duplicatas a Pagar	100
		Lucro Gerado	80

Os dois eventos registrados até agora, pelo momento de suas ocorrências, mostraram a *geração de lucro* de $ 80. Contudo, essa geração de lucro ainda não se transformou em caixa. A geração de caixa ocorrerá quando as transações de compra e venda forem efetivadas financeiramente, ou seja, a duplicata a receber será recebida, e a duplicata a pagar será paga.

Em decorrência da venda, surge a possibilidade de apresentar a geração do lucro sob a forma de uma outra demonstração financeira, a Demonstração de Resultados. A mais conhecida é a Demonstração do Resultado do Exercício, que é uma demonstração obrigatória para fins legais e fiscais; ela mostra o lucro gerado em *um ano* de operações. Contudo, pode-se ter a Demonstração do Resultado de cada transação, para cada mês, para cada trimestre ou para cada período escolhido ou necessário para a gestão econômico-financeira. Essa primeira Demonstração de Resultados pode ser assim apresentada:

Demonstração de Resultados das Operações	
Venda	180
(-) Custo das Mercadorias Vendidas	(100)
= Lucro na Venda das Mercadorias	80

Para a conclusão de nosso exemplo, vamos supor que, passados os 30 dias, a duplicata do cliente seja recebida e a duplicata do fornecedor seja paga. Recebendo-se $ 180 do cliente e pagando-se $ 100 ao fornecedor, sobram para a empresa $ 80, que ficarão no seu Caixa. O balanço patrimonial refletirá assim essas duas transações financeiras:

Ativo		Passivo	
Caixa	80	Lucro Gerado	80

Fica claro que, em condições normais, o lucro gerado se transforma em caixa. Em linhas gerais, podemos dizer que a geração de caixa acontece depois da geração de lucro. Essa administração financeira é fundamental, pois, se nesse espaço de tempo a empresa não tiver disponibilidade para fazer face a seus compromissos financeiros, ela se verá em dificuldades. Para tanto, um conjunto de procedimentos financeiros deve ser observado de antemão, de tal forma que a empresa sempre tenha recursos disponíveis ou no seu capital de giro para a gestão financeira entre o momento da geração de lucro e o momento da geração de caixa.

Uma outra demonstração financeira pode ser estruturada após essas transações. É a Demonstração do Fluxo de Caixa, ou simplesmente Fluxo de Caixa, evidenciando os valores recebidos e pagos. Ela pode ser assim apresentada:

Demonstração do Fluxo de Caixa	
Recebimentos (a)	
de Duplicatas de Clientes	180
Pagamentos (b)	
de Duplicatas de Fornecedores	(100)
Saldo (a - b)	80
(+) Saldo Inicial de Caixa	0
= Saldo Final de Caixa	80

O Aspecto Tridimensional da Gestão Empresarial

Como já introduzimos, podemos dizer que a gestão empresarial é segmentada em três aspectos:

- o aspecto operacional;
- o aspecto econômico;
- o aspecto financeiro.

Em cada atividade desenvolvida pela empresa observam-se três aspectos interdependentes. "O primeiro diz respeito a qualidade, quantidade e cumprimento de prazo, que denominamos de operacional... Aos recursos consumidos e aos produtos e serviços gerados, podem ser associados valores econômicos... o que carateriza o aspecto econômico da atividade. Finalmente, as operações envolvem prazos de pagamentos e recebimentos, o que carateriza o aspecto financeiro da atividade" (Catelli e Guerreiro, 1992, p. 12).

Fundamentalmente, o fator tempo está ligado ao aspecto operacional das atividades, ou seja, ao cumprimento dos prazos do processo de produção e comercialização. O aspecto financeiro também evidencia o fator tempo, pois trata de prazos de recebimentos e pagamentos. A Figura 1.1 reflete os efeitos econômico, financeiro e patrimonial do aspecto temporal de execução operacional das atividades, evidenciando o elo entre a avaliação do tempo gasto pelas atividades e o resultado econômico gerado por elas.

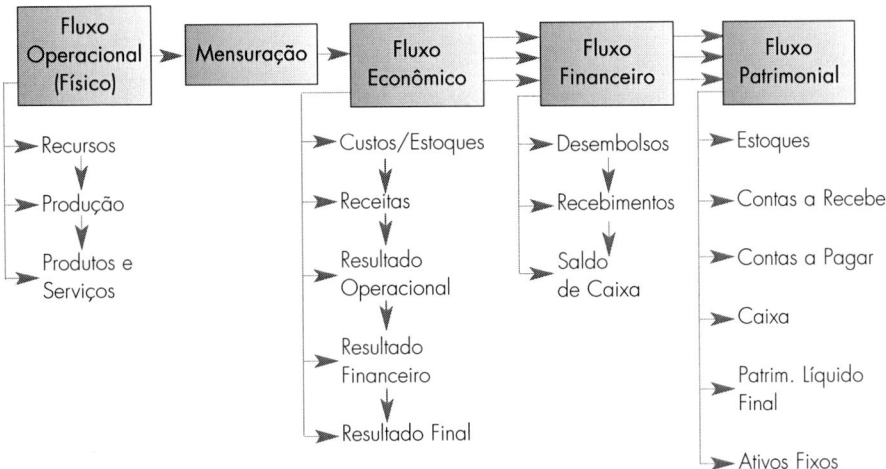

Figura 1.1 – Fluxo Operacional, Econômico, Financeiro e Patrimonial das Atividades.

Conceito de Caixa e Disponibilidades

A palavra *Caixa*, de forma restrita, representa o numerário existente na empresa em determinado momento. Para fins de gestão financeira e neste livro, essa palavra representa, além do numerário existente, o valor dos saldos bancários e das aplicações financeiras de curto prazo. Esse conjunto de ativos é denominado *Disponibilidades* pela contabilidade, mas utilizaremos a palavra Caixa como sinônimo.

A existência de aplicações financeiras de longo prazo (aplicações com resgate previsto além de um ano da data do encerramento de um balanço patrimonial) é possível, mas sua classificação não é no grupo Disponibilidades. Elas são apresentadas no Realizável a Longo Prazo e se qualificam mais adequadamente como investimento. Contudo, esse tipo de ocorrência é menos comum, pois as empresas, notadamente em nosso país, tendem a manter suas aplicações financeiras como reservas financeiras para utilização a curto prazo.

Visão Geral da Movimentação Financeira ou do Fluxo de Caixa

Apresentamos a seguir, na Figura 1.2, uma visão esquemática das principais movimentações financeiras de uma empresa comercial ou industrial, tendo como referência o caixa.

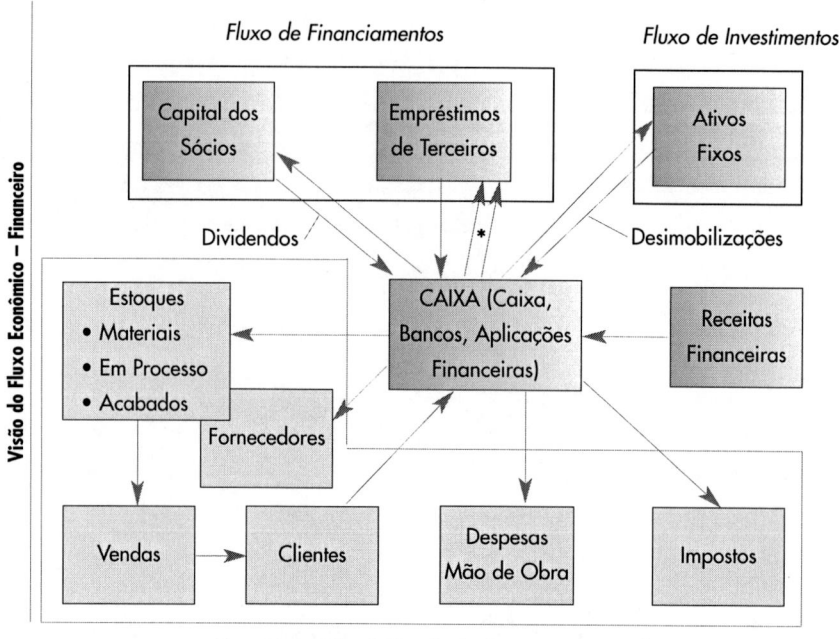

Figura 1.2 – Visão Geral da Movimentação Econômico-Financeira.

Uma empresa começa com a decisão de investir. Os investimentos são em ativos fixos e em capital de giro. Os ativos fixos recebem essa denominação porque são elementos patrimoniais que a empresa adquire com a intenção de não revender. São representados classicamente pelos ativos imobilizados (terrenos, prédios, equipamentos, máquinas, móveis e veículos). O capital de giro é representado pela necessidade de a empresa ter estoques à mão para produção e vendas, e também pela necessidade de dar um prazo para o recebimento das vendas. O capital de giro representa a operação da empresa.

Toda decisão de investimento é acompanhada da decisão de financiamento, pois, para investir, é necessária a obtenção de fundos. Esses fundos podem vir tanto dos proprietários do negócio, que tomaram a iniciativa de investir, como de terceiros, via financiamentos ou empréstimos bancários.

O fluxo de caixa pode, então, ser segmentado em três grandes áreas:

1. fluxo de investimentos;
2. fluxo de financiamentos;
3. fluxo das operações ou fluxo operacional.

O *fluxo de investimentos* compreende:

- Os gastos que a empresa faz para aquisição de seus ativos fixos, correspondendo, então, às saídas de caixa.
- O valor recebido pelas desimobilizações, ou seja, o valor obtido pela venda de ativos fixos (imóveis, equipamentos etc.) que não são mais necessários para as operações ou que serão repostos. Corresponde, então, a entradas no caixa.
- Os investimentos no capital de giro líquido (estoques, clientes, fornecedores, contas a pagar) constam do fluxo de caixa operacional.

O *fluxo de financiamentos* compreende:

- A entrada de dinheiro na empresa a título de entrada de capital, mais os seus incrementos. Essas entradas são denominadas *capital próprio*, pois a fonte desses recursos são os donos da empresa (sócios, adquirindo cotas da empresa, ou acionistas, adquirindo ações). Essa é, na realidade, em termos conceituais, a primeira entrada de caixa da empresa, pois é o evento que a faz dar origem. A característica básica dessa entrada de caixa é que, fundamentalmente, esse valor não será devolvido aos donos até o encerramento das atividades da empresa.
- A entrada de dinheiro de terceiros, por meio da obtenção de empréstimos e financiamentos na rede bancária ou nos mercados financeiros. Essas fontes de recursos são denominadas *fontes de capital de terceiros*. Correspondem às entradas de caixa, mas, em linhas gerais, devem ser devolvidas no futuro, uma vez que os empréstimos e financiamentos devem ser pagos com os encargos financeiros.
- A saída de caixa para o pagamento dos encargos financeiros do capital de terceiros, normalmente denominados *despesas financeiras* (juros, comissões, *spread*, variações cambiais ou monetárias etc.).
- A saída de caixa para o pagamento do principal dos empréstimos e financiamentos obtidos, nos respectivos vencimentos contratados. O pagamento do principal do capital de terceiros é denominado *amortização* (da dívida).
- A saída de caixa para a distribuição de lucros aos sócios ou acionistas. Quando se refere às empresas limitadas, denomina-se *lucros distribuídos*. Quando se refere às sociedades anônimas, denomina-se *dividendos*. No Brasil, existe ainda a figura do pagamento de juros sobre o capital próprio, que é também uma forma de distribuição de lucros, com tributação diferenciada das demais distribuições.
- A saída de caixa para devolução do capital social aos sócios ou acionistas. Essas saídas são raras, uma vez que, de um modo geral, só se retorna o valor do capital social quando do encerramento das atividades da empresa. Contudo, existe

a possibilidade de redução do capital social, ou mesmo a recompra de ações, quando então se caracteriza um tipo de saída de caixa.

O *fluxo operacional* é o caminho para a obtenção do lucro desejado pela empresa. É, portanto, o mais importante, devendo ser analisado de acordo com suas funções básicas. O fluxo das operações tem uma lógica básica que é o processo de comprar, produzir, vender e receber, retornando em seguida o mesmo processo, o que dá a ideia de um movimento circular, repetitivo, contínuo, de forma a gerar lucros ininterruptamente.

O fluxo operacional compreende basicamente:

- A saída de caixa para aquisição de estoques de mercadorias (se comércio) e matérias-primas e componentes (se indústria). Conforme evidenciado no fluxo, é comum que essa saída de caixa não seja de imediato, uma vez que, de um modo geral, os fornecedores de mercadorias e materiais dão um prazo para operacionalizar o pagamento das entregas. Assim, essa saída de caixa corresponde ao pagamento a fornecedores, por meio da quitação das duplicatas originadas de suas faturas emitidas contra a empresa.

- A saída de caixa para pagamento das despesas gerais necessárias para manutenção e operação de todas as atividades empresariais, de produção, comercialização e administração. As despesas compreendem os gastos com mão de obra e seus encargos sociais, obrigatórios e espontâneos, e os gastos diversos com energia, viagens, aluguéis, seguros, fretes etc. São todas as despesas departamentais.

- A entrada de caixa pelas vendas efetuadas de mercadorias, produtos ou serviços, por meio do recebimento das duplicatas dos clientes, originadas das faturas emitidas pela empresa. Observe, no fluxo, que o evento que antecede o recebimento das duplicatas dos clientes é a venda. As empresas que têm condições de vender à vista (supermercados, por exemplo) não têm o tempo de espera para realizar financeiramente a venda. Contudo, a maior parte das empresas vende a prazo, para dar tempo aos seus clientes de escriturarem as faturas e providenciar o pagamento.

- A saída de caixa para pagamento dos impostos devidos ao governo, em suas diversas esferas e modalidades. Os impostos são gerados pelas vendas, pelo lucro, por movimentação financeira e outros fatos geradores, contidos basicamente nas operações da empresa.

Preferimos alocar as *receitas financeiras* decorrentes das aplicações financeiras separadamente, com a movimentação final de caixa. Alguns autores classificam as receitas financeiras com o fluxo de financiamentos, como redutor das despesas financeiras. Porém, entendemos que esse evento está estritamente ligado ao caixa e ao seu saldo, razão por que não o classificamos em nenhum dos três segmentos do fluxo de caixa.

Demonstrações Financeiras

Balanço Patrimonial: A Representação Básica da Gestão Financeira

No exemplo introdutório em que evidenciamos a geração de lucro e de caixa, verificamos que o Balanço Patrimonial mostra, além dos elementos patrimoniais existentes, o caixa e o lucro gerados. Portanto, fica claro que essa demonstração financeira é a mais importante e deve ser o guia para toda a gestão financeira.

Essa demonstração, elaborada pela contabilidade, tem a seguinte apresentação básica:[1]

Quadro 1.1 – Estrutura Básica do Balanço Patrimonial

ATIVO	PASSIVO (1)
CIRCULANTE	**CIRCULANTE**
Disponibilidades, Contas a Receber de Clientes, Estoques e outros valores a receber e a realizar, dentro do prazo de um ano	Duplicatas e Contas a Pagar, Impostos a Recolher, Empréstimos e Financiamentos e outras obrigações, vencíveis dentro do prazo de um ano
NÃO CIRCULANTE	**NÃO CIRCULANTE**
Realizável a Longo Prazo	**Exigível a Longo Prazo**
Bens e direitos a receber ou a realizar com prazo superior a um ano, com intenção de negociação ou realização	Empréstimos e Financiamentos, Tributos parcelados e outras obrigações com vencimento superior a um ano, e receitas diferidas
Investimentos, Imobilizado e Intangível	**PATRIMÔNIO LÍQUIDO**
Bens e direitos, adquiridos ou construídos com intenção de não venda, para utilização nas atividades operacionais da companhia, com os valores líquidos das depreciações, amortizações e exaustões (antigo Ativo Permanente)	Valor das entradas de capital, mais as reservas originadas de doações, os ajustes de avaliação patrimonial ainda não contabilizadas em resultado, mais os lucros retidos nas Reservas de Lucros, menos Prejuízos Acumulados

(1) Com a adoção das práticas internacionais de contabilidade introduzida pela Lei 11.638/07, muitas empresas passaram a denominar o lado direito do balanço patrimonial de Passivo e Patrimônio Líquido. Em todo o nosso trabalho, manteremos a denominação de Passivo para o lado direito do balanço patrimonial.

Podemos, outrossim, fazer uma adaptação para adequar o balanço patrimonial às necessidades da gestão financeira básica, de modo a permitir que essa demonstração financeira apresente de forma mais clara o resultado das decisões de investimento e financiamento. As decisões de investimento devem ser refletidas no passivo e classificadas entre capital de giro e ativo fixo. Em outras palavras, representam as aplicações de recursos na empresa. As decisões de financiamento devem ser refletidas no passivo

---

[1] Ver, ao final do capítulo, os principais critérios de avaliação utilizados pela contabilidade para as contas do balanço patrimonial.

e classificadas entre capital de terceiros e capital próprio. Representam as fontes de recursos obtidas pela empresa para fazer os investimentos. O balanço patrimonial, sob a ótica financeira, pode ser então apresentado como na Figura 1.3.

ATIVO	PASSIVO
INVESTIMENTOS	FINANCIAMENTOS
APLICAÇÕES DE RECURSOS	*FONTES DE RECURSOS*
Capital de Giro	Capital de Terceiros
Ativo Fixo	Capital Próprio

Figura 1.3 – Balanço Patrimonial na Ótica das Decisões Financeiras.

Assumindo valores aleatórios para os principais elementos patrimoniais contábeis, podemos apresentar o balanço patrimonial conforme as duas óticas: a ótica contábil e a ótica financeira. A Tabela 1.1 evidencia o balanço apresentado sob a ótica contábil, com a sua nomenclatura.

Tabela 1.1 – Balanço Patrimonial – Ótica Contábil

ATIVO		PASSIVO	
Circulante	**3.500**	**Circulante**	**1.600**
Caixa	100	Duplicatas a Pagar	900
Duplicatas a Receber	1.000	Impostos e Contas a Pagar	700
Estoques	2.400		
		Exigível a Longo Prazo	**2.000**
		Financiamentos	2.000
Não Circulante	**3.500**	**Patrimônio Líquido**	**3.400**
Imobilizado	3.500	Capital Social	3.000
		Lucros Acumulados	400
Total	**7.000**	**Total**	**7.000**

Observe-se que os ativos e passivos circulantes são os elementos do fluxo operacional e correspondem ao giro da empresa. Os passivos circulantes são obrigações de curto prazo e estão relacionados com os ativos circulantes. As duplicatas a pagar decorrem da compra de estoques, e os impostos e contas a pagar decorrem das vendas (e, portanto, das duplicatas a receber), dos estoques e dos lucros. Podemos afirmar, dessa maneira, que os passivos circulantes tradicionais são elementos redutores dos ativos circulantes, ou seja, correspondem à parcela ainda não paga dos ativos circulantes. Deixamos de introduzir o grupo realizável a longo prazo para simplificação.

Dentro dessa linha de raciocínio, a ótica financeira permite levar para o ativo os passivos circulantes relacionados com o giro da empresa, com sinal negativo, passando esse conjunto de elementos patrimoniais a ser denominado *capital de giro* (ou *capital de giro próprio*). O ativo não circulante (excluso o realizável a longo prazo) muda a nomenclatura para *ativo fixo*. Os financiamentos, caracteristicamente de longo prazo, representam o capital de terceiros; o patrimônio líquido contábil representa o dinheiro dos sócios ou acionistas, proprietários da empresa, e é denominado financeiramente de *capital próprio*. A Tabela 1.2 apresenta o balanço patrimonial sob a ótica financeira.

Tabela 1.2 – Balanço Patrimonial – Ótica Financeira

ATIVO		PASSIVO	
Capital de giro	1.900	**Capital de Terceiros**	2.000
Caixa	100	Financiamentos	2.000
Duplicatas a Receber	1.000		
Estoques	2.400		
(-) Duplicatas a Pagar	(900)		
(-) Impostos e Contas a Pagar	(700)		
Ativo fixo	3.500	**Capital Próprio**	3.400
Imobilizado	3.500	Capital Social	3.000
		Lucros Acumulados	400
Total	**5.400**	**Total**	**5.400**

Sob essa ótica é que o balanço patrimonial fundamenta a gestão de finanças. Essa apresentação permite evidenciar claramente os efeitos das funções financeiras primordiais, bem como desenvolver os principais modelos decisórios para os objetivos de finanças dentro das empresas.

Modelo para Gestão Financeira: Balanço Patrimonial ou Fluxo de Caixa?

É importante ressaltar que, apesar do fluxo de caixa, em um primeiro momento, apresentar-se como o modelo básico da gestão de finanças, ele não o é na realidade. O modelo básico é o balanço patrimonial, uma vez que contém todos os elementos patrimoniais existentes em um determinado momento, as obrigações e os direitos da empresa, o valor do capital dos proprietários, bem como o resultado acumulado dos lucros na empresa. Apresenta também o próprio caixa.

O caixa é um dos elementos patrimoniais contidos no balanço, e deve ser gerenciado adequadamente, igual aos outros elementos. A atenção especial ao caixa decorre de que a empresa deve ser administrada com dinheiro suficiente para honrar todos os seus compromissos, e, se não o fizer, pode comprometer o empreendimento como um todo. Além disso, já verificamos que o caixa recebe o reflexo da geração do lucro, guardados os devidos descolamentos de tempo entre lucro e caixa.

Em resumo, podemos afirmar que o modelo básico para a gestão financeira é o balanço patrimonial, secundado pela demonstração de resultados e pelo fluxo de caixa. A utilização integrada dessas três demonstrações financeiras, que no fundo são representativas de modelos decisórios de caráter de grande agregação, permite a gestão financeira adequada dos empreendimentos.

Demonstração dos Resultados: Evidenciação da Criação de Valor

Enquanto o balanço patrimonial representa a situação da empresa em um determinado momento, em uma data, a demonstração de resultados representa os elementos que possibilitaram gerar o lucro em um determinado período de tempo. O valor do lucro é o fundamento da criação de valor para a empresa e para seus donos.

A demonstração de resultados insere-se, então, entre dois balanços patrimoniais. Parte-se de uma data e, consequentemente, de um balanço patrimonial inicial, e mede-se o resultado das operações de um determinado período. O balanço patrimonial ao final desse período incorpora o lucro do período e as alterações feitas na estrutura de ativos e passivos também nesse período. Partindo dos dados do nosso exemplo introdutório, e supondo uma transação de compra de mercadoria para estoques de $ 150, com pagamento de $ 50 e o restante a prazo, e, em seguida, uma venda de mercadorias de estoques por $ 200, de custo de $ 95, recebendo $ 170 e ficando $ 30 por receber, desenvolveremos um novo exemplo numérico. A Tabela 1.3 representa esquematicamente essa interação.

Tabela 1.3 – Interação entre o Balanço Patrimonial e a Demonstração de Resultados

Balanço Patrimonial Inicial			
Ativo		**Passivo**	
Caixa	80	Lucro Acumulado	80

Demonstração de Resultados do Período	
Vendas	200
Custo das Vendas	(95)
Lucro	105

Balanço Patrimonial Final			
Ativo		**Passivo**	
Caixa	200	Dupls. a Pagar	100
Estoques	55		
Dupls. a Receber	30	Lucro Acumulado	185
Total	285	Total	285

O balanço inicial representa o que a empresa tinha ao começar um novo período de operações. A demonstração dos resultados representa quanto a empresa ganhou ou perdeu em um período. O balanço final representa a nova situação, e a conta Lucro Acumulado, no passivo, indica o lucro acumulado de todos os períodos. Em nosso exemplo, foram dois períodos. O valor de $ 185 significa que as operações da empresa lhe criaram valor.

A conta Lucro Acumulado ficará com esse valor até que seja dado um destino para o lucro. Há quatro possibilidades:

- ele ser distribuído em retorno aos donos do capital, total ou parcialmente;
- ele ser capitalizado, transformando-se em capital social, total ou parcialmente;
- ele ser mantido sob essa rubrica, total ou parcialmente;
- as três alternativas anteriores em conjunto.

Fluxo de Caixa: Efetivação e Gestão da Riqueza Criada

No último exemplo apresentado, a variação do caixa não foi o mesmo valor do lucro obtido no período. Enquanto o lucro foi de $ 105, a variação do caixa foi de $ 120. O exemplo mostra que é normal um descompasso entre a geração de lucro e a geração de caixa.

É importante analisar o fluxo de caixa para o monitoramento desse descompasso. Em linhas gerais, podemos dizer que o ideal é o máximo de aproximação entre o tempo de geração de lucro e a geração de caixa. O caixa significa a efetivação financeira da riqueza criada. Portanto, a sua gestão deve se concentrar nesse aspecto.

A gestão do fluxo de caixa deve focar no descompasso entre a geração de lucro e a sua efetivação financeira, identificando as variações e seus motivos.

O fluxo de caixa foi desenvolvido nesse sentido. A variação de $ 120 ocorrida no período pode ser inferida a partir dos dados do balanço patrimonial e da demonstração de resultados. A Tabela 1.4 é a demonstração do fluxo de caixa, evidenciando sua movimentação, o saldo do período e os saldos iniciais e finais, para confrontação.

Tabela 1.4 – Demonstração do Fluxo de Caixa do Período

Demonstração do Fluxo de Caixa do Período	
Recebimentos (a)	
de Duplicatas de Clientes	170
Pagamentos (b)	
de Duplicatas de Fornecedores	(50)
Saldo do Período (a - b)	120
(+) Saldo Inicial de Caixa	80
= Saldo Final de Caixa	200

O valor do recebimento das duplicatas foi obtido da seguinte maneira:

Valor das Vendas, obtido na Demonstração de Resultados	$ 200
(-) Saldo de Dupls. a Receber, obtido no Balanço Patrimonial	(30)
= Recebimento de Duplicatas	170

O valor do pagamento das duplicatas foi obtido da seguinte maneira:

Valor do Estoque, obtido no Balanço Patrimonial	$ 55
Valor do Custo das Vendas, obtido na Demonstração de Resultados	95
= Valor das Compras do período	150
(-) Saldo de Dupls. a Pagar, obtido no Balanço Patrimonial	(100)
= Pagamento de Duplicatas	50

Fica claro, nesse exemplo, que conduzir unicamente a gestão financeira da empresa pelo fluxo de caixa não é adequado. O lucro gerado foi de $ 105, que corresponde efetivamente ao conceito de criação de valor, e foi inferior ao aumento do caixa. Interpretando-se o aumento de caixa de $ 120 como criação de valor, poder-se-ia inferir que no futuro essa mesma condição se reproduziria, talvez ocasionando falhas na gestão dos fluxos futuros decorrentes das atividades empresariais.

Como já salientamos, a gestão deve contemplar os aspectos operacionais, econômicos, financeiros e patrimoniais, partindo do balanço patrimonial e da demonstração de resultados, para, com auxílio do fluxo de caixa, obter uma visão completa tanto da geração de lucro como da movimentação financeira e da retenção da riqueza, espelhada no balanço patrimonial.

Demonstração do Fluxo de Caixa

O fluxo de caixa, com a demonstração dos lucros acumulados ou retidos, é um demonstrativo que complementa o balanço patrimonial e a demonstração de resultados. Utilizando as principais movimentações econômico-financeiras de uma empresa, considerando-as como se estivessem iniciando suas operações, desenvolveremos um exemplo numérico que ilustra a estruturação dessas demonstrações financeiras, evento por evento, **apresentados de forma cumulativa**.

A primeira demonstração financeira é o balanço patrimonial. É interessante notar que os eventos de 1 a 5 são exclusivamente de alteração no balanço patrimonial, sem provocar alteração na riqueza patrimonial dos proprietários (sócios ou acionistas), uma vez que o patrimônio líquido é representado apenas pelo capital social inicial incorporado à empresa no evento 1, e este não se altera com os eventos 2 a 4.

O primeiro evento de variação da riqueza (e de criação de valor) é o evento 6, quando há a venda de mercadorias com lucro. Em sequência, os eventos 8, 9, 10, 11 e 12 representam as possibilidades mais comuns de despesas e receitas, afetando o resultado, consequentemente o lucro e a criação de valor. Cada um desses eventos provoca, no momento, antes ou depois, alterações no caixa.

O evento 13, apesar de reduzir o valor total do patrimônio líquido, não pode ser considerado um evento de diminuição ou destruição de valor, porque representa a distribuição de lucros aos sócios ou acionistas. Esse evento é encarado como o pagamento em dinheiro aos proprietários, necessário para justificar o retorno do investimento na empresa. Ilustra a terceira demonstração financeira, fundamental para concluir a visualização do fluxo econômico-financeiro da empresa. Representa a distribuição do lucro gerado. Assim, podemos resumir os objetivos das três demonstrações financeiras já apresentadas:

- O *Balanço Patrimonial* evidencia a situação patrimonial total, após cada evento, em valor e em qualidade, dos investimentos realizados, suas fontes de financiamento (passivo) e onde estão aplicados (ativo). A conta *Lucros Acumulados* evidencia tanto o valor total da riqueza gerada como sua distribuição.
- A *Demonstração de Resultados* evidencia os eventos principais que permitiram a geração da riqueza, resumidos e classificados em seus tipos principais, ordenados dentro de uma estrutura lógica e gerencial. Portanto, a Demonstração de Resultados, como propriamente indica seu nome, tem a função de *explicar* como o resultado foi obtido.
- A *Demonstração de Lucros Acumulados* objetiva evidenciar a movimentação da riqueza gerada, indicando, basicamente, quanto foi gerado, distribuído em retorno aos investidores e retido na empresa para a continuidade de suas operações.

Tabela 1.5 – Principais Movimentações Econômico-Financeiras de uma Empresa

		$
1 -	Incorporação de capital inicial em dinheiro	500
2 -	Investimentos em ativo fixo em dinheiro, sendo: Terrenos =	50
	Prédios =	120
	Equipamentos =	240
	Total =	410
3 -	Empréstimo tomado para pagamento a longo prazo	400
4 -	Aquisição de estoques de mercadorias a prazo	380
5 -	Pagamento de duplicatas em dinheiro a fornecedores	300
6 -	Venda a prazo, por $ 475, de 50% das mercadorias estocadas	475
	Custo das mercadorias vendidas	190
	Lucro =	285
7 -	Recebimento de duplicatas de clientes, em dinheiro	320
8 -	Despesas de salários e outras, 50% pagas em dinheiro	170
9 -	Pagamento da 1ª parcela do empréstimo	20
	Pagamento dos juros incorridos até o momento	10
	Total pago em dinheiro	30
10 -	Contabilização da depreciação dos imobilizados	20
11 -	Receitas financeiras de aplicações	5
12 -	Impostos sobre o lucro (40%), 50% pagos em dinheiro	36
13 -	Distribuição de 80% dos lucros aos sócios, em dinheiro	43
	O restante do lucro ficará na empresa como lucro retido ou lucro acumulado	

Essas três demonstrações são apresentadas a seguir, na Tabela 1.6.

Tabela 1.6 – Principais Movimentações Econômico-Financeiras de uma Empresa e as Demonstrações Financeiras Básicas

Relatório 1

BALANÇO PATRIMONIAL	Nº 1	Nº 2	Nº 3	Nº 4	Nº 5	Nº 6	Nº 7	Nº 8	Nº 9	Nº 10	Nº 11	Nº 12	Nº 13
ATIVO CIRCULANTE	500	90	490	870	570	855	855	770	740	740	745	727	684
Caixa / Bancos / Aplicações Financeiras	500	90	490	490	190	190	510	425	395	395	400	382	339
Estoques				380	380	190	190	190	190	190	190	190	190
Clientes (Dupls. a Receber)						475	155	155	155	155	155	155	155
NÃO CIRCULANTE	–	410	410	410	410	410	410	410	410	390	390	390	390
Terrenos		50	50	50	50	50	50	50	50	50	50	50	50
Prédios		120	120	120	120	120	120	120	120	120	120	120	120
Equipamentos		240	240	240	240	240	240	240	240	240	240	240	240
(-) Depreciação Acumulada										(20)	(20)	(20)	(20)
TOTAL	500	500	900	1.280	980	1.265	1.265	1.180	1.150	1.130	1.135	1.117	1.074
PASSIVO CIRCULANTE	–	–	–	380	80	80	80	165	165	165	165	183	183
Fornecedores (Dupl. a Pagar)				380	80	80	80	80	80	80	80	80	80
Salários e Contas a Pagar								85	85	85	85	85	85
Impostos a Recolher												18	18
EXIGÍVEL A LONGO PRAZO	–	–	400	400	400	400	400	400	380	380	380	380	380
Empréstimos			400	400	400	400	400	400	380	380	380	380	380
PATRIMÔNIO LÍQUIDO	500	500	500	500	500	785	785	615	605	585	590	554	511
Capital Social	500	500	500	500	500	500	500	500	500	500	500	500	500
Lucros Acumulados						285	285	115	105	85	90	54	11
TOTAL	500	500	900	1.280	980	1.265	1.265	1.180	1.150	1.130	1.135	1.117	1.074

continua

Tabela 1.6 – Principais Movimentações Econômico-Financeiras de uma Empresa e as Demonstrações Financeiras Básicas (*continuação*)

Relatório 2

DEMONSTRAÇÃO DOS RESULTADOS	Nº 1	Nº 2	Nº 3	Nº 4	Nº 5	Nº 6	Nº 7	Nº 8	Nº 9	Nº 10	Nº 11	Nº 12	Nº 13
Vendas de Mercadorias						475	475	475	475	475	475	475	475
(-) Custo das Vendas						(190)	(190)	(190)	(190)	(190)	(190)	(190)	(190)
= Lucro Bruto						285	285	285	285	285	285	285	285
(-) Despesas (Adm./Com.)								(170)	(170)	(170)	(170)	(170)	(170)
(-) Depreciações										(20)	(20)	(20)	(20)
= Lucro Operacional						285	285	115	115	95	95	95	95
(-) Juros									(10)	(10)	(10)	(10)	(10)
(+) Receitas Financeiras											5	5	5
= Lucro Antes dos Impostos						285	285	115	105	85	90	90	90
(-) Impostos sobre o Lucro												(36)	(36)
= Lucro Líquido do Período						285	285	115	105	85	90	54	54

Relatório 3

DEMONSTRAÇÃO DE LUCROS ACUMULADOS	Nº 1	Nº 2	Nº 3	Nº 4	Nº 5	Nº 6	Nº 7	Nº 8	Nº 9	Nº 10	Nº 11	Nº 12	Nº 13
Saldo Inicial													0
(+) Lucro do Período													54
(-) Distribuição aos Sócios													(43)
Saldo Final de Lucros Acumulados ou Lucros Retidos													11

Com os mesmos eventos econômicos, elaboramos a demonstração do fluxo de caixa. O objetivo básico do fluxo de caixa não é apurar a geração da riqueza da empresa, mas controlar sua liquidez (capacidade de pagamento). Como já vimos, há um descompasso natural entre a geração da riqueza e a sua efetivação financeira dentro do fluxo de caixa; ao longo do tempo, ele deve ser minimizado.

Em nosso exemplo, mostrado na Tabela 1.7, se considerarmos que os $ 500 iniciais de integralização de capital não significam geração de riqueza, há uma redução do fluxo de caixa, porque o saldo final é menor, $ 339. Se todo o lucro gerado de $ 54, menos os $ 43 distribuídos em retorno aos proprietários, tivessem sido transformados em caixa, o saldo final seria de $ 511. Contudo, parte dos valores dos fundos obtidos e do lucro foi destinada ao capital de giro e ao ativo fixo, razão por que o saldo final de caixa não permite uma identificação direta com o lucro, o que é normal.

Métodos de Apresentação do Fluxo de Caixa: Direto e Indireto

O fluxo de caixa apresentado na Tabela 1.7 foi elaborado a partir dos eventos financeiros registrados no controle das disponibilidades. Em linhas gerais, sua apresentação formal é denominada *método direto*. O método direto é a forma de apresentação do fluxo de caixa que resgata exatamente os valores movimentados no controle do caixa (das disponibilidades).

O fluxo de caixa pelo método direto pode ser elaborado de duas maneiras:

a) pelo somatório de todos os eventos financeiros ocorridos na movimentação de caixa, dentro de um padrão de classificação dos desembolsos e entradas adotado pela empresa;
b) pela movimentação das contas do balanço patrimonial e da demonstração de resultados de seus elementos que se inter-relacionam.

A primeira alternativa é mais trabalhosa, pois implica em obter cada entrada e cada saída de caixa, para o processo de resumo e classificação. A outra alternativa é mais simples e parte dos saldos finais e iniciais dos elementos patrimoniais de cada período, em que os dados já estão resumidos. Essa segunda alternativa, contudo, só é possível se o sistema de informação estiver adequadamente estruturado.

O método indireto não se preocupa em obter as informações de entradas e desembolsos do período, mas sim a movimentação de fundos (origens e aplicações) que dão origem ao saldo final de caixa. Assemelha-se bastante com a demonstração contábil das Origens e Aplicações de Recursos (Doar), que foi exigida pela legislação brasileira para as sociedades anônimas até 31.12.2007, com duas principais diferenças:

• não considera o saldo de disponibilidades como capital circulante;
• detalha no fluxo de caixa as variações de todos os elementos do capital circulante, enquanto na Doar essa variação é apresentada de forma compacta e inclui as próprias disponibilidades.

Tabela 1.7 – Principais Movimentações Econômico-Financeiras de uma Empresa e Fluxo de Caixa

Relatório 4 FLUXO DE CAIXA	Nº 1	Nº 2	Nº 3	Nº 4	Nº 5	Nº 6	Nº 7	Nº 8	Nº 9	Nº 10	Nº 11	Nº 12	Nº 13
Recebimento das Vendas							320	320	320	320	320	320	320
(-) Pagamentos													
a Fornecedores			(410)		(300)	(300)	(300)	(300)	(300)	(300)	(300)	(300)	(300)
de Despesas de Salários e outros								(85)	(85)	(85)	(85)	(85)	(85)
Impostos sobre o Lucro											(18)	(18)	(18)
= Saldo Operacional (1)	0	0	0	0	(300)	(300)	20	(65)	(65)	(65)	(65)	(83)	(83)
Investimentos													
Aquisição de Ativos Fixos		(410)	(410)	(410)	(410)	(410)	(410)	(410)	(410)	(410)	(410)	(410)	(410)
= Saldo de Investimentos (2)	0	(410)	(410)	(410)	(410)	(410)	(410)	(410)	(410)	(410)	(410)	(410)	(410)
Financiamentos													
Aumento de Capital	500	500	500	500	500	500	500	500	500	500	500	500	500
Empréstimos Obtidos			400	400	400	400	400	400	400	400	400	400	400
(-) Amortizações de Empréstimo									(20)	(20)	(20)	(20)	(20)
Pagamento de Juros									(10)	(10)	(10)	(10)	(10)
(-) Distribuição de Lucros													(43)
= Saldo de Financiamentos (3)	500	500	900	900	900	900	900	900	870	870	870	870	827
Saldo do Período (1+2+3)	500	90	490	490	190	190	510	425	395	395	395	377	334
(+) Receitas Financeiras											5	5	5
(+) Saldo Inicial	0	0	0	0	0	0	0	0	0	395	0	0	0
= Saldo Final	500	90	490	490	190	190	510	425	395	395	400	382	339

Faremos uma evidenciação do fluxo de caixa pelos dois métodos, partindo de uma demonstração de resultados de um período e do balanço patrimonial do início e final do período. O método direto será desenvolvido pela movimentação dos elementos patrimoniais dessas demonstrações, ou seja, o que denominamos anteriormente de segunda alternativa.

Tabela 1.8 – Demonstração de Resultados do Período

	$
Receita Operacional Bruta	33.800
(-) Impostos sobre Vendas	(6.760)
RECEITA OPERACIONAL LÍQUIDA	27.040
(-) Custo das Mercadorias Vendidas	(16.224)
LUCRO BRUTO	10.816
Despesas Operacionais (Administrativas e Comerciais)	
. Salários e Encargos Sociais	(4.500)
. Despesas Gerais	(2.900)
. Depreciações	(1.050)
LUCRO OPERACIONAL	2.366
Receitas Financeiras	30
Despesas Financeiras	(600)
Equivalência Patrimonial	320
LUCRO ANTES DOS IMPOSTOS	2.116
Impostos sobre o Lucro	(741)
LUCRO LÍQUIDO APÓS IMPOSTOS	1.375

Tabela 1.9 – Balanço Patrimonial (Inicial e Final)

ATIVO	Inicial $	Final $	PASSIVO	Inicial $	Final $
ATIVO CIRCULANTE			PASSIVO CIRCULANTE		
Caixa/Bancos/Apl. Financeiras	1.440	230	Dupls. a Pagar – Fornecedores	1.070	930
Dupls. a Receber – Clientes	3.550	2.950	Salários e Encargos a Pagar	190	580
Estoque de Mercadorias	2.100	3.845	Contas a Pagar	80	120
. Soma	7.090	7.025	Imp. a Recolher s/ Mercadorias	590	440
			. Soma	1.930	2.070
NÃO CIRCULANTE			NÃO CIRCULANTE		
Realizável a Longo Prazo			Exigível a Longo Prazo		
Depósitos Judiciais	100	120	Financiamentos	5.600	5.180
INVESTIMENTOS E IMOBILIZADO			PATRIMÔNIO LÍQUIDO		
Investimentos em Controladas	2.500	2.820	Capital Social	7.000	7.800
Imobilizado Bruto	9.000	10.500	Reservas	590	590
(-) Depreciações Acumuladas	(3.400)	(4.450)	Lucros Acumulados	170	375
. Soma	8.100	8.870	. Soma	7.760	8.765
ATIVO TOTAL	15.290	16.015	PASSIVO TOTAL	15.290	16.015
Outras Informações					
Impostos sobre Compras – $	3.200				
Novos Empréstimos	1.000				

No *método indireto*, parte-se do lucro líquido do exercício e adicionam-se as receitas e despesas que claramente não são efetivadas financeiramente (depreciações, equivalência patrimonial). Depois, identificam-se as variações ocorridas no capital de giro; em seguida, as variações financeiras de financiamentos e investimentos, conforme demonstrado na Tabela 1.10. Ressaltamos que as variações das contas patrimoniais podem ser de aumento ou redução. Tomemos como exemplo a variação de Duplicatas a Receber: neste fluxo, é uma redução, mas poderia ser um aumento, e assim com as demais contas.

As principais características desse método são:

- toda a movimentação é feita tendo como foco os saldos iniciais e finais de caixa;
- evidencia claramente a inter-relação existente entre a demonstração de resultados, o balanço patrimonial e o fluxo de caixa;
- não mensura, contudo, o fluxo financeiro efetivo das receitas e gastos, uma vez que já parte do lucro líquido;
- pessoas não familiarizadas com o modelo têm dificuldade de entender a movimentação financeira apenas pelas variações das contas do capital de giro;
- as variações do capital de giro, pelas suas naturais oscilações, trazem dificuldades para a extrapolação de seus dados para os períodos futuros.

Tabela 1.10 – Fluxo de Caixa – Método Indireto

	$
DAS ATIVIDADES OPERACIONAIS	
Lucro Líquido do Período	1.375
(+/-) Receitas e Despesas não Efetivadas Financeiramente	
Depreciações	1.050
(-) Equivalência Patrimonial	(320)
= Lucro Gerado pelas Operações	2.105
(+/-) Ajustes por Mudança no Capital de Giro	
(+) Diminuição de Duplicatas a Receber	600
(-) Aumento dos Estoques	(1.745)
(-) Diminuição de Duplicatas a Pagar	(140)
(+) Aumento de Salários a Pagar	390
(+) Aumento de Contas a Pagar	40
(-) Diminuição de Impostos a Recolher	(150)
Saldo	*1.100*
DAS ATIVIDADES DE FINANCIAMENTO	
Redução dos Financiamentos de Longo Prazo	(420)
Variação dos Financiamentos de Curto Prazo	0
Aumento de Capital em Dinheiro	800
Distribuição de Lucros ou Dividendos	(1.170)
Saldo	*(790)*

continua

Tabela 1.10 – Fluxo de Caixa – Método Indireto (continuação)

DAS ATIVIDADES DE INVESTIMENTO	
Aquisição de Imobilizados	1.500
Investimentos e Diferido	0
Realizável a Longo Prazo	20
Saldo	*(1.520)*
SALDO TOTAL	(1.210)
(+) Saldo Inicial de Caixa	1.440
= Saldo Final de Caixa	230

O *método direto* tem como premissa básica reproduzir fielmente a movimentação financeira refletida nos resultados e no balanço patrimonial. Nesse sentido, é mais facilmente assimilável por qualquer usuário, mesmo que não seja especialista em finanças. Além disso, suas movimentações refletem os eventos econômicos normais da empresa, permitindo um processo mais adequado para a extrapolação dos dados para períodos futuros.

Os dados para o fluxo de caixa pelo método direto também podem ser extraídos das demonstrações básicas, por meio do retrabalho das interações existentes entre as rubricas da demonstração de resultados e do balanço patrimonial, das contas que naturalmente se relacionam. Para dar consistência definitiva com a movimentação financeira, duas informações adicionais básicas devem ser obtidas para complementação da metodologia do método direto: os impostos sobre compras e uma movimentação de entrada ou pagamento de financiamento. Se as informações não estiverem disponíveis, o fluxo também será concluído, mas o valor dos pagamentos a fornecedores e a movimentação financeira dos financiamentos serão por valores líquidos desses dados, e não pelos valores exatamente refletidos nas movimentações financeiras.

A Tabela 1.11 apresenta um modelo de fluxo de caixa pelo método direto. Logo a seguir, apresentamos as fórmulas financeiras para obtenção dos dados do fluxo de caixa, pela interação das contas das demonstrações financeiras.

Tabela 1.11 – Fluxo de Caixa – Método Direto

OPERACIONAL	$
Recebimentos	
das Vendas	34.400
(-) Pagamentos	
Fornecedores	21.309
Salários e Encargos	4.110
Despesas Gerais	2.860
Impostos sobre Vendas	3.710

continua

Tabela 1.11 – Fluxo de Caixa – Método Direto (continuação)

OPERACIONAL	$
Impostos sobre o Lucro	741
Soma	32.730
SALDO OPERACIONAL	**1.670**
DE INVESTIMENTOS	
Aquisição de Imobilizados	1.500
Investimentos e Diferido	0
Realizável a Longo Prazo	20
SALDO DE INVESTIMENTOS	**(1.520)**
DE FINANCIAMENTOS	
Aumento de Capital	800
Novos Empréstimos	1.000
(-) Amortizações e Juros	(2.020)
Lucros Distribuídos	(1.170)
SALDO DE FINANCIAMENTOS	**(1.390)**
SALDO TOTAL	**(1.240)**
+ Receitas Financeiras	30
(+) Saldo Inicial de Caixa	1.440
= Saldo Final de Caixa	230

Fórmulas para Obtenção dos Dados do Fluxo de Caixa pelo Método Direto

Recebimento das Vendas	Demonstrativo	Valor – $
Receita Operacional Bruta	Demonstração de Resultados	33.800
(+) Saldo Inicial de Duplicatas a Receber	Balanço Patrimonial	3.550
(-) Saldo Final de Duplicatas a Receber	Balanço Patrimonial	(2.950)
		34.400

Pagamento a Fornecedores	Demonstrativo	Valor – $
Custo das Mercadorias Vendidas	Demonstração de Resultados	16.224
(+) Saldo Final de Estoque de Mercadorias	Balanço Patrimonial	3.845
(-) Saldo Inicial de Estoque de Mercadorias	Balanço Patrimonial	(2.100)
= Compras - Líquidas de Impostos		17.969
(+) Impostos sobre Compras	Outras Informações	3.200
= Compras Brutas		21.169
(+) Saldo Inicial de Fornecedores	Balanço Patrimonial	1.070
(-) Saldo Final de Fornecedores	Balanço Patrimonial	(930)
		21.309

Pagamento de Salários e Encargos	Demonstrativo	Valor – $
Salários e Encargos Sociais	Demonstração de Resultados	4.500
(+) Saldo Inicial de Salários e Encargos a Pagar	Balanço Patrimonial	190
(-) Saldo Final de Salários e Encargos a Pagar	Balanço Patrimonial	(580)
		4.110

Pagamento de Despesas Gerais	Demonstrativo	Valor – $
Despesas Gerais	Demonstração de Resultados	2.900
(+) Saldo Inicial de Contas a Pagar	Balanço Patrimonial	80
(-) Saldo Final de Contas a Pagar	Balanço Patrimonial	(120)
		2.860

Pagamento de Impostos sobre Vendas	Demonstrativo	Valor – $
Impostos sobre Vendas	Demonstração de Resultados	6.760
(-) Impostos sobre Compras	Outras Informações	(3.200)
(+) Saldo Inicial de Imp. a Recolher s/ Mercadorias	Balanço Patrimonial	590
(-) Saldo Final de Contas a Pagar	Balanço Patrimonial	(440)
		3.710

Aplicações no Realizável a Longo Prazo	Demonstrativo	Valor – $
(+) Saldo Final Realizável a Longo Prazo	Balanço Patrimonial	120
(-) Saldo Inicial Realizável a Longo Prazo	Balanço Patrimonial	(100)
		20

Aumento de Capital	Demonstrativo	Valor – $
(+) Saldo Final de Capital Social	Balanço Patrimonial	7.800
(-) Saldo Inicial de Capital Social	Balanço Patrimonial	(7.000)
		800

Distribuição de Lucros ou Dividendos	Demonstrativo	Valor – $
Lucro Líquido do Exercício	Demonstração de Resultados	1.375
(+) Saldo Inicial de Lucros Acumulados	Balanço Patrimonial	170
(-) Saldo Final de Lucros Acumulados	Balanço Patrimonial	(375)
		1.170

Novos Empréstimos	Demonstrativo	Valor – $
Novos Empréstimos	Outras Informações	1.000
		1.000

Aplicações no Realizável a Longo Prazo	Demonstrativo	Valor – $
(+) Saldo Final Realizável a Longo Prazo	Balanço Patrimonial	120
(-) Saldo Inicial Realizável a Longo Prazo	Balanço Patrimonial	(100)
		20

Aumento de Capital	Demonstrativo	Valor – $
(+) Saldo Final de Capital Social	Balanço Patrimonial	7.800
(-) Saldo Inicial de Capital Social	Balanço Patrimonial	(7.000)
		800

Distribuição de Lucros ou Dividendos	Demonstrativo	Valor – $
Lucro Líquido do Exercício	Demonstração de Resultados	1.375
(+) Saldo Inicial de Lucros Acumulados	Balanço Patrimonial	170
(-) Saldo Final de Lucros Acumulados	Balanço Patrimonial	(375)
		1.170

Novos Empréstimos	Demonstrativo	Valor – $
Novos Empréstimos	Outras Informações	1.000
		1.000

Amortizações e Juros	Demonstrativo	Valor – $
Despesas Financeiras	Demonstração de Resultados	600
(+) Novos Empréstimos	Outras Informações	1.000
(+) Saldo Inicial de Financiamentos	Balanço Patrimonial	5.600
(-) Saldo Final de Financiamentos	Balanço Patrimonial	(5.180)
		2.020

Com essa fórmula, obtém-se o valor pago das amortizações e juros, tendo como informação complementar o valor dos novos empréstimos. Se, em vez disso, a informação complementar for dos pagamentos efetuados de amortizações e juros, a fórmula deve ser adaptada para obter o valor dos novos empréstimos, conforme vemos a seguir.

Novos Empréstimos	Demonstrativo	Valor – $
(+) Saldo Final de Financiamentos	Balanço Patrimonial	5.180
(-) Despesas Financeiras	Demonstração de Resultados	(600)
(+) Amortizações	Outras Informações	2.020
(-) Saldo Inicial de Financiamentos	Balanço Patrimonial	(5.600)
		1.000

Outrossim, caso o sistema de informação não possa dar nenhuma das duas informações, seja dos novos empréstimos, seja das amortizações, o fluxo de caixa deverá apresentar o valor líquido da variação dos financiamentos, que será obtido pela fórmula a seguir.

Financiamentos Líquidos	Demonstrativo	Valor – $
Saldo Final de Financiamentos	Balanço Patrimonial	5.180
(-) Despesas Financeiras	Demonstração de Resultados	(600)
(-) Saldo Inicial de Financiamentos	Balanço Patrimonial	(5.600)
		(1.020)

Note-se que o valor líquido dos financiamentos foi uma variação negativa de $ 1.020, ou seja, as amortizações ($ 2.020) foram maiores que os novos empréstimos ($ 1.000).

Essa metodologia pode ser empregada para todas as inter-relações que os eventos econômicos provocam nas demonstrações financeiras. Assim, outras fórmulas serão desenvolvidas para obter os dados para o fluxo de caixa de eventos e contas não compreendidas nesse exemplo.

Análise do Fluxo de Caixa

Os dois modelos de apresentação do fluxo de caixa são importantes para análise do desempenho econômico-financeiro da empresa. O método indireto tem uma vinculação direta com a demonstração de resultados, e a abordagem da análise fundamenta-se no conceito de origens e aplicações de recursos (motivo por que esse modelo de fluxo de caixa tem substituído a Demonstração das Origens e Aplicações de Recursos na maior parte dos países, ainda obrigatória para as sociedades anônimas de capital aberto em nosso país). Já o modelo apresentado pelo método direto é totalmente vinculado à movimentação financeira, e é um instrumento concatenado com a gestão de tesouraria.

O ponto fundamental para a análise do fluxo de caixa decorre da sua segmentação nos três grandes blocos: atividade operacional, atividade de investimento e atividade de financiamento. Em linhas gerais, espera-se que o saldo de caixa decorrente da atividade operacional seja sempre positivo, uma vez que as empresas têm que dar lucro, caso tenham fins lucrativos, ou uma sobra, caso não tenham. São dois os aspectos fundamentais na geração operacional de caixa:

- o caixa gerado pelas operações deve ser sempre positivo;
- o caixa positivo gerado deve ser suficiente para obter o retorno esperado do investimento.

Portanto, não basta ser positiva a geração de caixa; ela deve ser avaliada em relação ao montante esperado ou planejado. A geração positiva de caixa é imperativa e decorre da venda dos produtos e serviços com margem de lucro suficiente.[2] Portanto, se as margens de lucros não forem adequadas, a geração operacional de caixa poderá ser comprometida.

Não há dúvida de que, em um período ou outro (considerando-se o período mensal como o mais adequado e utilizado), a empresa possa apresentar geração negativa operacional de caixa. Isso pode ocorrer por questões sazonais próprias do negócio, períodos de férias etc. Contudo, se, consistentemente, a geração de caixa for negativa, há indícios claros de que a atividade operacional está sem margem, em rota de prejuízo. Recomenda-se, portanto, que, se após dois ou três meses de operação a situação negativa continuar, tomem-se providências de curto e médio prazos para retomada da geração positiva operacional de caixa.

---

[2] Devem ser feitas as devidas considerações com o valor da depreciação, que é redutora do lucro contábil e, portanto, deve compor a margem de lucro, mas não é saída efetiva de caixa.

> *O ponto fundamental da análise do fluxo de caixa é verificar a estabilidade e a consistência da geração positiva de caixa decorrente da atividade operacional.*

Com relação aos outros dois segmentos do fluxo de caixa, eles podem apresentar-se tanto positivos como negativos. De um modo geral, o fluxo de investimentos tende a ser sempre deficitário, pois é natural desses eventos o gasto antecipado às operações. Normalmente, procura-se equilibrar o desencaixe para a atividade de investimento com entradas suficientes no fluxo de financiamentos. Contudo, nem sempre o fluxo de financiamentos é positivo. Em diversas situações, quando o investimento está em operação e não há novos investimentos, o fluxo de financiamentos pode ser negativo, decorrente da amortização natural dos empréstimos e pagamentos dos juros.

Periodicidade do Fluxo de Caixa

A elaboração *mensal* do fluxo de caixa é fundamental para o acompanhamento das operações e da capacidade de pagamento da empresa. Além disso, ela é necessária para o processo de controle orçamentário, uma vez que a conclusão do orçamento são as projeções das demonstrações financeiras, que devem ser avaliadas mensalmente, sendo justificadas suas variações.

Para a gestão de tesouraria, outrossim, há a necessidade de elaboração *diária* do fluxo de caixa, centrado na necessidade básica de monitorar o fluxo de pagamentos, recebimentos e disponibilidades, verificando se há excedentes a serem aplicados no mercado financeiro ou se há necessidade de captações de curto prazo para suprir necessidades episódicas de caixa.

Relatórios de fluxo de caixa de periodicidade *anual* servem para dar informações complementares a investidores, analistas de crédito e outros usuários externos, mas, para fins internos e gerenciais têm pouca utilização.

Depreciação como Fonte de Caixa

A demonstração de caixa pelo método indireto sugere que a depreciação aumenta o saldo de caixa, por se somar ao lucro líquido para obter o lucro gerado pelas operações. A depreciação (e a amortização do diferido) é o lançamento em despesa, considerando alguns critérios contábeis, dos valores investidos no imobilizado e diferido. Em outras palavras, a depreciação é um método para recuperar, na receita de venda dos produtos e serviços, o valor dos investimentos feitos nesses tipos de ativos fixos.

A observação de que a depreciação é uma fonte de recursos de caixa só pode ser feita considerando-se o período em que essa despesa começa a ser contabilizada. Contudo, convém lembrar que, antes de a depreciação ser objeto de contabilização como despesa, a empresa fez o investimento no imobilizado. Portanto, se considerarmos os dois eventos em conjunto, a afirmação de que a depreciação é uma fonte de caixa não é absolutamente correta.

Tomemos como exemplo os dados apresentados na Tabela 1.12. O exemplo mostra no Ano 0 uma empresa iniciando-se com uma entrada de capital dos sócios colocada no caixa. O Ano 1 evidencia que o valor do caixa foi totalmente investido em equipamentos depreciáveis. Neste exemplo, foi considerada uma taxa de depreciação de 50%, e, portanto, a despesa anual de depreciação é de $ 500 por ano. Essas depreciações foram consideradas nas demonstrações de resultados dos anos 2 e 3, reduzindo o lucro. Ao final do Ano 2, o caixa de $ 1.200 representa o valor do capital inicial, $ 1.000, mais o total do lucro dos dois anos, $ 200.

Tabela 1.12 – Balanço Patrimonial e Demonstração de Resultados

	Ano 0	Ano 1	Ano 2	Ano 3	Total
Balanço Patrimonial					
Ativo					
Caixa	1.000	0	600	1.200	
Equipamentos	0	1.000	1.000	1.000	
(-) Depreciação Acumulada	0	0	(500)	(1.000)	
Total	1.000	1.000	1.100	1.200	
Passivo					
Capital Social	1.000	1.000	1.000	1.000	
Lucros Acumulados	0	0	100	200	
Total	1.000	1.000	1.100	1.200	
Demonstração de Resultados					
Receitas – à vista	-	-	2.000	2.000	4.000
(-) Despesas – à vista	-	-	(1.400)	(1.400)	(2.800)
(-) Depreciação	-	-	(500)	(500)	(1.000)
Lucro do Período	-	-	100	100	200

A demonstração do fluxo de caixa tradicional pelo método direto, apresentada no início da Tabela 1.13, não faz nenhuma menção à depreciação, uma vez que não são eventos efetivados financeiramente. Fica claro que o aumento de caixa de $ 200, após a entrada de capital, equivale exatamente ao valor do lucro obtido nos anos 2 e 3, de $ 100 cada ano.

Contudo, se olharmos isoladamente o fluxo de caixa pelo método indireto nos anos 2 e 3, verificamos que, somando a depreciação ao lucro, o montante representa o acréscimo de caixa do período. Diante dessa constatação surge o conceito de que a depreciação é uma fonte de recursos. Assim, se somarmos o total dos anos 1, 2 e 3, e considerarmos que houve primeiro o desembolso com o investimento em imobilizado, o somatório desses três anos indica que, de fato, o caixa só aumentou pelo lucro. Assim, o conceito de que a depreciação é uma fonte de caixa só vale para a análise de um período de maneira isolada, mas não no conjunto de um fluxo de caixa de um projeto de investimento.

Tabela 1.13 – Fluxo de Caixa e Depreciação como Fonte de Caixa

	Ano 0	Ano 1	Ano 2	Ano 3	Total
Fluxo de Caixa					
Recebimentos de Vendas	0	0	2.000	2.000	4.000
Pagamento de Despesas	0	0	(1.400)	(1.400)	(2.800)
Entrada de Capital	1.000	0	0	0	1.000
Investimentos em Imobilizado	0	(1.000)	0	0	(1.000)
Saldo do Período	1.000	(1.000)	600	600	1.200
(+) Saldo Inicial de Caixa	0	1.000	0	600	0
= Saldo Final de Caixa	1.000	0	600	1.200	1.200
Depreciação como Fonte de Caixa					
Entrada de Capital	1.000	0	0	0	1.000
Investimentos em Imobilizado	0	(1.000)	0	0	(1.000)
Lucro do Período	0	0	100	100	200
(+) Depreciação do Período	0	0	500	500	1.000
Saldo do Período	1.000	(1.000)	600	600	1.200
(+) Saldo Inicial de Caixa	0	1.000	0	600	0
= Saldo Final de Caixa	1.000	0	600	1.200	1.200

Depreciação como Fonte de Caixa

Apêndice: Critérios Básicos de Avaliação dos Elementos do Balanço Patrimonial

BALANÇO PATRIMONIAL	Conteúdo da Conta	Critério Básico de Avaliação
ATIVO CIRCULANTE		
Caixa/Bancos	Numerário em caixa e saldos bancários	Valor nominal dos saldos
Aplicações Financeiras	Aplicações de renda fixa ou variável, derivativos etc.	Valor aplicado mais juros e atualização monetária até a data do balanço
Contas a Receber de Clientes	Duplicatas a receber de clientes por vendas a prazo	Valor nominal das duplicatas
	Saques/faturas a receber de vendas a prazo ao exterior	Valor em moeda estrangeira atualizado monetariamente até a data do balanço
(-) Provisão Devedores Duvidosos	Estimativa das prováveis perdas com as contas existentes	Percentual médio histórico de perdas e/ou critério fiscal para fins de I. Renda
(-) Títulos Descontados	Duplicatas ou saques negociados e recebidos antecipadamente	Valor nominal das duplicatas ou saques
(-) Ajuste a Valor Presente	Valor dos juros embutidos nas duplicatas e saques a receber	Valor do título descontado por uma taxa de juros, do vencimento até a data do balanço
. Contas a Receber - Líquido		
Estoques		
.. De Materiais - Bruto	Estoques de materiais diretos (matérias-primas, componentes, embalagens) e materiais de consumo (manutenção, escritório)	Custo de aquisição sem impostos recuperáveis. Critério do Preço Médio Ponderado ou critério Primeiro a Entrar, Primeiro a Sair (PEPS)
.. (-) Provisão Retificadora	Provável perda de valor; estoques sem utilização	Diferença entre o preço de mercado menor que o custo; valor dos estoques inúteis
. De Materiais - Líquido		
- Em Processo	Estoques em elaboração, semiacabados	Custo real/histórico de fabricação (materiais + custos de transformação), no estágio
. Acabados	Estoques de produtos prontos para venda	Custo real/histórico de fabricação (materiais + custos de transformação), acabado
. Adiantamentos a Fornecedores	Antecipação de pagamento a fornecedores	Valor nominal dos adiantamentos
Impostos a Recuperar	Saldos credores ou a recuperar de impostos indiretos e diretos	Valor dos impostos corrigidos pelo indexador legal até a data do balanço
Despesas do Exercício Seguinte	Despesas pagas antecipadamente de competência futura	Valor da despesa a ser lançada na competência seguinte
NÃO CIRCULANTE		
REALIZÁVEL A LONGO PRAZO		
Depósitos Judiciais	Depósitos espontâneos ou compulsórios para contenciosos	Valor dos depósitos, corrigidos até a data do balanço, se for o caso
Incentivos Fiscais	Créditos fiscais obtidos, por legislação (Finam, Finor etc.)	Valor nominal, deduzido das perdas prováveis na realização, se já conhecidas

continua

Apêndice: Critérios Básicos de Avaliação dos Elementos do Balanço Patrimonial (continuação)

BALANÇO PATRIMONIAL	Conteúdo da Conta	Critério Básico de Avaliação
Investimentos	Ações de outras empresas (controladas, coligadas e outras)	Valor de custo ou valor patrimonial equivalente na data do balanço (coligadas/controladas)
Imobilizado	Bens e direitos adquiridos em caráter de permanência	Custo de aquisição sem impostos recuperáveis, corrigidos monetariamente até 31.12.95
Imóveis, Máquinas, Equipamentos	Bens permanentes ligados às atividades operacionais	Custo de aquisição sem impostos recuperáveis, corrigidos monetariamente até 31.12.95
Outros imobilizados	Outros bens permanentes	Custo de aquisição sem impostos recuperáveis, corrigidos monetariamente até 31.12.95
Reavaliações (1)	Valor complementar de bens permanentes reavaliados	Custo de aquisição sem impostos recuperáveis, corrigidos monetariamente até 31.12.95
(-) Depreciações acumuladas	Perda estimada do valor dos bens por desgaste e obsolescência	Aplicação das taxas de depreciação anuais sobre o valor dos bens menos seu valor residual
(-) Perdas por desvalorização	Perda do valor recuperável dos ativos (*impairment*)	Valor justo (valor de mercado ou valor em uso) menos o valor contábil
Intangível	Direitos sobre bens incorpóreos negociáveis	Custo de aquisição ou construção
Marcas, patentes, softwares, franquias etc., negociáveis	Intangíveis que produzem valor econômico para a empresa	Custo de aquisição ou construção
(-) Amortizações acumuladas	Perda estimada do valor dos direitos em função da vida útil	Aplicação das taxas de amortização anuais sobre o valor dos intangíveis
(-) Perdas por desvalorização	Perda do valor recuperável dos ativos (*impairment*)	Valor justo (valor de mercado ou valor em uso) menos o valor contábil
ATIVO TOTAL		
PASSIVO CIRCULANTE		
Fornecedores	Duplicatas a pagar de fornecedores por compras a prazo	Valor nominal da duplicata
	Faturas a pagar de fornecedores do exterior por compras a prazo	Valor em moeda estrangeira, atualizado monetariamente até a data do balanço
(-) Ajuste a Valor Presente . Dupls. a Pagar – Líquido	Valor dos juros embutidos nas duplicatas e faturas a pagar	Valor do título descontado por uma taxa de juros, do vencimento até a data do balanço
Salários e Encargos a Pagar	Vencimentos ainda não quitados dos empregados	Valor das remunerações
	Encargos legais a recolher (INSS, FGTS)	Valor nominal dos encargos a recolher
	Provisão de encargos salariais a pagar (Férias, 13º Salário)	Valor dos duodécimos calculados em cima dos salários na data do balanço

(1) A legislação brasileira não admite mais reavaliações a partir de 01.01.2008

continua

Apêndice: Critérios Básicos de Avaliação dos Elementos do Balanço Patrimonial (continuação)

BALANÇO PATRIMONIAL	Conteúdo da Conta	Critério Básico de Avaliação
Contas a Pagar	Faturas e duplicatas a pagar de contas diversas	Valor nominal das faturas e contas
Impostos a Recolher – sobre Mercadorias	Valor dos impostos e contribuições apurados, a vencer	Valor das guias, corrigidas por indexador legal, mais multa e juros, se em atraso
Impostos a Recolher – sobre Lucros	Valor dos impostos e contribuições apurados, a vencer	Valor das guias, corrigidas por indexador legal, mais multa e juros, se em atraso
Adiantamento de Clientes	Valor recebido antecipadamente por conta de pedidos de venda	Valor nominal dos adiantamentos
Empréstimos	Empréstimos e financiamentos bancários ou de mútuo	Valor atualizado monetariamente, mais juros devidos até a data do balanço
Dividendos a Pagar	Valor já destinado à distribuição aos acionistas	Valor nominal (ou corrigido, se nessa condição)
NÃO CIRCULANTE		
Exigível a Longo Prazo		
Financiamentos	Empréstimos e financiamentos bancários ou de mútuo	Valor atualizado monetariamente, mais juros devidos até a data do balanço
PATRIMÔNIO LÍQUIDO		
Capital Social	Entradas e aumentos de capital até a data do balanço	Valor das entradas e aumentos de capital corrigidos monetariamente até 31.12.95
Reservas de Capital	Doações e Subvenções governamentais; ágio na subscrição de capital	Valor corrigido monetariamente até 31.12.95
Reservas de Reavaliação (1)	Contrapartida das reavaliações contabilizadas no imobilizado	Valor corrigido monetariamente até 31.12.95
Ajustes de Avaliação Patrimonial	Contrapartida de atualização a valor justo de instrumentos financeiros disponíveis para venda e variação cambial de investimentos no exterior	Valor justo (valor de mercado) menos o valor contábil Variações cambiais sobre o valor do investimento
Reservas de Lucros	Lucros acumulados, não capitalizados ou distribuídos, retidos	Valor corrigido monetariamente até 31.12.95
Lucros Acumulados	Lucros acumulados à espera de destinação	Valor do lucro do período não distribuído
Prejuízos Acumulados	Prejuízos Acumulados ainda não absorvidos por reservas ou capital	Valor dos prejuízos acumulados
PASSIVO TOTAL		

(1) A legislação brasileira não admite mais reavaliações a partir de 01.01.2008

Questões e Exercícios

1. Com as demonstrações financeiras a seguir, elabore o fluxo de caixa do período, evidenciando a movimentação de como os valores foram obtidos.

Balanço Patrimonial	Inicial	Final
Ativo		
Caixa	400	250
Estoques	1.000	1.200
Duplicatas a Receber	800	1.100
Imobilizados	2.000	2.250
Total	4.200	4.800
Passivo		
Duplicatas a Pagar	500	600
Capital Social	3.500	3.500
Lucros Acumulados	200	700
Total	4.200	4.800
Demonstração de Resultados do Período		
Vendas		2.000
Custo das Vendas		(1.500)
Lucro		500

2. Com as demonstrações financeiras apresentadas a seguir, elabore um fluxo de caixa evidenciando a depreciação como fonte de recursos financeiros.

Balanço Patrimonial	Inicial	Final
Ativo		
Caixa	400	900
Imobilizados	2.000	1.800
Total	2.400	2.700
Passivo		
Capital Social	2.200	2.200
Lucros Acumulados	200	500
Total	2.400	2.700
Demonstração de Resultados do Período		
Vendas		2.000
Custo das Vendas		(1.500)
Depreciação		(200)
Lucro		300

3. Demonstrações Contábeis Complementares:
   a) Dados:

BALANÇOS PATRIMONIAIS EM 31.12

ATIVO	X0 $	X1 $	PASSIVO	X0 $	X1 $
CIRCULANTE	40.157	70.585	CIRCULANTE	16.157	8.539
Caixa/Bancos	4.014	7.848	Duplicatas a Pagar	5.330	6.000
Aplicações Financeiras	18.772	48.657	Salários + Encargos	1.102	900
Duplicatas a Receber	9.291	7.000	Dividendos	3.161	520
Estoques	8.080	7.080	Provisão Imposto de Renda	6.564	1.119
REALIZÁVEL A LONGO PRAZO			EXIGÍVEL A LONGO PRAZO	20.575	47.265
Eletrobrás	228	348			
PERMANENTE	66.563	157.950	PATRIMÔNIO LÍQUIDO	70.216	173.079
Investimento Controlado	11.634	30.400	Capital Social	28.100	63.900
Imobilizado			Correção Mon. Capital	32.844	85.366
Terrenos	35.129	85.310	Lucros Acumulados	9.272	23.813
Máquinas	22.000	52.800			
(–) Deprec. Acumulada	(2.200)	(10.500)			
TOTAL	106.948	228.883	TOTAL	106.948	228.883

Demonstração de Resultados – Ano X1

Vendas	20.000
(–) CVM	(10.000)
Lucro Bruto	10.000
(–) Despesas Operacionais	(3.780)
(–) Despesas Financeiras	(24.990)
(+) Receitas Financeiras	29.885
(–) Correção Monetária	(7.094)
(+) Equivalência Patrimonial	2.478
(–) Depreciação	(3.300)
Lucro Líquido	3.199
(–) Provisão Imposto de Renda	(1.119)
Lucro Líquido após Imposto de Renda	2.080
Dividendos (25%)	(520)
Lucro Líquido após Dividendos	1.560

Outros dados:
i) Aquisição imobilizados = $ 1.000
ii) Aumento de capital em dinheiro = $ 3.000
iii) Novos empréstimos LP = $ 2.000

b) Pede-se:
Fazer a Demonstração do Fluxo de Caixa pelos métodos direto e indireto.

4. Com os demonstrativos contábeis a seguir, elaborados sem correção monetária de balanço, fazer a demonstração do fluxo de caixa:
   a) pelo método direto (inter-relacionamento das contas do balanço patrimonial e demonstração de resultados mais dados adicionais);
   b) pelo método indireto.

BALANÇO PATRIMONIAL

ATIVO	Inicial	Final
CIRCULANTE		
Caixa/Bancos/Aplicações Financeiras	1.000	1.700
Estoques	5.000	6.000
Clientes	6.500	7.000
Outros Realizáveis	500	600
PERMANENTE		
Investimentos	1.000	1.400
Imobilizado	11.000	12.500
(−) Depreciação Acumulada	(2.000)	(3.000)
TOTAL	23.000	26.200
PASSIVO		
CIRCULANTE		
Fornecedores	2.700	3.080
Contas a Pagar	200	300
Impostos a Recolher	100	120
EXIGÍVEL A LONGO PRAZO		
Empréstimos	8.000	8.500
PATRIMÔNIO LÍQUIDO		
Capital Social	10.000	11.000
Lucro Acumulado	2.000	3.200
TOTAL	23.000	26.200

DEMONSTRAÇÃO DO RESULTADO DO PERÍODO

Vendas Brutas	9.600
(−) Impostos s/ Vendas	(1.600)
Vendas Líquidas	8.000
(−) CMV	(5.000)
= Lucro Bruto	3.000
(−) Despesas Operacionais	(700)
(−) Juros	(200)
(−) Depreciação	(1.000)
(+) Equivalência Patrimonial	400
= Lucro Líquido	1.500

INFORMAÇÕES ADICIONAIS
Impostos sobre Compras = 1.200
Novos Empréstimos = 800

2 Objetivos, Funções e Estrutura de Finanças

Van Horne (1993, p. 3) inicia seu trabalho de forma clara quando diz: *"O objetivo de uma companhia deve ser a criação de valor para seus acionistas. O valor é representado pelo preço de mercado da ação ordinária da companhia, o qual, por outro lado, é uma função das decisões de investimento, financiamento e dividendos da empresa... Por todo este livro, o tema unificante é a criação de valor"*.

A maioria dos livros sobre finanças tem origem nos Estados Unidos, onde as sociedades anônimas de capital aberto são extremamente representativas, razão pela qual o foco de finanças tem sido os acionistas. A realidade brasileira é diferente, pois a quantidade e o valor patrimonial das sociedades anônimas não têm a mesma representatividade, e a maior parte das empresas brasileiras com fins lucrativos constitui-se societariamente como limitada. Nesse caso, a figura é o sócio, dono das cotas.

De qualquer forma, a palavra *acionistas* deve representar, além destes, os sócios e os donos das empresas individuais. Em outras palavras, o objetivo maior de finanças é criar valor para seus proprietários, sejam eles quais forem.

> *O objetivo de uma empresa deve ser a criação de valor para seus acionistas ou proprietários.*

As finanças das entidades sem fins lucrativos devem interpretar o objetivo de criação de valor de forma similar. Assim, a geração ou criação de um resultado econômico e financeiro positivo, que permita o desenvolvimento normal de suas operações e as necessidades gerais de investimentos, de modo a garantir sua continuidade e cumprir a missão a que se destinam, representa a mesma coisa que o conceito de criação de valor. Nesse caso, a criação de valor é para a entidade, e não para os proprietários, uma vez que essas entidades não se caracterizam como propriedade de alguém.

Como a palavra *valor* se presta a muitas interpretações, convém ressaltar que o conceito a que se refere o objetivo de finanças é valor econômico, ou seja, a representação do valor da empresa medido em unidades monetárias. Portanto, criação de valor em finanças é um conceito objetivo, mensurável em moeda.

Objetivo de Finanças: Maximização do Lucro x Maximização da Riqueza x Criação de Valor

O conceito de maximização do lucro como o objetivo principal de finanças é bastante difundido e desde muito tempo tem sido considerado o propósito mais importante da atividade financeira. Contudo, é possível fazer uma distinção significativa entre o conceito de maximização *do lucro* e o conceito de maximização *da riqueza*.

O conceito de *maximização do lucro* parte da equação contábil tradicional de que o lucro é resultante das receitas menos as despesas de um período:

Lucro do Período = Receitas (-) Despesas

Apesar de lógico, esse conceito, tomado e utilizado de forma restrita, pode não conduzir os rumos das empresas a uma situação melhor. A obtenção de um bom lucro em um período não quer dizer que o futuro da empresa será beneficiado por isso. Diversas possibilidades de gestão podem levar a empresa a obter um excelente lucro em um período, mas prejudicar o seu futuro.

Eventualmente, administradores das empresas, com interesses dissociados dos acionistas, podem tomar decisões de modo a garantir ou aumentar o resultado esperado de um período, e comprometer o futuro da riqueza dos acionistas. Exemplos de possibilidades nesse sentido são:

- redução ou suspensão dos gastos com treinamento e capacitação de funcionários;
- redução ou suspensão dos gastos com manutenção dos ativos fixos;
- redução dos gastos com desenvolvimento de novos produtos;
- redução dos gastos com publicidade e promoção;
- redução ou suspensão dos investimentos em modernização do parque operacional;
- aumento do volume de vendas por meio de descontos de preços, aumentando o valor do lucro, mas diminuindo a lucratividade dos produtos etc.

Note-se que esses tipos de decisões estão associados ao objetivo de obtenção de maior lucro, reduzindo as despesas e aumentando a receita, utilizando-se da fórmula tradicional contábil-financeira. Contudo, a fórmula contábil-financeira do lucro restringe-se apenas ao período em pauta, mas não remete à questão da geração de lucros futuros. Dessa maneira, decisões capazes de aumentar o lucro de um período podem prejudicar sensivelmente a geração futura de lucros. Nesse caso, tem-se a maximização do lucro, mas não a maximização da riqueza, pois esta está relacionada mais com a geração futura de lucros do que a obtenção de lucros no presente.

Assim, podemos dizer que o conceito de maximização do lucro é um conceito que tem aderência à visão de curto prazo, mas não permite uma gestão baseada no longo prazo. De um modo geral, os acionistas investem pensando em dividendos recorrentes e contínuos ao longo do tempo, dentro de uma concepção de longo prazo, razão por que gestões de aumento de lucro no curto prazo podem estar em desacordo com as intenções gerais dos proprietários da empresa.

O conceito de maximização de lucro é aderente à gestão de curto prazo e pode ocasionar dissociações de interesses dos administradores da empresa e de seus acionistas.

O conceito de *maximização da riqueza* é o mesmo que o de criação de valor. A criação de valor representa o aumento da riqueza. Maximizando a riqueza, maximiza-se a criação de valor. A riqueza compreende o valor patrimonial de alguém ou de uma empresa, mensurado economicamente. Inclui todos os seus investimentos, líquidos de suas dívidas, e os lucros gerados por esses investimentos até o momento da mensuração da riqueza.

> *O valor da riqueza dos acionistas é representado nas demonstrações financeiras pelo valor do capital próprio ou patrimônio líquido.*

Nas empresas, em termos financeiros e dentro da ótica dos acionistas, a riqueza é o valor do *capital próprio* representado pelo capital investido e os lucros retidos. Em termos contábeis, esse valor é expresso pela figura do *patrimônio líquido (PL)*.

Considerando o conceito de maximização da riqueza, a criação de valor é a diferença entre o valor da riqueza no fim de um período e o valor da riqueza no seu início. Em outras palavras, a criação de valor é o lucro do período analisado. Na semântica contábil-financeira, é a diferença entre o valor do Patrimônio Líquido Final (PLf) menos o valor do Patrimônio Líquido Inicial (PLi), que pode ser traduzido na seguinte fórmula:

$$Criação\ de\ Valor\ (Lucro\ do\ Período) = PLf^1 - PLi$$

Nesse conceito, em vez de se obter o lucro pelo confronto das receitas e despesas do período, obtém-se o valor pela avaliação do patrimônio líquido da empresa ao final do período, e ele é então confrontado com o valor do patrimônio líquido inicial, que foi avaliado pelo mesmo critério. Esse conceito de lucro é denominado *lucro econômico*, em contraposição ao conceito tradicional de lucro contábil.

Lucro Econômico x Lucro Contábil

O conceito de lucro econômico motiva os principais critérios de avaliação de ações e investimentos. De um modo geral, quando se investe em títulos, espera-se um rendimento. O valor dos rendimentos futuros é que determina o valor atual do investimento. Em outras palavras, o valor de hoje de um investimento é o valor dos rendimentos futuros que esse investimento proporcionará. Essa é a base do lucro econômico.

Podemos apresentar esse conceito em um simples exemplo. Imaginemos que um investidor tenha um imóvel pelo qual pagou $ 50.000 – considerado seu patrimônio líquido inicial. Nos últimos doze meses, ele recebeu $ 500 mensais de aluguel, tota-

---

[1] Desconsiderados aumentos ou reduções de capital e distribuição de resultados.

lizando $ 6.000 no período de um ano. Supondo ausência de despesa, o lucro contábil seria os mesmos $ 6.000.

Lucro Contábil

Receitas do ano	$ 6.000
(-) Despesas do ano	-0-
Lucro do ano	$ 6.000

Vamos supor, também, que, para o próximo período, os aluguéis mensais serão de $ 600 por mês. Sob a abordagem do lucro econômico, o valor da riqueza do proprietário do imóvel são os fluxos futuros descontados a determinado custo de capital. Imaginando um custo de capital de 1% ao mês (equivalente ao recebimento de juros) e considerando o rendimento mensal de $ 600, o valor do imóvel seria $ 60.000.

Valor do imóvel sob o conceito de Lucro Econômico

Valor do rendimento mensal esperado	$ 600
Custo de capital do investidor	1% ao mês
Valor do imóvel com renda	$ 60.000 ($ 600 : 0,01)

Nesse exemplo, o *valor atual* do imóvel decorre do *valor do fluxo futuro das receitas* que ele irá gerar.

Com este dado, podemos calcular o lucro econômico desse patrimônio:

Lucro Econômico

Valor do Patrimônio Líquido Final	$ 60.000
(-) Valor do Patrimônio Inicial	$ 50.000
Lucro Econômico do Ano	$ 10.000

O lucro contábil, como vimos, não trabalha com perspectiva de futuro. Utiliza-se apenas dos dados do passado (receitas e custos históricos, já acontecidos) para mensurar o lucro. Dessa maneira, como objetivo de finanças, impõe-se a utilização do conceito de lucro econômico, que é coerente com o conceito de maximização da riqueza e criação de valor e está voltado para as rendas futuras do investimento.

Para avaliação dos investimentos e empresas pelo conceito de lucro econômico, são necessários, portanto, os modelos de previsão de lucros, caixa e investimentos. Como é necessário um valor que possa ser utilizado no presente, descontam-se os fluxos futuros a uma taxa de custo de capital. O valor obtido por esse modelo de avaliação pode superar o valor contábil do patrimônio líquido. Essa diferença é normalmente denominada *goodwill*, um valor que, de modo geral, representa os intangíveis da empresa, como marca, capital intelectual, ponto, fundo de comércio etc.

O quadro a seguir apresenta de forma comparativa os principais conceitos que desenvolvemos até agora.

Quadro 2.1 – Análise Comparativa: Maximização do Lucro x Criação de Valor

Elemento/Fator/Variável	Maximização do Lucro	Criação de Valor
Horizonte Temporal	Curto Prazo	Longo Prazo
Modelo de Mensuração do Lucro	Lucro Contábil	Lucro Econômico
Elementos da Apuração do Lucro	Receitas e Despesas	Receitas e Despesas e Custo de Capital
Intangíveis e *Goodwill*	Não Reconhece	Reconhece
Perspectiva	Histórica	Futura
Dados Utilizados	Passados	Futuros
Foco	Lucro do Período	Valor da Riqueza
Objeto	Resultado das Operações Atuais	Resultado das Operações Futuras

Não há dúvida de que os dois conceitos de lucro podem ser trabalhados conjuntamente. Partindo da premissa de que o *goodwill* surge da avaliação dos fluxos futuros, e admitindo esse valor na equação do lucro contábil, teríamos:

Lucro Econômico a partir do Lucro Contábil
Receitas
(–) Despesas
(+/–) *Goodwill*
Lucro Econômico

Criação de Valor – Atividade Produtiva e Valor Agregado

A Ciência Econômica é responsável pelo conceito-base de adição ou agregação de valor. Conforme Rossetti (1994, p. 81), "a produção deve ser vista como um processo contínuo de entradas (*inputs*) e saídas (*outputs*). O produto deve ser entendido como a diferença entre o valor das saídas e o valor das entradas, o que equivale dizer que o conceito de produto corresponde ao *valor agregado* pelas empresas no decurso do processamento da produção".

Portanto, a base sobre a qual se fundamenta o processo de criação de valor empresarial são a produção e a venda dos produtos e serviços da empresa. Cada unidade de produto ou serviço traz dentro de si seu valor agregado (VA), que é a diferença entre o preço de venda obtido no mercado menos o preço de compra dos insumos e serviços adquiridos de terceiros também no mercado.

Para produzir e entregar os produtos e serviços, a empresa precisa desenvolver uma série de atividades internas, que, por sua vez, também têm um preço de venda e, portanto, um valor agregado. Dessa maneira, a máxima eficiência e eficácia obtida no desenvolvimento de todas as atividades do sistema empresa é que permite, à empresa, a possibilidade de criação de valor, que se traduz no *lucro operacional*.

Denominamos esse processo de *apropriação de valor agregado*, que pode ser visto resumidamente na Figura 2.1.

> A geração ou criação de valor é decorrente do lucro obtido na venda dos produtos e serviços, que, por sua vez, decorre da máxima apropriação do valor agregado dado por eles, a preços de mercado.

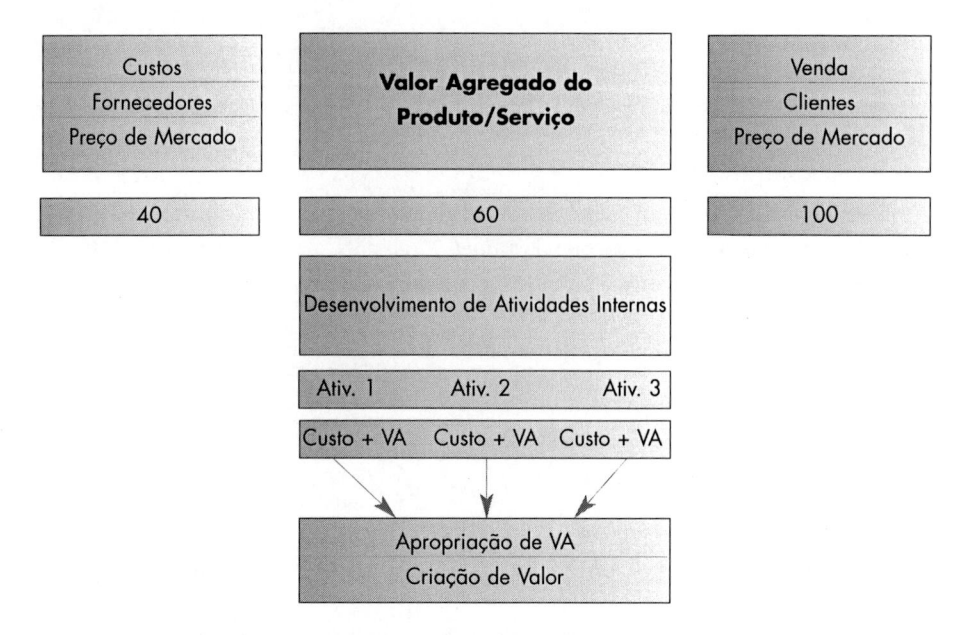

Figura 2.1 – Processo de Apropriação de Valor Agregado.

Criação de Valor para o Acionista e Valor Econômico Adicionado (EVA – *Economic Value Added*)

A função-objetivo de finanças de criação de valor para os acionistas nos parece clara, e é um conceito objetivo, pois pode ser mensurado economicamente. A criação do valor para o acionista centra-se na geração do lucro empresarial, que, por sua vez, é transferido para os proprietários da entidade, que genericamente estamos denominando *acionistas*.

Dentro da área de finanças, mais ligado à análise de investimentos, surgiu o conceito de EVA/MVA – valor econômico adicionado/valor de mercado adicionado. Conforme Atkinson *et al.* (2000, p. 478-479), "recentemente, um número de analistas e consultores tem proposto o uso do valor econômico adicionado como uma ferramenta para avaliação do desempenho da organização..." O analista ajusta o lucro contábil, corrigindo-o com o que os proponentes do valor econômico adicionado consideram para sua visão conservadora. Por exemplo, os ajustes incluem a capitalização e amortização de custos de pesquisa e desenvolvimento e custos significativos de lançamento de produtos. A seguir, o analista computa a importância do investimento na organização e deriva o valor econômico adicionado, como segue:

Valor Econômico Adicionado = Lucro Contábil Ajustado (–) Custo de Capital × Nível de Investimento

Na realidade, podemos dizer que o conceito do EVA nada mais é que uma aplicação do conceito de *custo de oportunidade* do capital e do conceito de manutenção do capital financeiro da empresa.

Custo de Oportunidade

Todas as atividades devem ser avaliadas pelo mercado, que representa o custo de oportunidade de manter determinada atividade. Fundamentalmente, isso é explicitado em dois conceitos de custo de oportunidade:

1. preço de mercado e preço de transferência baseado no preço de mercado, para avaliação dos estoques e produtos finais, e dos produtos e serviços produzidos pelas atividades internas;
2. custo de oportunidade financeiro, para mensurar e avaliar o aspecto financeiro das atividades e do custo de oportunidade dos acionistas, fornecedores de capital à empresa e às atividades.

A adoção do custo de oportunidade para os acionistas implica em criar uma área de resultados específica para mensurar a rentabilidade dos acionistas. O custo de oportunidade dos acionistas é o lucro mínimo que eles deveriam receber para justificar seu investimento (o seu custo de oportunidade, a preço de mercado). O conceito de custo de oportunidade dos acionistas permite uma visão correta do lucro distribuível, ou seja, só distribuir o excedente à manutenção do capital financeiro e, com isso, dar condições econômicas para o processo de sobrevivência do sistema empresa – e, portanto, para sua continuidade. O conceito de custo de oportunidade, acoplado a conceitos de mensuração relacionados com o fluxo futuro de benefícios, configura o conceito de lucro econômico, em oposição ao conceito tradicional de lucro contábil.

> *O lucro operacional obtido por meio da venda dos produtos e serviços deve ser suficiente para cobrir o custo de capital dos investidores ou acionistas, para geração de valor econômico adicionado.*

Para manter o capital intacto, é necessária a adoção do conceito de custo de oportunidade do capital. Esse conceito implica em uma rentabilidade mínima de mercado de tal forma que os investidores sejam remunerados além dessa rentabilidade mínima, sob pena de abandonarem os investimentos na empresa. Assim, dois conceitos de mensuração são fundamentais para finanças, a fim de obter o correto valor da empresa e o resultado econômico correto: custo de oportunidade e fluxo líquido de benefícios futuros.

EVA e Destruição de Valor

O conceito de destruição de valor emerge como conceito inverso ao conceito de adição de valor, considerando o custo de oportunidade de capital. Todas as atividades que tiverem um resultado inferior ao custo de oportunidade do investimento apresentam destruição de valor, pois os acionistas serão remunerados com rentabilidade inferior ao custo médio de oportunidade do mercado.

A distribuição de resultados nessa condição implicaria em um processo de destruição do capital da empresa, porque, na realidade, isso seria distribuir capital dos acionistas, e, consequentemente, reduzir o valor da empresa.

Modelo de Gestão Econômica para Criação de Valor

Os conceitos apresentados podem ser incorporados e resumidos dentro do balanço patrimonial. O conceito de valor agregado pela empresa, decorrente da venda dos produtos e serviços a seus clientes, é o conceito de valor agregado ligado ao ativo. Em outras palavras, o ativo é o recurso necessário para gerar o valor agregado pela empresa, por meio da compra, produção e venda de seus produtos e serviços.

O conceito de valor adicionado para os acionistas está ligado às fontes supridoras de capital – no caso, os proprietários da empresa. Dessa maneira, os dois conceitos de criação de valor podem ser associados ao balanço patrimonial. A criação de valor pela empresa, por meio de seus produtos, é operacionalizada pelo ativo. A criação de valor para os acionistas é parametrizada pelo custo de oportunidade de capital desses acionistas e fica evidenciada na figura do passivo, como mostra o quadro a seguir.

Quadro 2.2 – Criação de Valor e o Modelo Contábil

Ativo	Passivo
Criação de valor pela empresa por meio da apropriação do valor agregado dado pelos produtos e serviços	Criação de valor para o acionista por meio da adoção do custo de oportunidade de capital

Em outras palavras, o ativo representa a operacionalização e criação do valor para a empresa. O passivo representa a distribuição e aferição da criação de valor para o acionista.

Pontos Limítrofes ou Referenciais no Processo de Criação de Valor

Conclui-se, então, que existem dois pontos referenciais na análise do processo de criação de valor:

1. o conceito de Valor Agregado, decorrente da Teoria Econômica, é expresso pelo valor de mercado do produto final entregue aos clientes, menos o valor dos insumos adquiridos de terceiros, também a preços de mercado, ou seja, o conceito de Valor Adicionado adotado pela Ciência Contábil;
2. o Custo de Oportunidade de Capital dos Acionistas, que entende como criação de valor o lucro empresarial que excede o custo de oportunidade do capital sobre o valor dos investimentos no negócio.

Dentro desses pontos referenciais, a atividade de finanças, no exercício da função gerencial, pode monitorar adequadamente o processo de geração de valor dentro da empresa. Nesse sentido, todas as estruturas organizacionais da empresa trabalharão de maneira congruente com os acionistas, objetivo maior da entidade e da continuidade do empreendimento. Juntamente com a controladoria, por meio dos sistemas de informações gerenciais, que incorporam os conceitos de lucro econômico, a atividade das finanças dá à empresa condições de avaliar todo o processo de geração ou criação de valor para a empresa e para os acionistas.

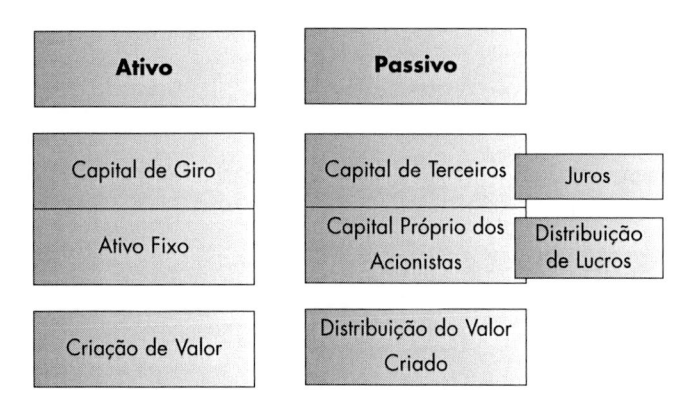

Figura 2.2 – Balanço Patrimonial, Criação e Distribuição do Valor.

Valor de Mercado Adicionado (MVA – *Market Value Added*)

O conceito de valor de mercado adicionado (MVA – *Market Value Added*) é decorrente do conceito de EVA (valor econômico adicionado). O EVA mede o resultado de um período, ou seja, quanto a empresa agregou de lucro para o acionista no período, em relação ao custo de oportunidade do mercado no período. O MVA mede o crescimento do valor total da empresa, ou seja, resulta do EVA de todos os períodos.

O MVA é o valor de mercado de uma empresa menos o valor contábil de seu capital investido:

> MVA = Valor de Mercado da Empresa (-) Capital Investido

Dessa forma, o MVA reflete a valorização da empresa (ou das ações da empresa, se for empresa com ações cotadas em bolsa) menos os valores que os acionistas investiram no empreendimento. Sempre que o valor for positivo, haverá MVA. Em caso de ocorrência negativa de valor, significa que houve destruição de valor do acionista, pois o valor de mercado é inferior ao valor gasto no investimento.

O aspecto fundamental para mensuração do MVA centra-se no valor do capital investido. Nem todos aceitam pacificamente o valor contábil, e a maior parte entende que o valor contábil deverá sofrer ajustes, tais como:

- considerar como investimento as despesas com pesquisa e desenvolvimento de novos produtos;
- ajustar amortizações de ativos intangíveis;
- ajustar a depreciação parametrizando-a no conceito de arrendamento mercantil;
- considerar como investimento os gastos com reestruturação etc.

O valor de mercado da empresa deve refletir o valor presente dos fluxos futuros. Contudo, o valor da empresa não indica se houve valor de mercado adicionado. Este só poderá ser obtido confrontando-se o valor da empresa com o valor do capital investido.

Com os dados a seguir, o valor de mercado adicionado da Empresa A é $ 8.000, considerando que o valor do capital investido corresponde ao patrimônio líquido inicial do ano-base. Vejamos:

Valor de Mercado Atual da Empresa	$ 140.000
Valor do Capital Investimento (Patrimônio Líquido Inicial)	$ 132.000
MVA	$ 8.000

O conceito de MVA é totalmente coerente com o conceito de criação de valor para o acionista. Portanto, deve ser incorporado ao modelo de controladoria de gestão econômica, pois o foco dessa metodologia é adicionar valor à empresa e ao acionista. O conceito MVA, assim como o EVA, deve ser incorporado aos critérios de mensuração de desempenho das atividades e unidades de negócios.

Funções de Finanças

As principais funções de finanças decorrem das decisões fundamentais que os administradores são levados a tomar no cotidiano do desempenho destas, com o objetivo de criação de valor para a empresa e os acionistas. São elas as decisões de investimento, de financiamento e dividendos.

Decisão de Investimento

É considerada a mais importante das três decisões, uma vez que é a própria razão de ser de um empreendimento – investimento para gerar produtos e serviços, e, consequentemente, resultados. A decisão de investir é a mais complexa das decisões financeiras, pois envolve incertezas em todo o seu processo, uma vez que trabalha com o intervalo de tempo entre o investimento hoje para recuperação no futuro.

O investimento de capital é a alocação do capital em propostas de investimentos cujos benefícios serão realizados no futuro. Uma vez que os benefícios futuros não são conhecidos com certeza, as propostas de investimentos necessariamente envolvem riscos. O capital investido tem um custo – financeiro ou de capital – que deve ser recuperado para justificar o investimento e o risco. Assim, as variáveis fundamentais para a decisão de investimento são:

- o empreendimento ou o projeto de investimento;
- o valor do investimento;
- o período previsto de operacionalização do investimento;
- os fluxos futuros de lucros e caixa previstos pelo investimento durante o período previsto;
- o risco envolvido no investimento;
- o custo do capital.

A decisão de investimento está ligada ao ativo no modelo do balanço patrimonial.

Decisão de Financiamento

É a segunda mais importante decisão financeira. O administrador financeiro é compelido a determinar o melhor mix de financiamento para o projeto ou estrutura de capital da empresa, entre capital próprio e capital de terceiros. Não existe investimento sem financiamento de igual montante.

A decisão de financiamento envolve as seguintes variáveis:

- o montante do investimento;
- a disponibilidade de fundos de capital, próprio e/ou de terceiros;
- o risco do investimento;
- o custo de capital das fontes de financiamento.

Alguns autores entendem que é possível aumentar o valor da empresa pela estruturação ou mudança da estrutura de capital. Alguns investidores podem atribuir maior valor às ações da companhia com estruturas de capital mais conservadoras, com maior participação de capital próprio e menor risco financeiro.

A decisão de financiamento está ligada ao passivo no modelo do balanço patrimonial.

Decisão de Dividendos

A terceira decisão complementa as decisões anteriores, uma vez que trata do retorno do capital aos investidores, após a geração de lucros e criação de valor. Em linhas gerais, implica a decisão de distribuir ou reter os lucros obtidos. A distribuição de dividendos determina a parcela de lucros retida na empresa, e deve ser analisada em relação ao custo de oportunidade de autofinanciamento. Inclui a porcentagem de lucros a ser distribuída em dinheiro, a estabilidade de dividendos fixos ou não, dividendos em ações ou bonificações e a recompra de ações. A decisão de dividendos deve ser analisada sempre em relação à decisão de financiamento.

A decisão de dividendos está ligada ao passivo no modelo do balanço patrimonial.

Decisões Financeiras e Custo de Capital

Podemos dizer, então, que a administração financeira fundamenta-se na solução dessas três decisões fundamentais. Juntas, elas determinam o valor da empresa para os acionistas. São decisões inter-relacionadas, e sua combinação ótima, resolvida conjuntamente, é o modelo genérico de gestão financeira.

O custo de capital é o elemento decisório integrador das três funções ou decisões financeiras. O custo de capital das fontes de financiamento determina a avaliação do projeto de investimento e sua aceitação ou não. Os lucros gerados pelo investimento devem cobrir o custo de capital, remunerando as fontes próprias e de terceiros e gerando valor adicionado para a empresa e para os acionistas. Após a remuneração das fontes de financiamento de terceiros, a distribuição de dividendos justifica o investimento de capital dos acionistas.

> *O custo de capital é o elemento que integra as decisões de investimento, financiamento e dividendos.*

Modelo de Avaliação do Investimento: o ROI

O investimento em operação deve ser avaliado em relação aos resultados esperados. Assim, os lucros obtidos nos períodos subsequentes aos investimentos devem ser confrontados com os lucros projetados considerados no processo decisório do investimento.

O modelo básico de avaliação é denominado *retorno do investimento* (ROI – *Return On Investment*). Relaciona os lucros reais obtidos com os investimentos realizados, traduzindo em percentual anual.

$$ROI = \frac{\text{Lucro Obtido no Período}}{\text{Investimento Realizado}}$$

Imaginando que o lucro obtido no primeiro ano do investimento tenha sido de $ 4.200 e o investimento realizado, $ 30.000, o ROI nesse período foi de 14%.

$$ROI = \frac{\$\ 4.200}{\$\ 30.000} = 0{,}14 \text{ ou } 14\%$$

Confrontado com o custo de capital utilizado para avaliar o projeto de investimento, o ROI obtido será considerado bom ou não. O ROI de 14% será considerado bom se o custo de capital, utilizado quando da aceitação do projeto de investimento, for inferior a 14%; será considerado ruim se no projeto foi utilizado um custo de capital superior a 14%; será considerado normal e adequado se for igual.

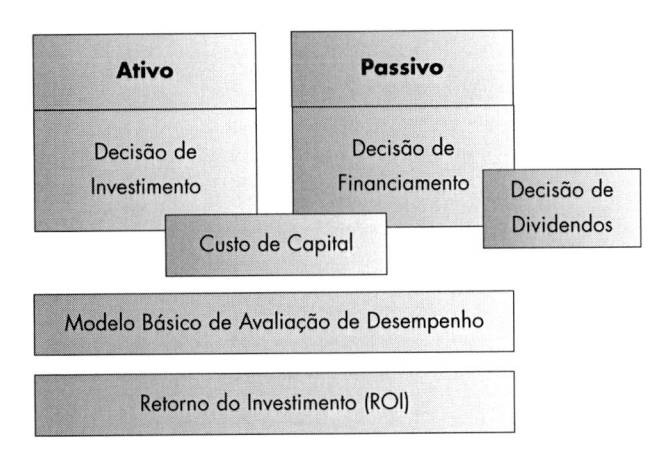

Figura 2.3 – Decisões financeiras.

Outras Funções

O administrador financeiro tem outras funções básicas. Destacam-se entre elas:

- a gestão do fluxo financeiro ou de caixa, de curto e longo prazos;
- a administração da liquidez da empresa;
- a administração do risco financeiro;
- a análise e avaliação do desempenho financeiro geral da companhia e suas unidades de negócios.

Responsabilidade Social

Não se pode dizer que a administração ignora a responsabilidade social da empresa, como proteção aos consumidores, pagamento de salários, manutenção de práticas dentro da ética, condições seguras de trabalho, suporte à educação e envolvimento com assuntos ambientais. Além disso, todos os interessados na empresa nunca devem ser ignorados. São eles credores, empregados, clientes, fornecedores, comunidades nas quais a companhia opera etc.

O impacto das decisões sobre esses interessados deve ser reconhecido. A riqueza dos acionistas, e também da própria empresa, depende de sua responsabilidade social. Quando a sociedade age, por meio do Congresso ou outros corpos representativos da comunidade, estabelecendo as regras governamentais que fazem a ligação entre os objetivos sociais e de eficiência econômica, a tarefa da corporação fica mais clara com relação à sua responsabilidade social. Assim, a empresa pode ser vista como uma produtora de bens ou serviços tanto no enfoque privado como no social, e a maximização da riqueza do acionista, por meio do lucro, permanece um objetivo corporativo viável.

Risco, Retorno e Liquidez

O administrador financeiro defronta-se continuadamente com dois grandes dilemas, decorrentes das incertezas dos fluxos de benefícios futuros: a avaliação do retorno de um investimento em relação ao risco e a possibilidade de ter maior retorno ou rentabilidade sacrificando provisoriamente sua capacidade de liquidez ou pagamento.

Risco x Retorno

Tecnicamente, em finanças, o risco significa a variabilidade em relação ao retorno esperado. A variabilidade, portanto, pode ser para mais ou para menos. Contudo, como o resultado inferior ao planejado é que prejudica o processo de investimento, *o risco pode ser definido como probabilidade de perda em relação a resultados esperados.*

Há geral aceitação de que empreendimentos com maior probabilidade de risco devem ser recompensados com retorno maior. Essa concepção parte de que há retornos livres de risco, como é o caso de títulos governamentais. Como, em tese, o governo nunca pode falir, qualquer investimento em títulos governamentais pode ser considerado livre de risco. Consequentemente, os outros investimentos têm um risco, que deve ser remunerado com um retorno maior.

Contudo, é possível fazer uma inversão do conceito. Se um risco maior exige um retorno maior, *um retorno maior deve ter um risco maior.* Em outras palavras, quando um investidor se defronta com várias alternativas de investimento, aquele que oferece maior retorno pode (ou deve) estar contemplando, associativamente, um risco maior.

Considerando essa abordagem o dilema se instala. O administrador financeiro, na busca de um retorno maior, pode estar incorrendo em um risco maior, aumentando a probabilidade de dificuldades financeiras, caso um retorno muito baixo prejudique a geração de caixa para as operações.

Um dos modelos mais utilizados para minimizar o efeito dos riscos associados aos investimentos é *buscar a diversificação de investimentos*. Construindo uma carteira de investimentos adequadamente diversificada, há possibilidades de redução do risco e maximização do retorno, considerando essa minimização do risco.

Preferências com Relação ao Risco

As empresas são de propriedade de pessoas e administradas por pessoas que têm comportamentos específicos, que se refletem nas várias atividades empresariais dentro dos diversos modelos decisórios. As preferências das pessoas com relação ao risco são:

- indiferentes ao risco: não exigem mudanças de retorno caso o risco aumente;
- tendentes ao risco: a taxa de retorno pode diminuir mesmo que o risco aumente;
- avessas ao risco: exigem um aumento da taxa de retorno caso o risco aumente.

Tipos de Risco

Considerando a empresa dentro do mercado como uma opção de investimento, o risco é classificado em dois tipos:

- risco de mercado ou sistemático, aquele a que todas as empresas dentro de um mesmo ambiente acabam por sofrer, decorrente de aspectos conjunturais, políticos, recessões, guerras, aumentos gerais de *commodities* etc.
- risco não sistemático, que afeta especificamente cada empresa, e pode ser diversificável em uma carteira de investimentos.

Esses tipos de riscos estão apresentados no Capítulo 3.

Considerando a empresa isoladamente, podemos identificar dois tipos de risco, que, associados, dão o risco da empresa:

- risco operacional, que decorre da opção por uma determinada estrutura de ativos, que, por sua vez, conduz a uma estrutura de custos (proporção de custos fixos e variáveis). Este risco é apresentado no Capítulo 5;
- risco financeiro, que decorre da opção por uma determinada estrutura de passivos, que conduz a um nível de endividamento financeiro e à necessidade de absorção dos custos fixos financeiros. Este risco é apresentado no Capítulo 6;
- risco da empresa, que é a combinação do risco operacional com o risco financeiro.

Pode-se falar, também, em *risco do negócio*, considerando que cada ramo de atividade tenha características peculiares que conduzam a determinado nível de risco diferente de outro ramo. Assim, pode-se imaginar que o ramo de comercialização de alimentos tenha um risco menor que o agrícola, que o automobilístico tenha um risco maior que o do ramo de energia elétrica, que setores ligados a produtos supérfluos incorporem riscos maiores que os de setores ligados a consumo básico etc.

Liquidez x Rentabilidade

A busca de uma ótima estrutura de capital parte do pressuposto de que é possível ter lucros maiores quando se obtém a maior quantidade de fontes baratas de capital externo. O custo das fontes de capital de terceiros são os juros e qualquer outra remuneração que se pague aos detentores e cedentes do capital. Quanto menor o custo das fontes de capital, mais lucros a empresa poderá conseguir. Dentro desse pressuposto, há uma ideia inicial de se buscar a maior quantidade de fontes externas de capital, desde que a um custo menor que as fontes dos acionistas.

Contudo, a empresa pode não conseguir os resultados esperados, em função de outros riscos existentes, e perder, parcial ou totalmente, temporária ou definitivamente, a condição de honrar as parcelas dos juros e das amortizações do principal. Denominamos *liquidez* a condição que a empresa tem de honrar todos os seus compromissos financeiros. Quanto maior a liquidez, mais segurança financeira a empresa tem. Portanto, na busca da maior rentabilidade por meio do uso intensivo de fontes externas de capital, a empresa pode se ver, no horizonte futuro, às voltas com a possibilidade de perda parcial ou total de liquidez.

Esse dilema pode ser encaminhado também por meio de outra abordagem. Os administradores financeiros que querem privilegiar a liquidez podem manter na empresa disponibilidades e aplicações financeiras em excesso ao montante estritamente necessário, para se resguardarem ao máximo de eventuais problemas com o pagamento de suas contas. Contudo, os valores retidos em disponibilidades e aplicados no mercado financeiro têm normalmente um rendimento muito inferior ao de outras possibilidades de investimento de risco, seja na própria empresa, seja em outros projetos de investimentos. Dessa forma, com o objetivo de preservar ao máximo a liquidez da empresa, a rentabilidade geral cai, pois o rendimento financeiro tende a ser inferior ao rendimento dado pela venda dos produtos e serviços de projetos de investimentos alternativos.

Teoria da Agência (*Agency Theory*)

Um aspecto relevante em finanças é o estudo do relacionamento entre os diversos interessados em um empreendimento empresarial (*stakeholders*), com ênfase para a relação entre os acionistas e os administradores das empresas, denominado *teoria da agência*. Nessa abordagem, a empresa é enfocada como um conjunto de contratos, onde uma parte autoriza que a outra atue em seu nome, seja seu agente.

Em uma empresa constituída como sociedade por ações, necessariamente os acionistas têm que constituir um conselho e uma diretoria que administrem a empresa para eles. Essa relação pode ser vista como um contrato, em que os donos da participação acionária delegam a administradores a autoridade para agir em seus nomes. Assim, *os administradores podem ser vistos como agentes dos proprietários*.

Os proprietários delegam a responsabilidade da tomada de decisão aos administradores, esperando que eles, os agentes, ajam no melhor dos seus interesses. Contudo, estando a propriedade e o controle separados, constata-se uma situação que permite à administração agir mais em seu próprio interesse do que, eventualmente, naqueles dos acionistas. Em outras palavras, os objetivos da administração podem diferir dos objetivos dos donos da empresa. Essa situação de conflito de objetivos pode prejudicar o valor da empresa.

Para tentar contornar esse conflito, os acionistas podem desencorajar os administradores a se desviar dos seus interesses, mediante a concepção de incentivos apropriados para os administradores (remuneração variável, prêmios por resultados, opções em ações (*stock options*) etc.), monitorando a seguir seu comportamento.

Os conceitos de maximização do lucro, maximização da riqueza e criação de valor podem ser vinculados à teoria da agência, conforme a Figura 2.4.

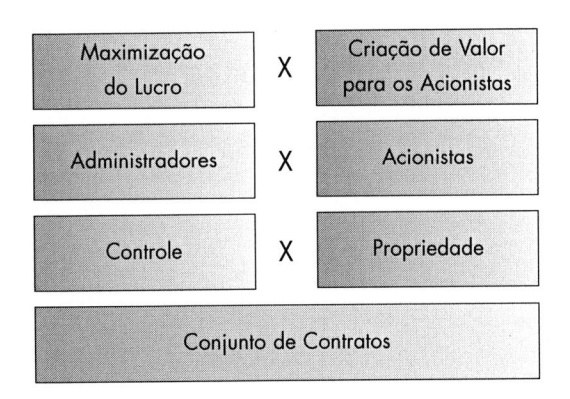

Figura 2.4 – Teoria da Agência.

Governança Corporativa

Um dos instrumentos para ajudar no processo de minimização do conflito de agência é a introdução do conceito de governança corporativa. Define-se governança corporativa como o conjunto de atividades, procedimentos e práticas que permitem dar total transparência dos negócios das empresas sociedades anônimas de capital aberto, com o intuito básico de proteção máxima ao investidor minoritário.

A Bovespa define governança corporativa como um conjunto de normas de conduta para empresas, administradores e controladores considerado importante para uma boa valorização das ações e outros ativos emitidos pela companhia. Mais do que uma instituição, o conceito de governança corporativa representa a participação ativa dos investidores institucionais na administração geral dos negócios da empresa. De um modo geral, representa a necessidade que os acionistas minoritários têm de participar efetivamente da direção geral dos negócios da corporação.

O objetivo da governança corporativa é a criação de valor para o acionista. Ao incorporar esse conceito, as empresas deixam de ser administradas exclusivamente pelo grupo majoritário e o conselho de administração eleito por esse grupo majoritário, e passam a aceitar interferências de outros investidores institucionais.

As empresas que adotam o conceito de governança corporativa tendem a dar maior transparência de seus negócios e padrões contábeis e financeiros para o mercado, tornando-se empresas com maior aceitação geral e, consequentemente, atrativas para investimentos. A adoção do conceito de governança corporativa talvez seja um dos melhores instrumentos para o relacionamento com os investidores, uma vez que deixa de tratá-los como acionistas residuais, passando a incorporar suas metas no conjunto de estratégias e objetivos da empresa.

Pertencem à governança corporativa os mecanismos institucionais e econômicos que tornam eficazes os direitos de credores e acionistas, isto é, que asseguram que credores e acionistas tenham acesso ao rendimento do capital. No Brasil, a CVM (Comissão de Valores Mobiliários), a Lei das Sociedades Anônimas, a Lei de Falências, os estatutos, os contratos sociais, as leis de contratos, os mercados de capitais, as assembleias de acionistas, os conselhos de administração e as diretorias das empresas fazem parte da governança corporativa, mas, muito mais do que isso, dela faz parte, desde a prática contábil até o *modus operandi* do sistema político brasileiro (Sá, 2001, p. 60).

Papéis Característicos

Em linhas gerais, o objetivo da instalação da governança corporativa é a atuação coordenada de todos os investidores, majoritários e minoritários, nos seguintes papéis principais:

- prover direcionamento geral para a corporação e aprovar estratégias;
- monitorar e avaliar o desempenho da organização;
- aprovar os objetivos e estratégias financeiras;
- assegurar que os sistemas monitorem o cumprimento de padrões éticos e legais.

Esses quatro papéis estão ligados, em resumo, ao direcionamento, monitoramento e mensuração da busca pela organização de valor ao acionista. Os demais, apresentados a seguir, estão ligados à provisão de mecanismos externos para mudar a organização caso ela não mude internamente.

- Selecionar, avaliar, compensar e substituir diretores da empresa e assegurar planos de sucessão.
- Avaliar o desempenho do próprio conselho de administração.

Consequências da Adoção da Governança Corporativa

O ativismo dos investidores institucionais na empresa, por meio do sistema de governança, dá maior competitividade de gestão e foco na criação de valor, conseguindo:

- tornar os administradores mais focados em resultados e retorno do investimento;
- maior agilidade de correção de rumos em períodos de menor lucratividade;
- maior transparência e atenção com direitos de minoritários;
- que os investidores em geral se tornem aliados, e não ameaças ao controle acionário;
- que a empresa e os investidores se beneficiem dessa abordagem.

A Bovespa considera que as companhias abertas têm governança corporativa quando, além do atendimento das obrigações constantes na legislação (Lei nº 6.404/76 e Lei nº 10.303/02), são admitidas como Companhia de Mercado Nível 1 e Nível 2.

Lei Sarbanes-Oxley

Em razão de diversos escândalos corporativos no século XX e início do século XXI, que resultaram em enormes prejuízos para os acionistas, o governo norte-americano editou, em 2002, a Lei Sarbanes-Oxley, introduzindo critérios mais rígidos para monitorar a responsabilidade dos acionistas e administradores das empresas sociedades por ações.

Ela torna os diretores executivos e diretores financeiros explicitamente responsáveis por estabelecer, avaliar e monitorar a eficácia dos controles internos sobre relatórios financeiros e divulgações de dados e perspectivas da companhia. Exige que todas as companhias de capital aberto listadas nas bolsas de valores tenham um Comitê de Auditoria, que inclua pelo menos um especialista financeiro entre os membros.

Estrutura Administrativa

O conjunto das funções financeiras nas empresas é desempenhado pelos setores de controladoria e tesouraria, normalmente de responsabilidade de um diretor ou gerente administrativo/financeiro.

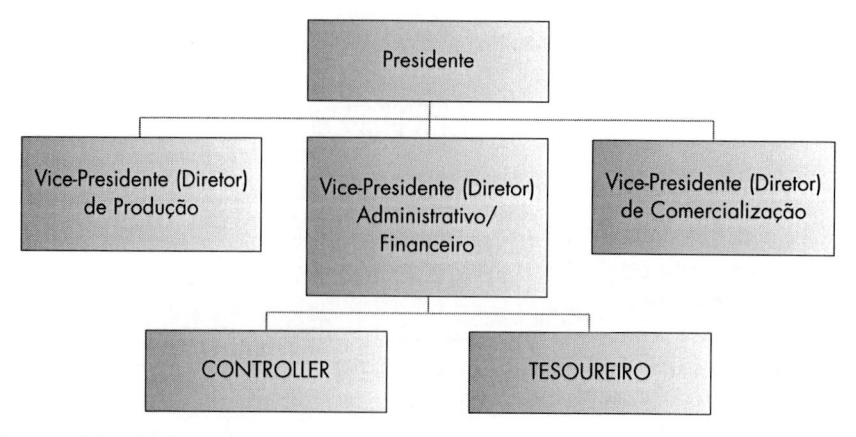

```
                    Presidente
        ┌───────────────┼───────────────┐
Vice-Presidente   Vice-Presidente   Vice-Presidente
  (Diretor)         (Diretor)         (Diretor)
  de Produção    Administrativo/   de Comercialização
                   Financeiro
                  ┌─────┴─────┐
               CONTROLLER  TESOUREIRO
```

Figura 2.5 – Finanças na Organização.

A controladoria é a unidade administrativa dentro da empresa que, por meio da Ciência Contábil e do Sistema de Informação de Controladoria, é responsável pela coordenação da gestão econômica do sistema empresa. Sua base de informações é o subsistema de contabilidade societária e fiscal, expandindo esse subsistema para suprir a empresa de informações gerenciais. A grande ligação da controladoria com a tesouraria consiste no processo orçamentário. O orçamento nasce na controladoria e, após sua conclusão, os dados são enviados à tesouraria para montar seu Planejamento Financeiro de Curto e Longo Prazos.

```
                    CONTROLADORIA
                          │
                          ├──── Relações com Investidores
                          │
         Auditoria Interna┤
                          ├──── Sistema de Informação
                          │        Gerencial
         ┌────────────────┴────────────────┐
   Planejamento e                     Escrituração
     Controle
 • Orçamento, Projeções e          • Contabilidade Societária
   Análise de Investimentos        • Controle Patrimonial
 • Contabilidade de Custos         • Contabilidade Tributária
 • Contabilidade por
   Responsabilidades
 • Acompanhamento do Negócio
   e Estudos Especiais
```

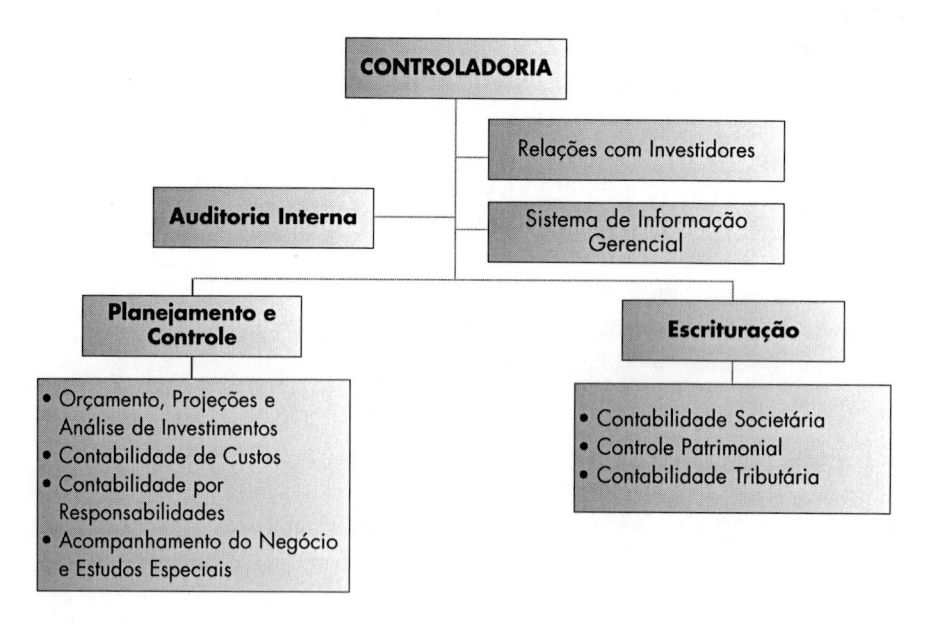

Figura 2.6 – Estrutura da Controladoria.

Controladoria e Tesouraria

Fundamentalmente, concordamos com a posição do controller separada do responsável pela tesouraria. Entendemos que a função de tesouraria ou de finanças é uma atividade de linha e operacional, que basicamente tem como função o suprimento de recursos para as demais atividades desenvolvidas internamente na companhia, atividade que, como as demais, deve ser avaliada pela controladoria, como podemos ver na Figura 2.7.

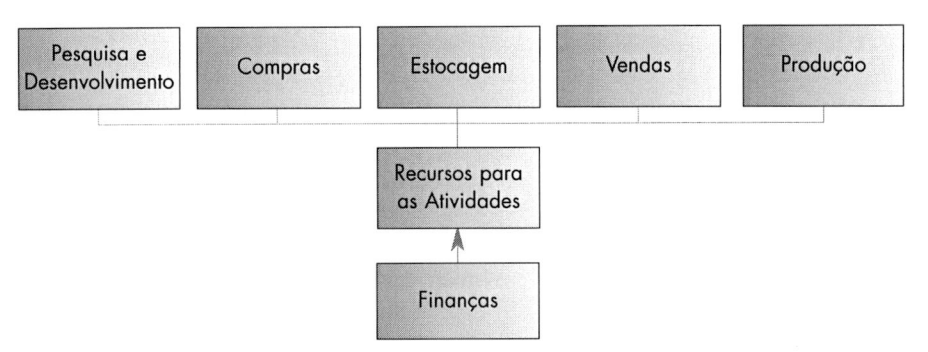

Figura 2.7 – A Atividade de Finanças como Supridora de Recursos Financeiros às Demais Atividades Operacionais da Empresa.

As principais atividades ou funções de tesouraria, também denominada diretoria ou gerência financeira, são as seguintes, evidenciadas na Figura 2.8:

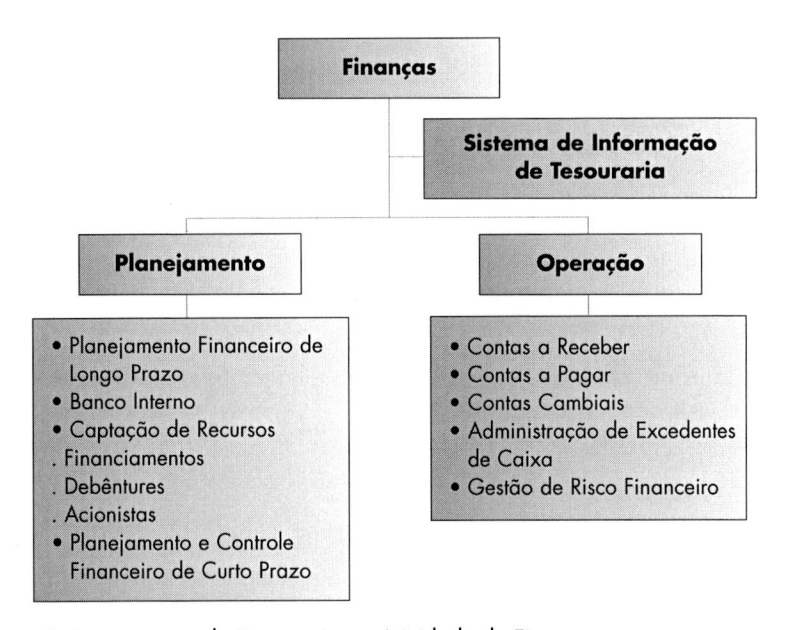

Figura 2.8 – Estrutura da Tesouraria ou Atividade de Finanças.

Note-se que, dentro dessa estrutura, o responsável pela tesouraria tem uma função operacional e deve, inclusive, gerar resultado positivo para a empresa, e ser avaliado pelo seu desempenho por meio de seus resultados alcançados.

Funções e Exercício das Funções

É muito comum imaginar que a existência das atividades de controladoria e tesouraria, vistas como estruturas distintas, seja possível somente para empresas de médio e grande portes. Nesse sentido, convém ressaltar a diferença entre a *existência* das funções e o *exercício* dessas funções pelas pessoas dentro da empresa.

Qualquer empresa abarca todas as funções básicas necessárias para o cumprimento de suas atividades de comprar, produzir, vender e administrar. Dessa maneira, em todas as empresas existem as funções de compra, produção, manutenção, desenvolvimento de produtos, controle de qualidade, planejamento de produção e vendas, estoques, comercialização, expedição, faturamento, marketing, logística, recursos humanos, tecnologia de informação, contabilidade, controladoria, tesouraria etc.

Dependendo do porte da empresa, a maior parte dessas funções são exercidas por pessoas ou setores distintos. Contudo, todas essas funções existem em empresas menores, mesmo em um microempreendimento que tenha apenas um único funcionário, normalmente seu proprietário. Nesse caso, uma pessoa só executa todas as funções empresariais. Assim, em empresas de pequeno e médio portes, é comum que uma pessoa execute duas ou três funções. Pode-se ter em uma empresa um responsável pelas áreas de controladoria, finanças e tecnologia de informação, executando todas essas funções.

Questões e Exercícios

1. Uma empresa decide entrar no ramo de leite longa vida e espera vender cinco milhões de litros ao mês. O preço pago pela matéria-prima é de $ 0,25 o litro, e o preço de mercado do produto final é igual a $ 1,10. Qual será o valor agregado máximo dado pelo produto em um ano de faturamento? Desconsidere impostos para esse cálculo.

2. O gasto estimado para suportar as atividades internas desenvolvidas para fabricar e comercializar o produto do exercício anterior somam $ 46.500.000 para um ano. Os investimentos necessários para implantação do projeto de leite longa vida são da ordem de $ 38.000.000. Qual é a rentabilidade anual do investimento?

3. Supondo que os financiadores do projeto tenham em mente um custo de oportunidade de capital de 11% ao ano, qual será a criação de valor para os acionistas estimada anualmente?

4. Considere outra alternativa com o preço de venda do litro de leite crescendo 3% e o preço da matéria-prima subindo apenas 2%. Considere que o custo anual das atividades seja o mesmo, bem como o investimento inicial. Calcule:
   a) o novo valor agregado gerado pela empresa;
   b) a rentabilidade anual do investimento;
   c) o valor criado para o acionista, partindo agora do pressuposto de que o custo de oportunidade dos fornecedores de capital seja de 18% ao ano.

5. A projeção do fluxo líquido de caixa de uma empresa para os próximos cinco anos é a seguinte:

Fluxo de Caixa Projetado	
Ano 1	$ 20.000
Ano 2	23.500
Ano 3	24.000
Ano 4	28.000
Ano 5	30.000

   Considerando um valor residual de $ 35.000 e um custo de oportunidade de capital de 13% ao ano, qual será o valor da empresa pelo critério de fluxos futuros?

6. Uma empresa tem um valor atual de mercado de $ 154,5 milhões. Novas premissas e condições do ambiente indicam que ela tem uma capacidade anual de geração de lucro de $ 19,2 milhões. Considerando um custo de oportunidade de capital de 12% ao ano, em perpetuidade, indique o novo valor da empresa e o *goodwill* resultante.

3 Custo de Capital e Rentabilidade do Investimento

Podemos dizer que os conceitos de custo de capital e de rentabilidade do investimento são faces da mesma moeda e podem se fundir em diversos modelos de análise e tomada de decisão.

Custo de capital é o valor ou taxa que se paga para um fornecedor de capital, normalmente representado por uma taxa de juros ou prêmio. Por exemplo, quando se obtém um empréstimo ou financiamento de um banco, a taxa percentual que o banco cobra pelo fornecimento desse recurso ao longo do tempo de sua utilização é o custo de capital.

Rentabilidade do investimento é o lucro obtido em um período em razão de um investimento feito em um projeto, empreendimento ou empresa. Representa a remuneração obtida como prêmio pela aplicação de recursos financeiros em um investimento. Normalmente, também é expressa em uma taxa percentual.

Tomando o exemplo do empréstimo ou financiamento do banco para uma empresa, para a empresa que toma o recurso, a taxa de juros representa o custo de capital de terceiros. Para o banco que emprestou o recurso, a taxa representa a rentabilidade do investimento.

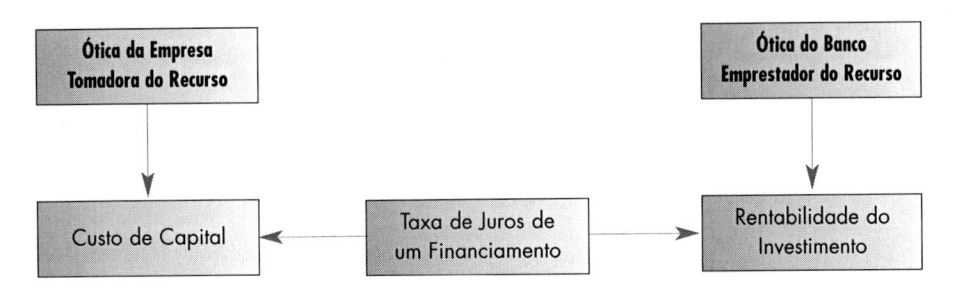

```
┌─────────────────────┐                                    ┌─────────────────────┐
│  Ótica da Empresa   │                                    │   Ótica do Banco    │
│ Tomadora do Recurso │                                    │ Emprestador do Recurso│
└──────────┬──────────┘                                    └──────────┬──────────┘
           │                                                          │
           ▼                                                          ▼
┌─────────────────────┐      ┌─────────────────────┐      ┌─────────────────────┐
│  Custo de Capital   │◄─────│   Taxa de Juros de  │─────►│   Rentabilidade do  │
│                     │      │   um Financiamento  │      │     Investimento    │
└─────────────────────┘      └─────────────────────┘      └─────────────────────┘
```

Quando do processo de tomada de decisão para avaliar um projeto de investimento, é necessária a introdução do custo de capital para avaliar sua viabilidade econômica, que consiste em saber se os fluxos futuros de benefícios gerados pelo projeto serão suficientes para cobrir o custo de capital. Nesse momento, estamos utilizando o conceito de custo de capital.

Quando do processo em andamento, deve-se avaliar ou monitorar o investimento em marcha, para saber se os lucros obtidos estão coerentes com o custo de capital adotado durante a decisão de iniciar o investimento. Nesse momento, estamos utilizando o conceito de rentabilidade do investimento.

Dessa maneira, os modelos de análise de custo de capital são semelhantes aos modelos de análise de rentabilidade do investimento.

Análise de Rentabilidade

A análise de rentabilidade objetiva mensurar o retorno do capital investido e identificar os fatores que conduziram a essa rentabilidade. O processo decisório clássico – e inquestionavelmente aceito em todo o mundo – para avaliação de projetos de investimentos consiste em mensurar os lucros futuros (ou fluxos futuros de caixa) previstos no projeto, contra os valores gastos a título de investimento nesse mesmo projeto. Os métodos recomendados são o valor presente líquido (VPL) e a taxa interna de retorno (TIR). Um terceiro método, denominado *payback*,[1] também tem sido utilizado complementarmente na análise da decisão de investimentos.

O VPL e a TIR são metodologias que descontam os lucros ou fluxos futuros de caixa por uma taxa de juros que representa o custo de capital. No VPL, atribui-se um custo mínimo de capital e descontam-se os fluxos futuros previstos. Na TIR, em vez de atribuir um custo mínimo, busca-se a taxa de retorno que iguala os fluxos futuros aos investimentos feitos. Com o método do *payback*, descobre-se em quantos anos retornará o investimento.

Partindo das premissas de que:

- na decisão sobre um investimento analisa-se previamente sua rentabilidade;
- uma empresa nada mais é do que um ou mais projetos de investimentos operando simultaneamente;
- o ativo representa o investimento, e o passivo, o financiamento obtido para viabilizar esse investimento;

a análise da rentabilidade é o critério natural de avaliação do retorno do investimento, qualificando-se, portanto, como o indicador mais importante da análise financeira.

Poder-se-ia argumentar que a análise da capacidade de pagamento e da solidez financeira da empresa é o segmento mais importante da análise financeira, pois indica a capacidade de sobrevivência da empresa a curto prazo. Contudo, convém salientar que a saúde financeira da empresa é decorrente da obtenção de sua rentabilidade. Uma empresa rentável (e adequadamente administrada) não terá problemas de solvência ou capacidade de pagamento. Uma empresa com problemas de liquidez decorre, provavelmente, de uma inadequada rentabilidade passada, ou mau redirecionamento de seus lucros ou fundos.

Fundamentos

A rentabilidade é a resultante das operações da empresa em um determinado período e, portanto, envolve todos os elementos operacionais, econômicos e financeiros do empreendimento. Esse resultado pode ser visto por diversos ângulos, que estão repre-

---

[1] Abordaremos esses critérios, de forma introdutória, no Capítulo 4.

sentados no balanço patrimonial. O ativo representa todos os investimentos feitos na empresa, e o passivo, as duas fontes de financiamento (capital de terceiros e capital próprio). Esses três elementos patrimoniais conduzem às três abordagens principais da análise de rentabilidade.

A obtenção do lucro, por sua vez, decorre das estratégias utilizadas nas operações e das margens repassadas nos preços de vendas dos produtos e serviços da empresa. Portanto, o volume vendido e os preços obtidos são os fatores básicos de geração do lucro. O lucro obtido deve ser confrontado com os lucros planejados, uma vez que, conforme introduzimos neste capítulo, o resultado realizado é que determinará a avaliação de desempenho dos projetos de investimentos, onde, inicialmente, foram previstos os lucros que justificaram a decisão pela aceitação desses projetos. Apresentamos a seguir os principais fundamentos que envolvem a análise de rentabilidade.

Abordagens da Análise da Rentabilidade

A abordagem principal de rentabilidade tem como referência os donos da empresa (os sócios, se limitadas, ou acionistas, se sociedades anônimas). O valor do investimento dos proprietários é denominado, em finanças, *capital próprio*, e é representado no balanço patrimonial pela figura do *patrimônio líquido*.

Essa abordagem é considerada a análise definitiva de rentabilidade, pois relaciona o lucro líquido após os impostos, que é a mensuração final do lucro obtido,[2] com o valor do patrimônio líquido, mensurando a rentabilidade à luz do interessado mais importante no investimento na empresa, que é o dono do capital.

A segunda abordagem objetiva mensurar a rentabilidade da empresa como um todo, sem se preocupar, primariamente, quem financiou o investimento. Essa abordagem busca mensurar a rentabilidade do investimento total, ou seja, do ativo, também denominada *rentabilidade do ativo operacional*.

A terceira abordagem qualificada de mais importante busca identificar o impacto do financiamento que a empresa obteve do capital de terceiros (as instituições financeiras que concederam empréstimos e financiamentos à empresa, além dos sócios ou acionistas). Avaliam-se o custo médio do capital de terceiros e sua relação com a rentabilidade operacional, para verificar se houve vantagem na utilização desses capitais. Essa vantagem, quando ocorre, é denominada *alavancagem financeira*.

Essas três abordagens podem ser visualizadas integradamente na Figura 3.1, apresentada a seguir. Esse modelo será apresentado de forma mais detalhada ao final deste capítulo.

---

[2] Referimo-nos sempre ao resultado positivo alcançado, denominado lucro, para simplificação. A terminologia mais correta seria resultado líquido, pois a empresa pode tanto obter lucro como incorrer em prejuízo no período.

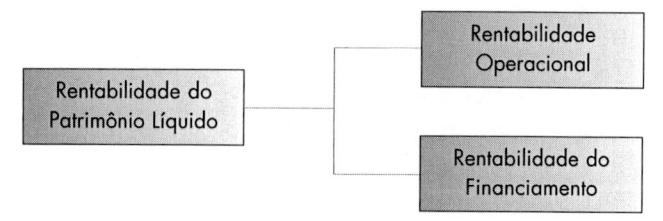

Figura 3.1 – Abordagens Básicas de Rentabilidade.

Dada a complexidade da análise de rentabilidade, outras abordagens foram desenvolvidas, basicamente centradas nos conceitos de valor adicionado e criação de valor. De um modo geral, essas abordagens introduzem um elemento adicional, não explícito, que é o custo de oportunidade de capital, avaliando a rentabilidade obtida por meio de sua confrontação com a rentabilidade de outros ativos e investimentos no mercado financeiro. Os conceitos de EVA e MVA são decorrentes dessas abordagens.

Lucratividade e Margem x Rentabilidade

Essas nomenclaturas têm sido comumente utilizadas como se fossem a mesma coisa, mas representam mensurações econômico-financeiras distintas. Reconhecemos que para um leigo podem parecer iguais, mas tecnicamente convém fazer a correta distinção entre delas.

Lucratividade e *margem* podem ser consideradas sinônimos. Representam o lucro obtido em relação ao valor das vendas. Podemos ter o lucro ou margem unitária como lucro ou margem total. A lucratividade/margem unitária é o lucro obtido pela venda de cada unidade de produto ou serviço. A lucratividade/margem total é o lucro líquido total obtido pelo total das receitas das vendas dos produtos e serviços durante um período.

A margem e a lucratividade são expressas tanto em valor quanto em percentual. Por exemplo, temos a margem de contribuição unitária em valor e a margem de contribuição unitária em percentual. Temos o lucro (margem) bruto em valor e o lucro (margem) bruto em percentual.

> *Margem ou lucratividade é uma relação do resultado obtido com o valor da venda.*

Objetivando-se o aprofundamento na análise de rentabilidade e geração de lucro, mensuram-se vários tipos de margem em relação às vendas. As margens mais comuns, decorrentes da análise das demonstrações financeiras, são:

- a margem bruta, representada pelo lucro bruto, que significa a receita de vendas deduzida dos custos de comercialização ou fabricação;

- a margem operacional, representada pelo lucro operacional, que é o lucro bruto deduzido das despesas administrativas e comerciais;
- a margem antes dos impostos sobre o lucro, representada pelo lucro operacional, deduzido das despesas financeiras líquidas das receitas financeiras e outros elementos considerados não operacionais nas demonstrações publicadas;
- a margem líquida do período, representada pelo lucro líquido após os impostos sobre o lucro, que é o resultado final apurado pela empresa no período e fica à disposição dos sócios ou acionistas para distribuição ou retenção dentro da empresa.

Exemplo – Margem Unitária:

Preço de Venda de um Produto	$ 2.000,00	= 100%
(–) Custo Unitário de Fabricação	$ (1.200,00)	= 60%
= (Lucro) Margem Bruta	$ 800,00	= 40%
(–) Custo Administrativo e Comercial	$ (500,00)	= 25%
= (Lucro) Margem Operacional	$ 300,00	= 15%

Exemplo – Margem Total:

Receita das Vendas de Mercadorias	$ 300.000,00	= 100%
(–) Custo das Mercadorias Vendidas	$ (210.000,00)	= 70%
= Lucro (Margem) Bruto	$ 90.000,00	= 30%
(–) Despesas Administrativas e Comerciais	$ (30.000,00)	= 10%
= Lucro (Margem) Operacional	$ 60.000,00	= 20%
(–) Despesas Financeiras Líquidas	$ (15.000,00)	= 5%
= Lucro (Margem) Antes dos Impostos	$ 45.000,00	= 15%
(–) Impostos sobre o Lucro	$ (15.000,00)	= 5%
= Lucro (Margem) Líquido do Período	$ 30.000,00	= 10%

A *rentabilidade* relaciona o lucro obtido ao investimento feito ou existente. O objetivo da rentabilidade é determinar o retorno do investimento. Em outras palavras, a apuração da rentabilidade tem por finalidade saber se o retorno real foi coerente com o retorno planejado. A rentabilidade é sempre uma medida percentual, e, portanto, relativa.

Rentabilidade é uma relação percentual do resultado obtido com o valor do investimento.

Exemplo – Ativo Financeiro:

Aplicação na poupança	$ 10.000,00 (a)
Rendimento obtido após um mês	$ 120,00 (b)
Rentabilidade do mês	1,2% (b:a)

Exemplo – Lucro Empresarial:

Patrimônio Líquido Inicial	$ 1.000.000,00 (a)
Lucro Líquido Anual	$ 135.000,00 (b)
Rentabilidade do ano	13,5% (b:a)

A rentabilidade é uma medida definitiva: pode ser comparada com qualquer empresa ou qualquer investimento. A lucratividade é uma medida parcial: sua mensuração só tem significado para a empresa analisada, uma vez que, em linhas gerais, cada empresa tem sua estrutura de custos e despesas em relação às receitas ou ao preço de venda de seus produtos e serviços. Porém, há uma ligação direta entre essas duas medidas de desempenho econômico-financeiro, uma vez que por meio da lucratividade ou da obtenção das margens sobre as vendas se consegue a rentabilidade do investimento.

> A margem ou lucratividade sobre vendas e receitas é o elemento para se obter a rentabilidade do investimento.

Os Fatores que Impulsionam a Rentabilidade: Giro e Margem

Se a margem é o elemento para se obter a rentabilidade, o caminho é o *"giro"*. A palavra giro, na análise financeira, significa a produtividade do investimento representada pela velocidade com que os ativos são operacionalizados e transformam os insumos em vendas.

A medida clássica do giro é a divisão do valor das receitas pelo ativo total. Como o ativo total representa os investimentos na empresa, quanto mais vendas a empresa fizer, mais produtivo será o ativo (investimento) da empresa. Quanto mais uma empresa consegue faturar com o mesmo valor de investimentos, mais possibilidade ela tem de obter lucros, pois, em cada venda, há a possibilidade de obter uma lucratividade unitária.

$$\text{Giro do Ativo} = \frac{\text{Valor das Vendas}}{\text{Valor do Ativo (Investimento)}}$$

Vejamos um exemplo comparativo hipotético:

Tabela 3.1 – Exemplo de Giro do Ativo

	Empresa A	Empresa B	Empresa C
Receita de Vendas Anuais – $ (a)	2.000.000	3.000.000	4.000.000
Valor do Ativo (Investimento) – $ (b)	2.000.000	2.000.000	2.000.000
Giro (a : b)	1,00	1,50	2,00

No exemplo da Tabela 3.1, a Empresa A tem o menor giro, e a Empresa C, o maior. Note que o valor do investimento é o mesmo para as três empresas, só que a Empresa C consegue produzir receita de vendas 50% a mais que a Empresa B e o dobro em relação à Empresa A. Caracteriza-se a Empresa C com maior produtividade do investimento, pois consegue gerar muito mais receita operacional do que as outras empresas comparadas.

Por que isso é importante?

A importância do maior giro possível está em que, havendo lucratividade/margem nos produtos e serviços que a empresa vende, quanto maior a quantidade de venda, e, consequentemente de receita, há a possibilidade de gerar mais lucros, e, portanto, *rentabilidade*. Reforçando, se o elemento fundamental da rentabilidade é a lucratividade, o caminho é o giro do investimento (do ativo).

Vamos imaginar que todas as três empresas do exemplo consigam obter a mesma margem líquida em cada venda realizada, da ordem de 12%. Observe, na Tabela 3.2, que a Empresa C obtém um maior montante de lucro líquido. A rentabilidade da Empresa C é de 24%, contra apenas 12% da Empresa A.

Tabela 3.2 – Giro do Ativo, Margem e Rentabilidade

	Empresa A	Empresa B	Empresa C
Receita de Vendas Anuais – $ (a)	2.000.000	3.000.000	4.000.000
Valor do Ativo (Investimento) – $ (b)	2.000.000	2.000.000	2.000.000
Giro (c = a : b)	1,00	1,50	2,00
Margem Líquida (d)	12%	12%	12%
Resultado Líquido (e = d x a)	240.000	360.000	480.000
Rentabilidade do Investimento (e : b)	12%	18%	24%

Com os dados da Tabela 3.2 podemos, então, apresentar a fórmula dos componentes ou fatores da rentabilidade:

$$Rentabilidade = Margem \times Giro$$

Utilizando novamente os dados da Tabela 3.2, podemos apresentar a rentabilidade, segundo os componentes da sua fórmula, para cada empresa do exemplo.

Tabela 3.3 – Fórmula de Rentabilidade

	Empresa A	Empresa B	Empresa C
Margem (a)	12%	12%	12%
Giro (b)	1,00	1,50	2,00
Rentabilidade (a x b)	12%	18%	24%

Esse exemplo caracteriza mais uma vez que a margem ou lucratividade é o elemento fundamental para se obter a rentabilidade, mas não é um indicador suficiente para avaliação do desempenho do investimento. A margem ou lucratividade deve ser acoplada ao indicador do giro do ativo ou do investimento, para completar a análise e a mensuração da rentabilidade, este sim o indicador final de avaliação do retorno do investimento.

Giro e Margem e Tipo de Empresa

De um modo geral, as empresas comerciais tendem a apresentar maior giro do ativo do que as empresas industriais e de serviços, pois o processo de aquisição e venda se dá mais rapidamente, uma vez que elas não transformam as mercadorias adquiridas para revenda. Os supermercados são exemplos clássicos de empresas com grande giro do ativo, pois conseguem operacionalizar a compra e venda de mercadorias em prazos curtíssimos.

As empresas prestadoras de serviços, que claramente também dependem do tempo dos serviços, apresentam-se com giro muito variado, pois existem serviços de realização e consumo imediato, como existem serviços de realização relativamente demorado. Por exemplo, redes de *fast-food* têm todas as características de um giro muito grande, enquanto empresas prestadoras de serviços de projetos de engenharia tendem a demandar maior tempo na execução dos serviços e, portanto, devem ter um giro menor.

As indústrias, pela sua própria natureza de transformação de insumos em produtos, tendem a demandar maior tempo nesse processo (denominado de ciclo operacional) e, consequentemente, tendem a apresentar um giro inferior ao dos demais tipos de empresa. Alguns empreendimentos industriais têm um ciclo produtivo e comercial curto (empresas processadoras de plástico, por exemplo), enquanto outros, como as indústrias de base, tendem a apresentar um ciclo muito longo e, consequentemente, um baixo giro.

Quanto maior o giro, maior a possibilidade de reduzir a margem de lucro na venda dos produtos e serviços, e, com isso, competir no mercado com preços mais baixos. Como já salientamos, é o caso dos supermercados e das cadeias de fornecimento de alimentação rápida. Quanto maior o tempo na realização dos produtos e serviços, menor o giro, e maior terá que ser a margem para compensar a lentidão dos processos operacionais. Uma indústria fornecedora de equipamentos para usinas de energia elétrica provavelmente terá que adicionar largas margens na venda de seus produtos para compensar o tempo gasto na construção dos equipamentos.

Utilização do Método de Análise da Rentabilidade

A fórmula da rentabilidade é denominada *Método DuPont*, uma vez que, em 1930, esse importante instrumento foi apresentado à comunidade acadêmica e empresarial dos Estados Unidos, como ferramental básico utilizado pela empresa DuPont para análise e avaliação de seus investimentos nas suas unidades de negócio.

Os dois componentes da fórmula devem permanentemente receber atenção dos administradores financeiros. Sempre é importante aumentar a margem e o giro, aumentando assim a rentabilidade do negócio. Outras decisões táticas e estratégicas poderão ser tomadas utilizando esse instrumental. Utilizando nosso exemplo, podemos supor que a Empresa C, por ter um giro muito melhor que o das demais, tente ganhar uma fatia adicional do mercado, aumentando seu volume de vendas. Como sua rentabilidade é bastante alta, poderá reduzir a margem contida nos preços de vendas de seus produtos, buscando incentivar maiores vendas. Supondo que ao reduzir a margem líquida para 10% ela consiga vender mais $ 1.000.000, vejamos como fica a sua rentabilidade.

Tabela 3.4 – Giro do Ativo, Margem e Rentabilidade

	Empresa A	Empresa B	Empresa C
Receita de Vendas Anuais – $ (a)	2.000.000	3.000.000	5.000.000
Valor do Ativo (Investimento) – $ (b)	2.000.000	2.000.000	2.000.000
Giro (c = a : b)	1,00	1,50	2,50
Margem Líquida (d)	12%	12%	10%
Resultado Líquido (e = d x a)	240.000	360.000	500.000
Rentabilidade do Investimento (e : b)	12%	18%	25%

Observe que a empresa reduziu a margem, mas conseguiu aumentar o giro e a rentabilidade final passou de 24% para 25%. Esse é um exemplo de como se pode utilizar o Método DuPont para melhora da rentabilidade.

O Método DuPont, ou Modelo de Análise da Rentabilidade, conduz, basicamente, as decisões empresariais para medidas a serem adotadas nas seguintes variáveis, na busca de maior rentabilidade:

a) aumentar o volume de vendas, provocando aumento no giro;[3]
b) aumentar o preço dos produtos e serviços vendidos, aumentando a margem e o giro;
c) reduzir o montante dos investimentos, aumentando o giro;
d) reduzir os custos e despesas, aumentando a margem.

---

[3] Deverá também provocar aumento na margem, com utilização mais eficiente dos custos e despesas fixas.

Custo de Capital: Parâmetro para Avaliação da Rentabilidade

A rentabilidade é medida em percentual, normalmente anual, pois sempre será uma medida relativa. Nesse sentido, a comparabilidade não é com o montante de lucro obtido, mas sim com o percentual obtido. Quanto maior o percentual, melhor será a avaliação do desempenho do investimento. Assim, se em um ano uma empresa obteve um lucro líquido de $ 400.000, para um investimento base de $ 4.000.000, a sua rentabilidade foi de 10% no ano. Outra empresa que tenha obtido um lucro líquido anual de $ 150.000, para um investimento base de $ 1.000.000, terá um desempenho considerado melhor, pois sua rentabilidade foi de 15% no ano.

O parâmetro para verificar se a rentabilidade é boa é o conceito de custo de capital. Custo de capital é o custo que se paga para obter dinheiro para o investimento. O custo de capital, por sua vez, decorre basicamente das taxas de juros constantes na economia, que, de um modo geral, partem das taxas cobradas pelos governos dos países por meio de seus bancos centrais. Esses parâmetros são considerados custos explícitos.

A teoria econômica, por outro lado, adota também o conceito de custo de oportunidade. Nesse conceito, deve-se avaliar o retorno do investimento pelas alternativas que foram abandonadas quando se decidiu por determinado investimento. Nesse sentido, o custo de oportunidade é um parâmetro não explícito. Dentro do conceito de custo de oportunidade, aceita-se também a tese de que pode ser um custo de capital mínimo desejado pelo investidor. Nesse caso, é um parâmetro declarado, e não calculado ou existente.

Na teoria de finanças, o conceito mais aceito é o de custo médio ponderado de capital, que faz a média do custo de capital de terceiros (empréstimos e financiamentos) com o custo do capital dos acionistas. Para apurar o custo de capital dos acionistas, que é o caso mais complexo, o modelo mais adotado é o CAPM (*Capital Asset Pricing Model*),[4] segundo o qual o custo de capital dos sócios ou acionistas decorre de sua variabilidade com a média de rentabilidade obtida no mercado. Nesse modelo, praticamente não se teria um parâmetro geral para avaliação de rentabilidade.

Em termos práticos, contudo, entendemos que o conceito de custo de oportunidade, baseado nas taxas de juros do mercado financeiro, tem prevalecido para a maior parte das empresas. Assim, é possível parametrizar a avaliação da rentabilidade de ativos financeiros ou taxas de juros básicas existentes no mercado. Entendemos que um investidor, ao se decidir pelo investimento, verificará quais as opções que existem no mercado financeiro, e, ajustando-as ao seu perfil de aversão ou não ao risco, tomará a decisão em cima da rentabilidade dessas opções existentes.

De um modo geral, as empresas não financeiras devem buscar uma rentabilidade superior ao custo de capital dos financiamentos obtidos junto às entidades financei-

---

[4] Esse modelo é apresentado de forma resumida ao final deste capítulo.

ras. Como as instituições financeiras parametrizam o custo de seus financiamentos pela taxa básica de juros determinada pelo banco central do país ou da comunidade de países em que se inserem, a rentabilidade dos empreendimentos não financeiros é decorrente dessas taxas.

Além das taxas de juros determinadas pelos governos, os bancos estruturam taxas mínimas para proporcionar a seus clientes, denominadas *taxas interbancárias*. Em nosso país, a taxa básica adotada pelo governo, determinada pelo Conselho Monetário Nacional (Copom), é denominada Selic (decorrente do Sistema Especial de Liquidação e Custódia). A taxa interbancária é denominada CDI (Certificado de Depósito Interbancário).

No mercado internacional, as taxas interbancárias mais conhecidas são a Libor (London Interbank Offer Rate), que é a taxa de juros cobrada pelos bancos londrinos e serve de base para a maior parte dos empréstimos internacionais, e a *prime rate*, que é a taxa de juros que mais se aproxima da paga pelo investimento sem risco, isto é, aquela proporcionada pelos títulos de primeira linha ou de alta qualidade, sendo, portanto, a correspondente aos títulos cujo prêmio por risco é praticamente zero. É a taxa mais baixa que pode ser encontrada nos Estados Unidos, e os bancos a proporcionam apenas aos seus clientes preferenciais para empréstimos de curto prazo (Sandroni, 2001, p. 348 e 494).

Todas as taxas de juros sofrem a influência da inflação ou deflação, pois a política monetária utiliza a taxa de juros para o seu controle. Contudo, em nosso país, as taxas Selic e CDI recebem outras influências externas, e, nos últimos anos, elas não têm sido consideradas parâmetros razoáveis para aferição do retorno do investimento. A TJLP (taxa de juros de longo prazo), adotada pelo BNDES, é, atualmente, a única que tem condição de servir de parâmetro adequado para o retorno do investimento.

Na Figura 3.2, apresentamos uma forma de apresentar como se estrutura o custo de capital, para fins de avaliação da rentabilidade.

Custo de Capital Próprio			
Custo de Capital de Terceiros			
Taxa Básica Determinada pelo Banco Central	Complemento Interbancário	Complemento pelo Risco da Empresa	
CDI – Libor – *Prime Rate* – Spread			
Risco Financeiro		Risco Operacional	
Risco da Empresa			

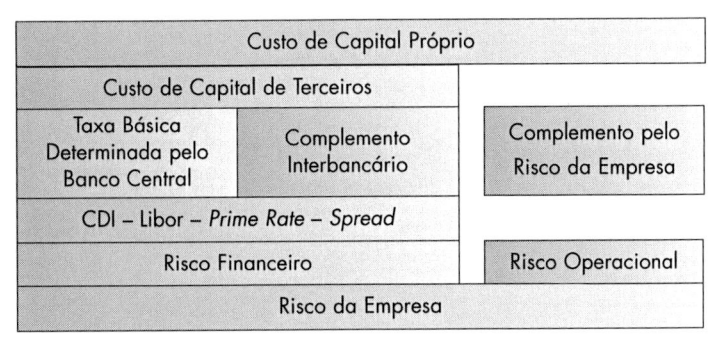

Figura 3.2 – Estrutura do Custo de Capital.

Na Tabela 3.5, apresentamos uma média da rentabilidade do mercado de ações em diversos países, comparada com as taxas médias oferecidas pelos seus governos.

Tabela 3.5 – Rendimentos ao Redor do Mundo – 1970/1990 (%)

País	Ações (a)	Bônus do Governo (b)	Prêmios de Risco (a – b)
Austrália	9,60	7,35	2,25
Canadá	10,50	7,41	3,09
França	11,90	7,68	4,22
Alemanha	7,40	6,81	0,59
Itália	9,40	9,06	0,34
Japão	13,70	6,96	6,74
Países Baixos	11,20	6,87	4,33
Suíça	5,30	4,10	1,20
Reino Unido	14,70	8,45	6,25
Estados Unidos	10,00	6,18	3,82
Média	10,37	7,09	3,28

Fonte: Damodaran, Aswath. Avaliação de Investimentos. Rio de Janeiro: Qualitymark, 1997, p. 61.

Na Tabela 3.6, apresentamos o rendimento anual médio das bolsas de valores de São Paulo e Nova York nos últimos anos.

Tabela 3.6 – Rendimentos de Bolsas de Valores

Taxas Anuais – Final do Ano	Bovespa	NYSE*
1995	17,52%	19,57%
1996	51,42%	27,48%
1997	73,91%	28,69%
1998	–11,26%	15,76%
1999	24,49%	21,66%
2000	40,80%	2,03%
2001	–15,24%	–6,23%
2002	–17,01%	–16,76%
2003	20,44%	10,69%
Média	20,56%	11,43%

* New York Securities Exchange

A Tabela 3.7 apresenta as taxas anuais básicas de juros dos anos mais recentes.

Tabela 3.7 – Taxas Básicas de Juros

Taxas Anuais – Final do Ano	Poupança	TJPL	Libor (1)	*Prime Rate* (2)
2000	8,61%	9,75%	6,63%	9,19%
2001	8,49%	10,00%	2,00%	5,00%
2002	8,21%	10,00%	1,47%	4,25%
2003	9,64%	12,00%	1,18%	4,00%
Média	8,74%	10,44%	2,82%	5,61%

(1) Para empréstimos de seis meses.
(2) Taxas do Citibank.

De um modo geral, podemos dizer que, em ambientes de inflação controlada, a rentabilidade mínima desejada fica ao redor de 10% a 12% ao ano. Rendimentos de 15% são considerados bons, e de 18% para cima, ótimos.

Tabela 3.8 – Parâmetros Práticos para Avaliação de Rentabilidade

	Mínimo	Médio/Bom	Excelente
Rentabilidade Obtida	12%	15%	18%
Retorno do Investimento (em anos)	8,33	6,67	5,56

Considerando o conceito de juros simples, uma rentabilidade anual de 12% permitirá que o investidor recupere o investimento em 8,33 anos (100% ÷ 12%). O retorno do investimento se dará em 5,56 anos, caso a empresa consiga dar ao sócio ou acionista uma rentabilidade anual consecutiva de 18%.

Rentabilidade do Acionista pelo Lucro Líquido

A análise financeira de balanço considera essa abordagem de análise da rentabilidade como a principal, já que tem como foco a figura dos donos do capital da empresa, que estamos chamando genericamente de *acionistas*. O lucro líquido do exercício, após a contabilização das despesas financeiras do capital de terceiros de empréstimos e financiamentos, e após os impostos sobre o lucro, resulta em um montante disponibilizado para os acionistas, que correm o risco da empresa.

O lucro líquido do exercício pode então ser totalmente distribuído aos acionistas, ou ficar, parcial ou mesmo totalmente, retido na empresa objetivando maiores rendimentos futuros. Dessa maneira, a análise de rentabilidade sob a ótica do acionista toma como referência o patrimônio líquido do balanço patrimonial como o investimento do acionista.

A fórmula da análise de rentabilidade do acionista é:

$$\text{Rentabilidade do Patrimônio Líquido (RSPL)} = \frac{\text{Lucro Líquido do Exercício}}{\text{Patrimônio Líquido}}$$

Em nosso exemplo numérico, temos:

$$X0 - RSPL = \frac{739.410}{4.000.000} = 18,49\%$$

$$X1 - RSPL = \frac{450.126}{4.270.075} = 10,54\%$$

A rentabilidade de X0 deve ser considerada excelente, enquanto a rentabilidade de X1 deve ser considerada apenas satisfatória.

Aplicação do Método DuPont

O Método DuPont pode ser adaptado também para a análise de rentabilidade do patrimônio líquido sob a ótica do acionista. Para manter sua base original, deve-se acrescentar na fórmula a participação do capital próprio sobre o ativo total. Dessa maneira, a análise de rentabilidade com o Método DuPont, considerando o patrimônio líquido como investimento final e não mais o ativo, apresenta-se com a seguinte fórmula:

Retorno sobre o Patrimônio Líquido (RSPL) = (Giro do Ativo × Margem): (Participação do Patrimônio Líquido no Ativo Total)

Sendo:

$$\text{Giro do Ativo} = \frac{\text{Vendas}}{\text{Ativo}}$$

$$\text{Margem} = \frac{\text{Lucro Líquido}}{\text{Vendas}}$$

$$\text{Participação do PL no Ativo} = \frac{\text{Patrimônio Líquido}}{\text{Ativo Total}}$$

Com os dados do nosso exemplo, elaboramos a Tabela 3.9, na qual apresentamos um formato da análise da rentabilidade do patrimônio líquido pelo Método DuPont.

Tabela 3.9 – Análise da Rentabilidade do Patrimônio Líquido – Método DuPont Adaptado

Fator	Fórmula	X0		X1	
Giro	Vendas / Ativo	18.637.279 / 11.523.500	1,62	18.713.105 / 12.554.719	1,49
x		x		x	
Margem	Lucro Líquido / Vendas	739.410 / 18.637.279	3,97%	450.126 / 18.713.105	2,41%
:		:		:	
Participação do PL	Patrimônio Líquido / Ativo	4.000.000 / 11.523.500	34,71%	4.270.075 / 12.554.719	34,01%
=		=		=	
Retorno sobre o PL	Lucro Líquido / Patrimônio Líquido	739.410 / 4.000.000	18,49%	450.126 / 4.270.075	10,54%

Com esse modelo, alarga-se a possibilidade de análise do resultado obtido. Note que, no ano de X1, houve uma pequena queda no giro, ou seja, a empresa conseguiu um volume de receitas pouco superior ao do ano anterior, com aumento do ativo, caracterizando uma queda de produtividade do ativo/investimento. Além disso, a margem líquida reduziu-se quase pela metade. A margem de 3,97% obtida em X0 caiu para 2,41% no ano seguinte. Como a participação do capital próprio é similar nos dois períodos, podemos dizer que o fator mais importante que contribuiu para a queda da rentabilidade de X1 foi a queda da margem líquida.

Essa constatação conduz necessariamente a analisar a demonstração do resultado do período, para verificar quais elementos de despesas e receitas foram responsáveis pela queda da margem em X1. Essa análise, denominada *análise de lucratividade*, será evidenciada no Capítulo 6.

As Variáveis do Método DuPont de Rentabilidade do Patrimônio Líquido

As variáveis componentes do giro e margem devem merecer o mesmo processo de estudo e utilização da tomada de decisão que já exploramos na introdução desses itens para aumentar o lucro e a rentabilidade, ou seja, aumentar a receita, diminuir as despesas e custos e reduzir os investimentos no ativo.

A inserção do índice de participação do patrimônio líquido no ativo total, no Método DuPont adaptado para análise de rentabilidade sob o enfoque do acionista, introduz um elemento adicional de atenção. Quanto menor a participação do capital próprio (PL), tendencialmente maior será sua rentabilidade, de acordo com a composição da fórmula. Em outras palavras, o Método DuPont adaptado sugere trabalhar intensamente com capital de terceiros, configurando-se o modelo de estrutura de capital de alavancagem financeira, que é, na realidade, o foco da abordagem ortodoxa da teoria de finanças empresariais.

Rentabilidade da Empresa pelo Lucro Operacional

Nesta abordagem, a análise da rentabilidade inicia-se pela avaliação do lucro operacional total, relacionando-o com o ativo da empresa, e não mais com o patrimônio líquido. Torna-se mais relevante verificar a rentabilidade do investimento como um todo, sem ater-se a que tipo de capital foi financiado.

É uma análise extremamente importante, pois desvincula o investimento feito (o ativo) do financiamento (passivo) levantado para financiar esse investimento. Assim, pode-se fazer uma análise comparativa com maior isenção ao longo do tempo, com as demais empresas, sejam do próprio setor ou não, ou com o desempenho da própria empresa, e mesmo com outros ativos ou investimentos financeiros.

A fórmula básica para apuração dessa rentabilidade é dada a seguir:

$$\text{Rentabilidade Operacional ou do Ativo} = \frac{\text{Lucro Operacional}}{\text{Ativo Operacional}}$$

O formato tradicional das demonstrações financeiras publicadas não oferece de imediato os números para essa análise. Para que essa rentabilidade seja mensurada corretamente, é necessário fazer uma adaptação tanto do balanço patrimonial quanto da demonstração de resultados. No balanço, temos que sair do conceito contábil de ativo total para o conceito financeiro de ativo operacional; na demonstração de resultados, temos que apurar o lucro das operações sem considerar as despesas financeiras com o capital de terceiros, já que, nesse modelo, as despesas financeiras com capital de terceiros deixam de ser despesas e passam a ser distribuição de resultados.

> Ativo Total
> (–) Passivo de Funcionamento
>   Fornecedores
>   Impostos a Recolher
>   Salários a Pagar
>   Dividendos a Pagar
> = Investimento

Ativo Operacional

Para essa análise, o ativo operacional deverá ser igual ao valor das fontes de capital que financiaram o investimento: o capital próprio dos acionistas e o capital de terceiros, das instituições financeiras que estão financiando a empresa. O capital próprio será representado sempre pelo valor do patrimônio líquido das demonstrações financeiras, e o capital de terceiros, pelos empréstimos e financiamentos com ônus financeiros. Portanto, todos os passivos que não forem onerados por juros e prêmios financeiros não serão considerados fontes de financiamento e deverão ser apresentados com valor negativo no ativo. Na realidade, esses passivos representam, em linhas gerais, os fornecedores e as contas a pagar, decorrentes dos prazos normais de aquisição de bens e serviços a prazo. Caracterizam-se, portanto, como elementos negativos do capital de giro, e, financeiramente, são retificadores do capital de giro do ativo (estoques e clientes).

As aplicações financeiras, com rendimentos financeiros, deverão reduzir o valor dos financiamentos e empréstimos do capital de terceiros. Em linhas gerais, os excedentes de caixa aplicados no mercado financeiro podem ser utilizados para quitar dívidas. Não acontecendo isso, entendemos mais adequado reduzir do valor atribuído ao capital de terceiros o valor desses ativos. Admitimos que este ponto é discutível. Nosso entendimento é que valores considerados como caixa mínimo, para as necessidades sazonais de fluxo de caixa, podem ser considerados como ativos. Todo excedente que supera o conceito de caixa mínimo deve ser considerado como redutor do capital de terceiros.

Outro ponto discutível são os valores de duplicatas descontadas. Nosso entendimento é que uma empresa, em linhas gerais, não pode financiar seus ativos operacionais com desconto de duplicatas de clientes. Essa modalidade de financiamento caracteriza-se por ser instrumento de utilização eventual, esporádica, apenas para fazer face às insuficiências de caixa em períodos de poucos dias. A utilização intensiva e contínua de desconto de duplicatas caracteriza uma empresa com finanças deterioradas, salvo se, por uma opção, o custo desse tipo de empréstimo já estiver claramente suportado nos seus preços de venda, o que, em termos práticos, não é o que acontece.

Tomando como referência os dados de nosso exemplo, apresentamos a seguir a Tabela 3.10, na qual está estruturado o ativo operacional para os dois períodos em análise. Consequentemente, o passivo operacional reflete o mesmo valor do ativo, dentro do modelo do balanço patrimonial.

Tabela 3.10 – Ativo Operacional – Formato Financeiro

	31.12.x0	31.12.x1
ATIVO CIRCULANTE (a)	4.750.340	5.315.777
Caixa/Bancos	1.000	1.000
Contas a Receber de Clientes	1.650.000	2.048.604
(–) Títulos Descontados	(30.000)	(43.899)
Estoques	3.124.340	3.302.972
Impostos a Recuperar	4.500	5.800
Despesas do Exercício Seguinte	500	1.300

continua

Tabela 3.10 – Ativo Operacional – Formato Financeiro (continuação)

	31.12.x0	31.12.x1
(–) PASSIVO SEM ÔNUS FINANCEIRO (b)	1.525.500	1.799.085
Fornecedores	460.000	679.377
Salários e Encargos a Pagar	200.000	264.981
Contas a Pagar	100.000	120.446
Impostos a Recolher - sobre Mercadorias	460.000	475.203
Impostos a Recolher - sobre Lucros	100.000	72.028
Adiantamento de Clientes	3.500	5.000
Dividendos a Pagar	200.000	180.050
Outras Obrigações de Longo Prazo	2.000	2.000
CAPITAL DE GIRO LÍQUIDO OU PRÓPRIO (a-b)	3.224.840	3.516.692
REALIZÁVEL A LONGO PRAZO	6.000	8.000
Empréstimos a Controladas	5.000	7.000
Depósitos Judiciais e Incentivos Fiscais	1.000	1.000
INVESTIMENTOS, IMOBILIZADO E INTANGÍVEL	5.990.000	5.634.775
Investimentos em Controladas	200.000	230.000
Imobilizado Líquido	5.790.000	5.404.775
Intangível	0	0
ATIVO TOTAL	9.220.840	9.159.467

Tabela 3.11 – Passivo Operacional – Formato Financeiro

	31.12.x0	31.12.x1
CAPITAL DE TERCEIROS	5.220.840	4.889.392
Empréstimos do Passivo Circulante	1.200.000	1.649.124
Financiamentos do Exigível a Longo Prazo	4.798.000	4.836.435
(–) Aplicações Financeiras	(777.160)	(1.596.167)
PATRIMÔNIO LÍQUIDO	4.000.000	4.270.075
Capital Social	4.000.000	4.000.000
Reservas de Capital	0	0
Reservas de Reavaliação	0	0
Reservas de Lucros/Lucros Acumulados	0	0
Lucro do Período	0	270.075
PASSIVO TOTAL	9.220.840	9.159.467

continua

Lucro Operacional

Consideramos *lucro operacional* o resultado da empresa isolado das despesas financeiras dos empréstimos e financiamentos, e das receitas financeiras provenientes das aplicações financeiras. Denominamos o valor das despesas financeiras, deduzidas das receitas financeiras, de *despesas financeiras líquidas*. Contudo, para dar consistência analítica, é necessário considerar o efeito dos impostos sobre o lucro, tanto para o lucro operacional quanto para as despesas financeiras líquidas. Para esse fim, tendo em vista que esses impostos são genéricos para a empresa, o critério mais utilizado é utilizar a alíquota média real observada no exercício, que incidiu no lucro antes desses impostos, e aplicá-la ao resultado das despesas financeiras líquidas, reduzindo seu efeito econômico. O valor restante do imposto é atribuído ao lucro operacional.

O lucro operacional, deduzido dos seus respectivos impostos sobre o lucro, é que será base para avaliação da rentabilidade operacional da empresa. As despesas financeiras líquidas das receitas e dos respectivos impostos sobre o lucro serão utilizadas para avaliar se a alavancagem financeira foi positiva, tema que será tratado no próximo tópico.

A Tabela 3.12 apresenta um modelo para apuração do lucro operacional líquido dos impostos sobre o lucro.

Tabela 3.12 – Demonstração do Resultado do Exercício e Apuração do Lucro Operacional

	31.12.x0	31.12.x1
A – Formato Oficial		
LUCRO OPERACIONAL ANTES DAS DESPESAS E RECEITAS FINANCEIRAS	**1.669.499**	**1.145.610**
Receitas Financeiras	46.800	166.657
Despesas Financeiras com Financiamentos	(552.999)	(590.230)
Outras Despesas Financeiras	(90.000)	(106.800)
Equivalência Patrimonial	2.000	30.000
LUCRO OPERACIONAL	**1.075.300**	**645.237**
Resultados Não Operacionais	(19.000)	(2.200)
LUCRO ANTES DOS IMPOSTOS	**1.056.300**	**643.037**
Impostos sobre o Lucro	(316.890)	(192.911)
LUCRO LÍQUIDO DEPOIS DOS IMPOSTOS	**739.410**	**450.126**
B – Alíquota Média dos Impostos sobre o Lucro		
Lucro Antes dos Impostos (a)	1.056.300	643.037
Impostos sobre o Lucro (b)	316.890	192.911
Alíquota Média (a : b)	30,0%	30,0%
C – Despesas Financeiras		
Despesas Financeiras com Financiamentos	552.999	590.230
(–) Receitas Financeiras	(46.800)	(166.657)
Despesas Financeiras Líquidas (a)	506.199	423.573

continua

Tabela 3.12 – Demonstração do Resultado do Exercício e Apuração do Lucro Operacional (continuação)

	31.12.x0	31.12.x1
Alíquota Média de Impostos sobre o Lucro	30,0%	30,0%
Impostos sobre Despesas Financeiras Líquidas (b)	151.860	127.072
Despesas Financeiras Líquidas dos Impostos (a - b)	354.339	296.501
D – Lucro Operacional		
Lucro Líquido do Exercício (a)	739.410	450.126
(+) Despesas Financeiras Líquidas dos Impostos (b)	354.339	296.501
Lucro Operacional	1.093.749	746.627

Análise da Rentabilidade Operacional pelo Método DuPont

Verificados os dois elementos para apuração da rentabilidade, podemos introduzi-los no Modelo DuPont e elaborar a análise, considerando os efeitos do giro e da margem. Nessa análise, não há que se fazer nenhuma adaptação, pois ela reflete exatamente o objetivo inicial do Modelo DuPont.

Tabela 3.13 – Análise da Rentabilidade Operacional da Empresa – Método Dupont

Fator	Fórmula	19X0		19X1	
Giro	Vendas	18.637.279	2,02	18.713.105	2,04
	Ativo Operacional	9.220.840		9.159.467	
x			x		x
Margem	Lucro Operacional	1.093.749	5,87%	746.627	3,99%
	Vendas	18.637.279		18.713.105	
=			=		=
Retorno sobre o	Lucro Operacional	1.093.749	11,86%	746.627	8,15%
Ativo Operacional	Ativo Operacional	9.220.840		9.159.467	

Por essa análise, similar à observada na análise da rentabilidade do patrimônio líquido, o retorno fraco do ativo operacional no ano X1 deveu-se à queda da margem operacional, uma vez que o giro foi ligeiramente melhor que no ano anterior. Na análise de rentabilidade do patrimônio líquido, a queda da margem *líquida* tinha sido de aproximadamente 50%. Com os dados dessa nova análise, verifica-se que o impacto das despesas financeiras não foi responsável pela queda da margem líquida, mas sim a própria margem operacional. A redução da margem operacional em x1 em relação a x0 foi de 32,02% (3,99% ÷ 5,87% – 1 x 100).

Rentabilidade do Financiamento pela Alavancagem Financeira

A análise complementar natural das duas análises anteriores é verificar se a utilização do capital de terceiros traduziu-se em benefício para os acionistas, para qualificar como efetiva e positiva a alavancagem financeira adotada.

O conceito de alavancagem financeira propõe o maior uso possível de capital de terceiros com o objetivo de melhorar a rentabilidade do capital próprio. Isso se dá porque o custo de capital de terceiros (os juros pagos pelos empréstimos e financiamentos) é um gasto fixo. Dessa maneira, e em linhas gerais, nas situações em que há aumento de volume e mais receitas, o lucro variável e operacional cresce, tendo condições de absorver cada vez mais as despesas fixas de juros.

O segundo fundamento da alavancagem financeira é que o custo de capital de financiamento é inferior ao custo de capital próprio, como já demonstramos na Figura 3.2, que mostra a formação da estrutura do custo de capital. As atividades não financeiras devem dar uma rentabilidade maior que o custo dos juros, já que elas têm um risco maior.

A alavancagem financeira torna-se negativa, e prejudicial à empresa, quando a rentabilidade operacional é inferior ao custo médio dos juros, ou em situações de queda da demanda e do volume de atividade. São duas situações que não devem se perpetuar, pois não são da essência das atividades empresariais.

Os dados para análise da rentabilidade do financiamento, ou do custo do capital de terceiros, são feitos a partir das informações elaboradas para análise da rentabilidade operacional. A Tabela 3.11 já destaca o valor do capital de terceiros de nosso exemplo numérico, e a Tabela 3.12 destaca o valor das despesas financeiras líquidas dos impostos sobre o lucro. A relação percentual entre esses dois elementos configura-se na análise de rentabilidade do financiamento. Isso pode ser visto na Tabela 3.14.

Tabela 3.14 – Análise da Rentabilidade do Financiamento (Custo do Capital de Terceiros)

Fator	Fórmula	31.12.x0		31.12.x1	
Custo do Capital	Despesas Financeiras Líquidas	354.339	6,79%	296.501	6,06%
de Terceiros	Capital de Terceiros	5.220.840		4.889.392	

Essa análise deve ser concluída dentro de um modelo de análise geral, inter-relacionando a rentabilidade operacional e a rentabilidade do patrimônio líquido.

Análise Geral da Rentabilidade

Concluindo o processo geral de análise, devemos verificar se a rentabilidade do capital próprio do acionista, pelo patrimônio líquido, foi beneficiada com o uso de capital de terceiros, por meio da rentabilidade operacional da empresa. A Tabela 3.15 apresenta as três rentabilidades obtidas em nosso exemplo.

Tabela 3.15 – Análise Geral da Rentabilidade

Fator	Fórmula	31.12.x0		31.12.x1	
Retorno sobre o Ativo Operacional	Lucro Operacional / Ativo Operacional	1.093.749 / 9.220.840	11,86%	746.627 / 9.159.467	8,15%
Custo do Capital de Terceiros	Despesas Financeiras Líquidas / Capital de Terceiros	354.339 / 5.220.840	6,79%	296.501 / 4.889.392	6,06%
Retorno sobre o PL	Lucro Líquido / Patrimônio Líquido	739.410 / 4.000.000	18,49%	450.126 / 4.270.075	10,54%

Verificamos que, nos dois exercícios, o retorno operacional foi superior ao custo do capital de terceiros, fazendo com que a rentabilidade do patrimônio líquido fosse maior que a rentabilidade operacional, configurando-se a efetividade da alavancagem financeira.

Custo de Capital, Estrutura do Passivo e Valor da Empresa[5]

A *abordagem tradicional ou ortodoxa* assume que há uma estrutura ótima de capital e que *a empresa pode aumentar o seu valor por meio do uso adequado do efeito alavancagem*. Esse enfoque sugere que a empresa inicialmente pode baixar seu custo de capital e aumentar seu valor total por meio da alavancagem financeira. Embora os acionistas aumentem a taxa de retorno requerida para o capital próprio, o incremento de sua taxa de retorno (Ke) não assegura inteiramente o benefício de usar custos mais baratos de capital de terceiros. Quanto mais alavancagem ocorrer, e, consequentemente, maior grau de endividamento financeiro, os financiadores externos provavelmente irão penalizar a empresa com taxas de juros maiores nos novos empréstimos a serem fornecidos para a empresa, uma vez que passarão a assumir riscos maiores.

A abordagem tradicional centra-se na questão de minimizar o *custo médio de capital da empresa* (Ko). Assim, define o *valor da empresa* como o valor de mercado de suas fontes de capital, ou seja, o valor dos empréstimos e o valor das ações.

Define-se Ki como o custo da alavancagem, ou custo dos empréstimos; define-se Ke como o custo das ações, ou o custo exigido pelos acionistas. O valor dos acionistas é o lucro após os juros. Portanto, temos as seguintes equações para trabalhar a estrutura de capital:

---

[5] Adaptado de Van Horne, 1998, cap. 9.

$$Ki = \frac{\text{Custo Anual dos Juros}}{\text{Valor de Mercado das Dívidas}\\ \text{(capital de terceiros)}}$$

$$Ke = \frac{\text{Lucro Disponível aos Acionistas}\\ \text{(Lucro Operacional Depois dos Juros)}}{\text{Valor de Mercado do Patrimônio Líquido}\\ \text{(capital próprio)}}$$

$$Ko = \frac{\text{Lucro Operacional}\\ \text{(Lucro Antes dos Juros)}}{\text{Valor de Mercado da Empresa}\\ \text{(capital de terceiros + capital próprio)}}$$

Valor da Empresa (VE) = Capital de Terceiros + Capital Próprio

Exemplo 1

Uma empresa tem a seguinte carteira de empréstimos:

Empréstimo I	–	$	10.000 a 11% a.a.
Empréstimo II	–		20.000 a 10% a.a.
Debêntures	–		20.000 a 9% a.a.

O lucro operacional (antes dos juros) está estimado em $ 15.400, e o valor da empresa, em $ 120.000.

Calcular:

a) o custo médio de capital de terceiros, *Ki*;
b) o custo médio de capital dos acionistas, *Ke*;
c) o custo médio de capital da empresa, *Ko*.

Custo Médio Ponderado de Capital de Terceiros

	Capital x Taxa de Juros		=	Custo Anual
Empréstimo I	$ 10.000	11% a.a.	=	$ 1.100
Empréstimo II	20.000	10% a.a.	=	2.000
Debêntures	20.000	9% a.a.	=	1.800
Total	50.000		=	4.900

$$Ki = \frac{\$\ 4.900}{\$\ 50.000} = 9{,}8\%\ \text{a.a.}$$

Custo Médio de Capital dos Acionistas

Valor da Empresa	=	$ 120.000
(–) Valor do Capital de Terceiros	=	(50.000)
= Valor do Capital dos Acionistas	=	70.000
Lucro Operacional	=	$ 15.400
(–) Custo dos Juros	=	(4.900)
= Lucro para os Acionistas	=	10.500

$$Ke = \frac{\$\ 10.500}{\$\ 70.000} = 15{,}0\%\ \text{a.a.}$$

Custo Médio de Capital da Empresa

$$Ko = \frac{\$\ 15.400}{\$\ 120.000} = 12{,}83\%\ \text{a.a.}$$

Exemplo 2

Uma empresa tem um ativo de $ 20.000 e um giro de 2,2. Os acionistas entendem que um endividamento de 1,5 é aceitável para manter a liquidez da empresa. Sabe-se que a margem operacional é de 6,5% antes dos juros. O custo médio do capital de terceiros (Ki) é 18%.

1. Calcular Ke e Ko.
2. Qual seria o valor da empresa se os acionistas desejassem um custo de capital de 14% a.a.?
3. Qual poderia ser o custo de capital de terceiros para manter o valor da empresa em $ 20.000 e o custo de capital de 14% para os acionistas?

a) Lucro Operacional

$$\text{Giro do Ativo} = \frac{\text{Vendas}}{\text{Ativo}}$$

Vendas = Giro x Ativo → 2,2 x $ 20.000 = $ 44.000

Vendas x Margem Operacional = Lucro Operacional
$ 44.000 x 6,5% = $ 2.860

Estrutura do Passivo
X + Y = $ 20.000, onde X = Capital de Terceiros e Y = Capital Próprio
Endividamento Máximo = 1,5

$$\text{Endividamento} = \frac{\text{Capital de Terceiros (X)}}{\text{Capital Próprio (Y)}}$$

Portanto: $\dfrac{X}{Y} = 1{,}5$

Resolvendo: $X = 1{,}5\,Y$

Substituindo:
$1{,}5\,Y + Y = \$\,20.000$

$Y = \dfrac{\$\,20.000}{2{,}5}$

$Y = \$\,8.000$ (Capital Próprio)

Capital Próprio = $ 8.000
Capital de Terceiros = 12.000
Valor da Empresa = 20.000

Custo Anual do Capital de Terceiros
$\quad Ki = 18\% \times \$\,12.000 = \$\,2.160$

Lucro para os Acionistas e Ke
Lucro Operacional = $ 2.860
(–) Custo dos Juros = (2.160)
= Lucro para os Acionistas = 800

$$Ke = \dfrac{\$\,800}{\$\,8.000} = 10{,}0\% \text{ a.a.}$$

Custo Médio de Capital da Empresa

$$Ko = \dfrac{\$\,2.860}{\$\,20.000} = 14{,}3\% \text{ a.a.}$$

b) *Valor da Empresa com Custo de Capital dos Acionistas de 14% a.a.*

$$Ke = \dfrac{\$\,800}{X} = 14{,}0\% \text{ a.a.}$$

$$\text{Capital do Acionistas} = \dfrac{\$\,800}{0{,}14} = \$\,5.714$$

Valor da Empresa
Capital de Terceiros = $ 12.000
Novo Capital dos Acionistas = $ 5.714
Valor da Empresa = $ 17.714

c) *Valor da Empresa em $ 20.000 com Custo de Capital dos Acionistas de 14% a.a. Ki?*
Valor da Empresa
Capital de Terceiros   = $ 12.000
Capital dos Acionistas = $ 8.000
Valor da Empresa   = $ 20.000

Lucro esperado para os acionistas
= Ke x Capital dos Acionistas = 0,14 x $ 8.000 = $ 1.120

Custo máximo de capital de terceiros
Lucro Operacional   = $ 2.860
(–) Lucro Esperado pelos Acionistas = (1.120)
= Custo Máximo de Juros   = 1.740

$$Ki = \frac{\$\ 1.740}{\$\ 12.000} = 14,5\%\ a.a.$$

Abordagem do Lucro Operacional

Nesta abordagem, o valor da empresa é obtido pela capitalização do lucro operacional (lucro antes dos juros) a uma determinada taxa geral de capitalização. O valor do capital dos acionistas é obtido pela diferença entre o valor total da empresa e o valor das dívidas. *Nessa abordagem, o valor da empresa não é afetado pela estrutura de capital.*

Exemplo: se uma empresa tivesse um lucro operacional médio esperado de $ 2.000 e assumisse uma taxa geral de capitalização de 12,5%, o valor da empresa seria $ 16.000. Supondo que o total de dívidas financeiras fosse de $ 7.000, o valor do capital dos acionistas seria de $ 9.000.

O	Lucro Operacional (Antes dos Juros)	$ 2.000
Ko	Taxa Geral de Capitalização	0,125
V	Valor da Empresa (O : Ko)	$ 16.000
B	Valor da Dívida (Capital de Terceiros)	$ 7.000
S	Valor dos Acionistas (Capital Próprio)	$ 9.000

Assumindo, por exemplo, que a taxa de juros dos empréstimos fosse de 10% a.a., o custo de capital dos acionistas seria:

Lucro Operacional   = $ 2.000
(–) Custo dos Juros   =   (700)
= Lucro para os Acionistas = 1.200

$$Ke = \frac{\$\ 1.200}{\$\ 9.000} = 13,3\%\ a.a.$$

Considerando uma outra hipótese de capital de terceiros, no montante de $ 9.500, ao mesmo custo de 10% a.a., o valor da empresa seria o mesmo, mas o valor do capital dos acionistas e seu custo de capital seriam diferentes, como mostrado a seguir.

O	Lucro Operacional (Antes dos Juros)	$ 2.000
Ko	Taxa Geral de Capitalização	0,125
V	Valor da Empresa (O:Ko)	$ 16.000
B	Valor da Dívida (Capital de Terceiros)	$ 9.500
S	Valor dos Acionistas (Capital Próprio)	$ 6.500

Lucro Operacional = $ 2.000
(–) Custo dos Juros = (950)
= Lucro para os Acionistas = 1.050

$$Ke = \frac{\$ 1.050}{\$ 6.500} = 16{,}1\% \text{ a.a.}$$

Abordagem MM (Modigliani e Miller)

A abordagem MM sobre a estrutura de capital da empresa difere significativamente da abordagem ortodoxa, e é similar à abordagem do lucro operacional. Ela parte do pressuposto de que, em mercados perfeitos, é irrelevante a estrutura de capital, e, consequentemente, a política de dividendos. Conforme Brealey e Myers (1992, p. 395 e 400), "Modigliani e Miller mostraram que a política de dividendos não é relevante nos mercados de capitais perfeitos. A sua famosa 'proposição I' estabelece que uma empresa não pode alterar o valor total dos seus títulos, por meio da simples repartição dos seus fluxos de tesouraria em diferentes correntes: o valor da empresa é determinado pelos seus ativos reais, e não pelos títulos que emite. Desse modo, *a estrutura de capital é irrelevante*, desde que as decisões de investimento da empresa sejam consideradas como dados... O valor de mercado de qualquer empresa é independente da estrutura do seu capital".

Dentro das condições de mercados de capitais perfeitos, haveria abundância de capital. Portanto, os investidores estariam dispostos a correr os mesmos riscos dos tradicionais proprietários. O suporte para essa posição está em que a empresa não consegue fazer pelos seus acionistas mais do que eles conseguem fazer para si mesmos. Dentro da condição de mercados perfeitos, com informações disponíveis a todos, os acionistas poderão eles mesmos fazer suas alavancagens financeiras e mudar seus investimentos nas empresas, e ainda assim as mudanças das fontes de capital das empresas não aumentarão seu valor.

Dentro dessa linha, alguns pontos podem ser levantados, como premissas da abordagem MM:

- não há "donos" na empresa;
- não é relevante a fonte de capital; todas elas têm uma remuneração, cuja diferença é apenas de nome (juros, prêmio, dividendos);
- não há risco financeiro (todos são identicamente fornecedores de capital);
- portanto, não há alavancagem financeira que possa maximizar o valor da empresa;
- há apenas o risco do negócio (risco não sistemático).

Modigliani e Miller provam matematicamente suas teses e não há como refutá-las dentro de uma abordagem teórica. Contudo, o mundo real não é perfeito, nem os mercados de capitais. As empresas são analisadas e avaliadas na sua relação de capital próprio *versus* capital de terceiros, e o objetivo tem sido a maximização do valor da empresa, sob a ótica do patrimônio líquido contábil (ou do capital próprio), que é de propriedade de seus acionistas ou donos.

Custo do Capital Próprio: Introdução ao Modelo CAPM

O conceito atualmente prevalecente é que a taxa de juros a ser utilizada para o desconto dos fluxos de benefícios futuros deve ser uma taxa que reflita o risco de cada empresa. Essa taxa é expressa pela seguinte equação:

RI = Taxa Livre de Risco + Beta (Retorno de Mercado − Taxa Livre de Risco)

Onde:

RI = Retorno esperado de um investimento
Taxa Livre de Risco = Rentabilidade de títulos governamentais
Beta = Coeficiente que representa o risco específico da empresa em relação à média do mercado
Retorno de Mercado = Retorno médio esperado de determinada carteira de investimentos no mercado

Os conceitos básicos, portanto, são:
a) considera-se como risco específico da empresa a variação de sua rentabilidade em relação à rentabilidade média de um conjunto de investimentos existentes e alternativos no mercado, que é medido pelo coeficiente beta;
b) esse risco específico deve ser adicionado ao retorno médio de mercado para incorporação no modelo de VPL e descontar os fluxos futuros de benefícios;
c) um empreendimento deve sempre ter uma rentabilidade superior a uma taxa livre de risco.

O Beta no Modelo CAPM

O conceito de beta apresentado anteriormente surgiu dentro do modelo CAPM (*Capital Asset Pricing Model* − Modelo de Precificação de Ativos), desenvolvido nos anos 1960 pelos professores Harry Markowitz e William Sharpe. O objetivo era a busca de carteira eficiente de títulos, ou seja, aquela que tivesse o maior retorno e o menor risco. Esse consagrado modelo é o mais utilizado pelo mercado financeiro.

Entendemos que seus conceitos podem ser estendidos para avaliação de outros investimentos e empresas, razão pela qual o estamos adotando, pois permite incorporar o risco específico de cada empreendimento ou empresa no modelo de VPL.

O beta representa a covariância do retorno de um título ou investimento individual com o da carteira (mercado) dividido pela variância do retorno dessa carteira. Em outras palavras, significa a reação média da rentabilidade da empresa em relação à rentabilidade média do mercado; como entende-se que há total relação entre risco e retorno, se há retornos maiores é porque há riscos maiores, e vice-versa. Portanto, a reação da rentabilidade de uma empresa individual em relação à rentabilidade média do mercado indica o risco da empresa, que é medido pelo beta.

Apresentamos a seguir dois exemplos de cálculos de beta. Vejamos primeiro o da Empresa A (hipotética), na Figura 3.3.

Ano	Retorno Empresa A RA (%)	Retorno do Médio de Mercado RM (%)	RA–RAM (%)	RM–RMM (%)	(RM–RMM)² (%)	(RA–RAM)(RM-RMM) (%)
1	5,0	4,0	2,2	1,8	3,24	3,96
2	8,0	6,0	5,2	3,8	14,44	19,76
3	–4,0	–3,0	–6,8	–5,2	27,04	35,36
4	–7,0	–6,0	–9,8	–8,2	67,24	80,36
5	12,0	10,0	9,2	7,8	60,84	71,76
Média	2,80	2,20			172,80	211,20

$$\text{Beta} = \frac{211,20\%}{172,80\%} = 1,222$$

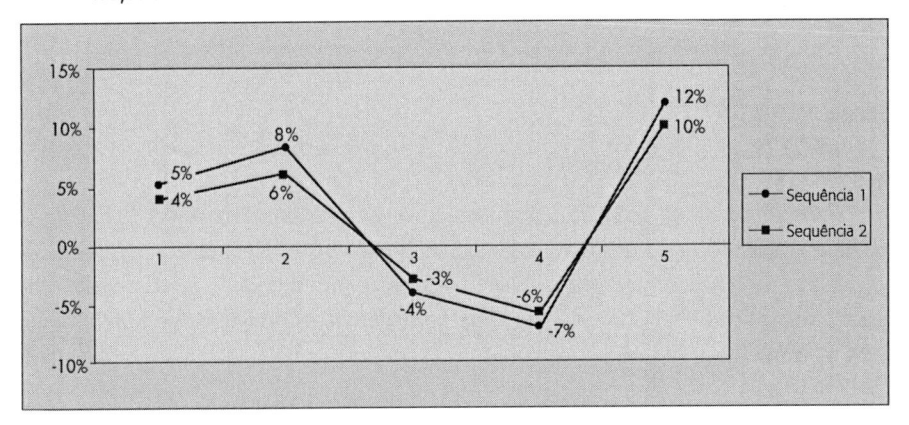

Figura 3.3 – Exemplo de Cálculo do Beta – Empresa A.

RA = Retorno da Empresa
RAM = Retorno Médio da Empresa – Média dos Períodos Considerados (cinco anos no exemplo)
RM = Retorno de Mercado
RMM = Retorno Médio de Mercado – Média dos Períodos Considerados (cinco anos no exemplo)

O beta da Empresa A, de 1,222, significa uma empresa que tem uma reação sempre excedente ao mercado, tanto no aspecto positivo quanto no aspecto negativo. Em linhas gerais, podemos dizer que é uma empresa mais alavancada que a média do mercado (ver os capítulos 5 e 6). Toda empresa que tem um beta maior que 1 deve indicar empresa com essa estrutura de negócios e, portanto, com maior grau de risco que a média do mercado. Outrossim, como contrapartida natural, com maiores possibilidades de lucros adicionais que a média do mercado em situação de crescimento.

O gráfico (Figura 3.3) espelha bem a situação. Os retornos da empresa são maiores que o mercado em caso de rentabilidades positivas (anos 1, 2 e 5). Outrossim, as perdas são maiores que o mercado em caso de rentabilidades negativas (anos 3 e 4).

A Figura 3.4 indica uma empresa de característica oposta: a hipotética Empresa B.

Ano (%)	Retorno Empresa B RA (%)	Retorno do Médio de Mercado RM (%)	RA–RAM (%)	RM–RMM (%)	(RM–RMM)^2 (%)	(RA–RAM) (RM–RMM) (%)
1	3,0	4,0	0,2	1,8	3,24	0,36
2	5,0	6,0	2,2	3,8	14,44	8,36
3	–2,0	–3,0	–4,8	–5,2	27,04	24,96
4	–4,0	–6,0	–6,8	–8,2	67,24	55,76
5	8,0	10,0	5,2	7,8	60,84	40,56
Média	2,00	2,20			172,80	130,00

Beta = $\dfrac{130,00\%}{172,80\%}$ = 0,752

O beta da Empresa B é 0,752. Significa que a empresa tem uma reação inferior à média do mercado, sendo, em linhas gerais, mais conservadora e menos alavancada. A empresa tende a apresentar rentabilidades menores que a média do mercado apresenta em situação positiva. Contudo, em situação negativa, os prejuízos tendem também a ser menores. O gráfico deixa bem claro essa tendência. Quando uma empresa tem um beta igual a 1, significa que ela tem uma reação igual à média do mercado.

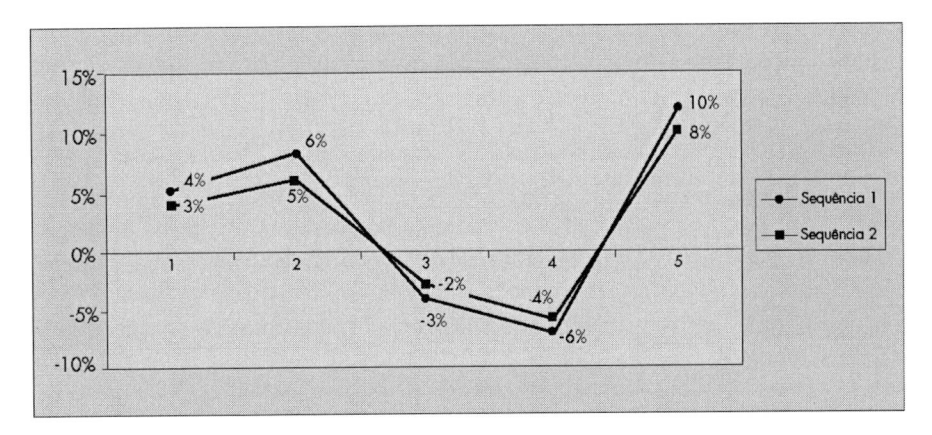

Figura 3.4 – Exemplo de Cálculo do Beta – Empresa B.

Taxa de Juros do Acionista

Normalmente, as medidas de rentabilidade do mercado têm como referencial o lucro líquido da empresa por balanços publicados, e, consequentemente, pela ótica dos acionistas, uma vez que os juros são abatidos normalmente como despesas. Portanto, o beta reflete, em linhas gerais, o risco do acionista e seu custo de oportunidade, explicitados pela rentabilidade final da empresa.

Dessa maneira, para utilização no modelo do VPL, o uso do fluxo de caixa do acionista pede o uso da taxa de juros do acionista, que pode ser obtida pela teoria do CAPM por meio do beta.

Risco Diversificável e Risco Não Diversificável

O estudo do CAPM permite incorporar os conceitos de risco de mercado (não diversificável) e risco diversificável, que, conjuntamente, formam o risco da ação ou da empresa. O risco do mercado também é chamado de *risco sistemático*, e o risco da empresa, de *não sistemático*.

O risco de mercado (sistemático ou não diversificável) decorre de variáveis conjunturais e sistêmicas, que, de modo geral, afetam todas as empresas, tais como inflação, recessão, guerras, taxas de juros etc. O risco diversificável ou não sistemático decorre de variáveis que afetam especificamente cada empresa, tais como sua própria operação, campanhas de marketing, grandes vendas etc.

A parcela do risco da empresa que pode ser minimizada ou otimizada (eventualmente, até eliminada) é o risco não sistemático, via diversificação da carteira. A parcela do risco sistemático ou não diversificável não pode ser eliminada por uma carteira ótima de ações, uma vez que é inerente, na média, a todas as empresas.

O risco de uma carteira bem diversificada depende do beta médio dos títulos incluídos na carteira. Assim, a contribuição de um título para o risco da carteira depende do beta do título. O risco de mercado da carteira, portanto, é medido pelo beta.

Custo Médio Ponderado de Capital

Quando se opta por trabalhar a avaliação de empresas e investimentos desconsiderando-se o acionista em particular, com foco voltado ao valor operacional da empresa, o conceito mais utilizado é a adoção, como taxa de juros para desconto dos fluxos futuros, do custo médio ponderado de capital (WACC – *Weighted Average Cost of Capital*).

O custo médio ponderado de capital leva em consideração a estrutura de capital da empresa, ou seja, participação de capital de terceiros e o capital próprio no investimento total. A taxa de juros do capital de terceiros a ser considerada deve ser líquida dos impostos sobre o lucro. Vejamos um exemplo numérico.

Uma empresa tem $ 1.000.000 de investimentos, dos quais 60% são financiados por recursos próprios e 40% por capital de terceiros, com um custo financeiro de 14% ao ano. Os impostos sobre o lucro são de 35%. O custo de capital dos acionistas, medido pelo beta, é de 12% ao ano, já líquido dos impostos.

Primeiramente, calcula-se o custo de capital de terceiros, líquido dos impostos:

14% x 0,75 (1 – 35%) = 10,5%

Em seguida, faz-se o cálculo ponderando a participação dos capitais na estrutura de capital da empresa em relação ao custo líquido de capital de cada tipo de recurso de capital:

Capital Próprio	= 60% x 12%	= 7,2%
Capital de Terceiros	= 40% x 10,5%	= 4,2%
Custo Médio Ponderado de Capital	= 100%	= 11,4%

Questões e Exercícios

1. Uma empresa fez um investimento de $ 1.200.000 e espera um retorno do investimento de 15% ao ano. Calcule qual deve ser a margem líquida sobre as vendas, para que a empresa obtenha essa rentabilidade, se o giro esperado for de 2,45.

2. Tomando como referência os dados do exercício anterior, considere que a empresa está prevendo uma margem líquida de apenas 3% para o ano seguinte. Diante disso, a empresa admite um retorno do investimento de apenas 12%. Calcule qual deverá ser o giro para obter esse retorno e qual será a variação do valor das vendas em relação ao exercício anterior.

3. Das demonstrações contábeis da empresa Monte Azul Ltda., foram extraídos os seguintes índices:

   RsA (Retorno sobre o Ativo) = 300/1.000 = 30%
   CD (Custo da Dívida) = 80/400 = 20%
   RsPL (Retorno sobre o Patrimônio Líquido) = 220/600 = 36,66%
   GAF (Grau de Alavancagem Financeira) = 36,66/30 = 1,22

   Em relação à alavancagem financeira, podemos afirmar que:

   a) Houve um retorno de R$ 1,22 para cada R$ 1,00 de capital de terceiros.
   b) Para cada R$ 100,00 investidos, a empresa gerou 20% de lucro.
   c) A empresa paga 30% de juros para cada R$ 100,00 tomados em empréstimo.
   d) O negócio rendeu 20% de retorno sobre o ativo.
   e) Os acionistas ganharam 6,66% para cada R$ 100,00 investidos.

4. Com os demonstrativos apresentados a seguir, faça as análises da rentabilidade para os dois períodos:

   a) Análise de rentabilidade pelo Método DuPont.
   b) Rentabilidade do capital de financiamento.
   c) Rentabilidade do capital próprio.
   d) Avaliação da rentabilidade final – se forte ou fraca.

BALANÇO PATRIMONIAL	Ano 1	Ano 2
Ativo Circulante	120.000	132.700
Aplicações Financeiras	25.000	23.200
Contas a Receber de Clientes	43.000	61.200
Estoques	50.000	45.500
Outros Valores a Realizar	2.000	2.800
Realizável a Longo Prazo	2.000	2.400
Depósitos Judiciais	2.000	2.400
Investimentos e Imobilizado	88.000	81.900
Investimentos em Controladas	18.000	19.200
Imobilizados	150.000	162.000
(–) Depreciação Acumulada	(80.000)	(99.300)
TOTAL	210.000	217.000
Passivo Circulante	85.300	85.600
Fornecedores	10.000	11.000
Contas a Pagar	7.800	8.300
Impostos a Recolher	4.500	5.800
Dividendos a Pagar	8.000	4.000
Empréstimos	55.000	56.500

BALANÇO PATRIMONIAL	Ano 1	Ano 2
Exigível a Longo Prazo	34.700	37.400
Financiamentos	34.700	37.400
Patrimônio Líquido	90.000	94.000
Capital Social	68.000	68.000
Reservas	16.400	22.000
Lucros Acumulados	5.600	4.000
TOTAL	210.000	217.000

DEMONSTRAÇÃO DE RESULTADOS	Ano 1	Ano 2
Receita Operacional Bruta	320.000	347.000
(−) Impostos sobre Vendas	(35.000)	(38.000)
Receita Operacional Líquida	285.000	309.000
Custo dos Produtos Vendidos	187.400	205.800
Materiais Consumos	104.000	114.000
Depreciação	18.400	19.300
Outros Custos de Fabricação	65.000	72.500
Lucro Bruto	97.600	103.200
(−) Despesas Operacionais	67.500	76.700
com Vendas	38.400	41.700
Administrativas	29.100	35.000
Lucro Operacional I	30.100	26.500
Receitas Financeiras	2.800	2.500
Despesas Financeiras	(13.050)	(18.000)
Equivalência Patrimonial	800	1.200
Lucro Operacional II	20.650	12.200
Impostos sobre o Lucro	(7.021)	(4.148)
Lucro Líquido do Exercício	13.629	8.052

5. Com as demonstrações apresentadas a seguir:
   a) Elabore a rentabilidade do financiamento.
   b) Demonstre a análise de rentabilidade do ativo operacional e do patrimônio líquido, utilizando o Método DuPont.
   c) Faça uma análise da evolução da rentabilidade e identifique os aspectos que levaram a sua alteração.

Balanço Patrimonial	x1	x2
Ativo Circulante	1.180.000	1.027.505
Aplicações Financeiras	20.000	37.505
Clientes	500.000	550.000
Estoques	660.000	440.000
Ativo Imobilizado	960.000	1.290.000
Imobilizado	1.200.000	1.700.000
(–) Depreciações Acumuladas	(240.000)	(410.000)
ATIVO TOTAL	2.140.000	2.317.505
Passivo Circulante	540.000	470.000
Fornecedores	240.000	220.000
Salários e Encargos a Pagar	120.000	130.000
Impostos a Recolher	180.000	120.000
Exigível a Longo Prazo		
Financiamentos	900.000	1.100.000
Patrimônio Líquido	700.000	747.505
Capital Social	500.000	500.000
Lucros Acumulados	200.000	247.505
PASSIVO TOTAL	2.140.000	2.317.505

Demonstração de Resultados do Exercício	x1	x2
Receita Operacional Bruta	4.800.000	4.100.000
(–) Impostos sobre Vendas	(1.008.000)	(861.000)
Receita Operacional Líquida	3.792.000	3.239.000
(–) Custo das Mercadorias Vendidas	(2.521.680)	(2.140.979)
Lucro Bruto	1.270.320	1.098.021
Despesas	(1.113.264)	(1.026.044)
Administrativas	(424.704)	(405.744)
Comerciais	(587.760)	(474.000)
Financeiras Líquidas	(100.800)	(146.300)
Lucro Antes dos Impostos	157.056	71.977
Impostos sobre o Lucro	(53.399)	(24.472)
Lucro Líquido	103.657	47.505

6. Uma empresa deu uma rentabilidade (custo) do capital de terceiros de 12,4% no ano e de 9% do capital próprio. Seu ativo operacional é de $ 200.000. Sabendo que o capital próprio representa 60% da estrutura de financiamento e que o giro do ativo operacional foi de 0,90, calcule a margem operacional do período. Desconsidere impostos sobre o lucro.

7. Uma empresa está sendo financiada atualmente por três financiamentos:
a) $ 10.000 a uma taxa anual de 8,5%;
b) $ 15.000 a uma taxa anual de 9,6%;
c) $ 12.000 a uma taxa anual de 13%.

O capital próprio da empresa é representado por 1 milhão de ações, cotadas na bolsa por $ 0,07 cada uma. O lucro esperado operacional anual, antes das despesas financeiras, é $ 13.900.

I. Calcule o custo médio dos financiamentos, o custo médio do capital próprio e o custo médio de capital da empresa.

II. Sabe-se que a empresa está recebendo uma proposta para trocar os financiamentos b e c por debêntures que seriam remuneradas a uma taxa anual de 11%.

a) Qual o novo custo médio de capital de terceiros?
b) Qual o novo custo médio de capital da empresa?
c) A empresa deve aceitar a proposta? Por quê?

Desconsidere os impostos sobre o lucro.

8. Uma empresa tem um ativo de $ 240.000 e um giro de 1,8. Os acionistas entendem que um endividamento de 1,25 é aceitável para manter a liquidez da empresa. Sabe-se que a margem operacional é de 8,5% antes dos juros. O custo médio de capital de terceiros (Ki) é 15%.

a) Calcule Ke e Ko.
b) Qual seria o valor da empresa, se os acionistas desejassem um custo de capital de 18% a.a.?
c) Qual poderia ser o custo de capital de terceiros para manter o valor da empresa em $ 240.000 e o custo de capital de 18% para os acionistas?

Desconsidere os impostos sobre o lucro.

9. Considerando os seguintes retornos anuais das empresas A e B e a média de mercado, calcule o beta de cada uma delas.

Retorno anual – %

	Empresa A	Empresa B	Mercado
Ano 1	6,5%	8,5%	7,2%
Ano 2	3,0%	6,8%	4,5%
Ano 3	–4,0%	–8,0%	–5,0%
Ano 4	12,0%	14,0%	13,0%
Ano 5	9,0%	13,5%	12,0%
Ano 6	7,2%	9,1%	9,0%

4 O Processo de Gestão e o Valor do Dinheiro no Tempo

No Capítulo 2, enfatizamos a importância do custo de capital como o elemento integrador das decisões financeiras fundamentais. A principal decisão financeira é a decisão de investimento. Esta envolve, em linhas gerais, um planejamento do negócio a ser investido e as expectativas do retorno financeiro que esse negócio trará nos períodos futuros – o suficiente para cobrir o capital aplicado mais um rendimento mínimo desejado. Assim, a decisão de investimento incorpora a variável *tempo*. Aplica-se hoje para recuperar o valor, com rendimentos adicionais, no futuro.

Alguns autores se referem a esse processo como *decisão de consumo intertemporal* (Ross *et al.*, 2002, p. 59). Um indivíduo pode ter uma preferência de consumo, de tal forma que deseja consumir algo imediatamente. Não tendo dinheiro, toma um empréstimo, ajustando seu desejo de consumo imediato. Para tanto, paga juros ao emprestador. O outro indivíduo, naquele momento em que está emprestando, cede seu desejo de consumo imediato em troca do recebimento de juros pelo período que dispõe do dinheiro. Assim, ele transfere seu desejo de consumo para o futuro (Brealey e Myers, 1992, p. 16 e 17).

O conceito da decisão de consumo intertemporal fundamenta o conceito do valor do dinheiro no tempo. Como a decisão de investimento é normalmente uma decisão de planejamento financeiro de longo prazo, deve ser tomada considerando esse conceito financeiro fundamental.

O Processo de Gestão

Define-se processo de gestão como o conjunto sequencial de atividades administrativas para a gestão dos objetivos de uma entidade. Uma entidade com fins lucrativos tem como objetivo financeiro a condução de seus negócios com rentabilidade suficiente para cobrir o custo de capital de seu financiamento. O processo de gestão compreende o ciclo de planejamento, execução e controle, podendo o planejamento ser segmentado em de longo prazo ou estratégico, de médio prazo ou operacional (tático) ou planejamento de curto prazo (programação).

Figura 4.1 – O Processo de Gestão.

O *planejamento estratégico* tem como escopo a manutenção da empresa em continuidade de operações, e, portanto, trabalha com as decisões de horizonte temporal de longo prazo, sendo, portanto, a principal etapa do processo decisório. Em linhas gerais, o planejamento estratégico produz diretrizes estratégicas que englobam os principais negócios adotados pela empresa e a estrutura organizacional do empreendimento, dentro da missão da empresa, suas crenças, cultura e valores.

A etapa do *planejamento operacional* caracteriza-se por dar substância para os negócios delineados na estratégica, dentro da estrutura organizacional adotada. Em linhas gerais, é nessa etapa que as decisões de investimento, financiamento e dividendos tomam corpo, já que se destinam a determinar as estruturas de ativo e passivo desejadas ou necessárias. Portanto, essa etapa contempla horizontes temporais de longo e médio prazos.

A *programação* trata do horizonte temporal de curto prazo, porque também é denominada *planejamento de curto prazo*. O objetivo dessa etapa do processo decisório é mensurar quantitativamente e financeiramente todos os planos operacionais para o próximo exercício, para dar guia ao desenvolvimento de todas as atividades empresariais. O instrumental básico de planejamento de curto prazo é o plano orçamentário.

A etapa da *execução*, como o próprio nome diz, trata de realizar o planejado na etapa anterior. Tão ou mais importante do que planejar é a habilidade de executar. É na execução que, de fato, acontecem os resultados, as receitas, os gastos, os lucros ou prejuízos. Portanto, são necessários e imprescindíveis modelos decisórios para apoiar o processo de execução dos principais eventos econômicos empresariais, objetivando a otimização da obtenção dos resultados planejados.

O *controle* é exercido conjuntamente com a execução, também em cima dos dados planejados e programados. Assim como a execução deve seguir planos preestabelecidos, o controle do executado é feito em cima das condições programadas. O objetivo dessa etapa do processo de gestão é o monitoramento para aferir o planejado e corrigir, se necessário, para o processo de otimização dos resultados.

Planejamento Estratégico

A metodologia mais recomendada para o processo da elaboração da estratégia e do planejamento estratégico é a análise da empresa dentro do seu ambiente. A empresa é um sistema que processa recursos internos e produz saídas. Em termos físicos, as entradas correspondem aos recursos utilizados (materiais, equipamentos, tecnologia, mão de obra, energia, serviços etc.); o processamento, às atividades organizadas para executar todos os processos operacionais (produção, comercialização, administração e finanças); e os produtos e serviços vendidos, às saídas. Em termos econômicos, as entradas são representadas pelos custos e despesas; e as saídas, pelas receitas.

Dessa maneira, a análise ambiental é a metodologia básica para o entendimento da empresa dentro da sociedade e dos negócios, e corresponde a uma análise de todas as variáveis e entidades que influenciam a empresa – que, por sua vez, também pode influenciá-la. Confronta-se a análise das variáveis externas com as variáveis e entidades do ambiente interno, para verificação da qualidade e influência de cada um.

```
                    Ambiente Externo
    Governo                                 Clientes
    Sociedade                               Fornecedores
    Economia                                Tecnologia
                      A Empresa
    Comunidade      Ambiente Interno        Sindicatos
    Natureza                                Acionistas
    Concorrentes etc.                       Tributos etc.
                    Ambiente Externo
```

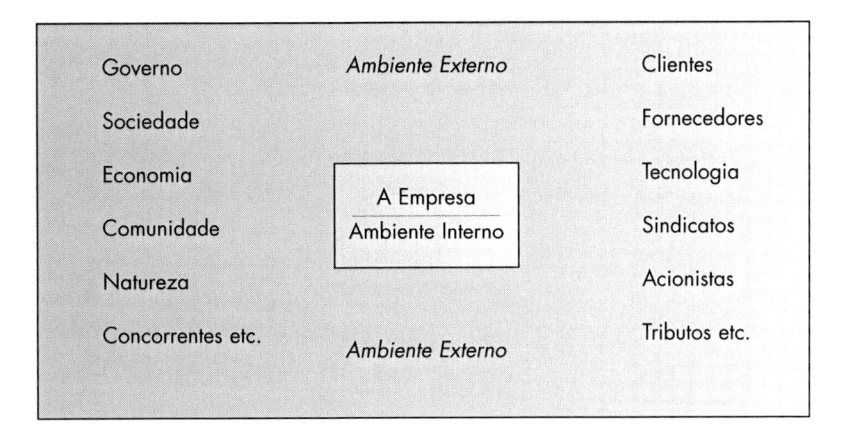

Figura 4.2 – A Empresa e o Ambiente.

A metodologia de análise do ambiente é denominada *Análise SWOT* (*Strenghts, Weaknesses, Opportunities, Threats* – Forças, Fraquezas, Oportunidades, Ameaças).

O processo básico é o seguinte:

- identificam-se todas as variáveis e entidades do ambiente externo que se relacionam com a empresa;
- qualifica-se cada uma dessas variáveis em ameaças ou oportunidades, mensurando o máximo possível dos elementos que as compõem;
- identificam-se todas as variáveis e entidades do ambiente interno;
- qualifica-se cada uma dessas variáveis e entidades em forças ou fraquezas, mensurando o máximo possível dos elementos que as compõem;
- confrontam-se as ameaças externas com as forças ou fraquezas internas e extraem-se as avaliações positivas ou negativas;
- confrontam-se as oportunidades externas com as forças ou fraquezas internas e extraem-se as avaliações positivas ou negativas.

Em linha gerais, as ações derivam das seguintes constatações:

- se é uma ameaça onde a empresa é forte, é preciso administrar e monitorar, para não perder a força e não deixar a ameaça ganhar corpo;
- se é uma ameaça onde a empresa é fraca, tem de se tentar eliminar a ameaça ou iniciar um processo de fortalecimento do ponto fraco da empresa;

- se é uma oportunidade que se relaciona com um ponto fraco da empresa, deve-se trabalhar e transformar o ponto fraco em algo forte, para aproveitamento da oportunidade o mais rápido possível;
- se é uma oportunidade relacionada com um ponto forte da empresa, deve-se dirigir todas as forças para isso, de modo a capitalizar o máximo de receitas e lucros dessa oportunidade existente ou a existir.

Estratégia e Planejamento Financeiro de Longo Prazo

O planejamento estratégico estabelece o modelo de gestão a ser adotado para organização, os negócios em que a empresa atua ou atuará, as estruturas organizacionais desejadas ou necessárias para operacionalizar os negócios determinados. Portanto, o planejamento estratégico culmina na necessidade de um planejamento financeiro de longo prazo.

Todo planejamento financeiro é um plano de investimentos e financiamentos, justificados pela rentabilidade a ser obtida. Portanto, o planejamento financeiro de longo prazo envolve as entradas iniciais de capital, suas fontes de financiamento e os fluxos futuros de lucros e de caixa para justificar o retorno do investimento.

Planejamento Operacional e Planejamento de Curto Prazo

O planejamento operacional decorre das estratégias adotadas. Definidas as linhas de atuação nos negócios, cabe ao administrador financeiro fazer um estudo detalhado das necessidades de investimentos, tanto de ativos fixos como de capital de giro, para operacionalizar os negócios decididos na estratégia, dentro dos modelos organizacionais determinados. Assim, o planejamento operacional (tático ou de médio prazo) caracteriza-se pela:

- determinação da estrutura do ativo;
- determinação da estrutura do passivo.

Esse planejamento financeiro é apresentado na Parte II deste livro.

O planejamento financeiro de curto prazo corresponde à mensuração dos planos operacionais para o próximo exercício, estruturado pelo modelo do *Plano Orçamentário*. Esse tópico é apresentado na Parte III.

Planejamento Financeiro de Longo Prazo ou Orçamento de Capital

A terminologia *orçamento de capital* é muito utilizada em finanças sem a existência de uma definição apropriada. Tem sido aplicada para dois processos de planejamento:

1. o conjunto de procedimentos para avaliação de um projeto de investimento;
2. a peça orçamentária para estimativa dos investimentos em ativos permanentes dentro do plano orçamentário.

Neste livro, adotaremos essa terminologia para o primeiro processo, ou seja, os procedimentos para avaliação dos projetos de investimentos, e, portanto, planos financeiros de longo prazo. Como esses projetos precisam de fundos para viabilizá-los (o capital), entendemos que orçamento de capital resume um projeto de investimento, em que constam as fontes de capital para financiá-los (de capital próprio ou de terceiros), seus valores, os fluxos futuros de lucros e caixa desse investimento e o custo de capital necessário para avaliar o projeto como um todo.

> *Orçamento de capital é o procedimento para o planejamento financeiro de longo prazo.*

Dessa maneira, podemos utilizar como sinônimos orçamento de capital e planejamento financeiro de longo prazo, que se referem ao conjunto de conceito e técnicas para avaliar projetos de investimentos decorrentes das estratégias empresariais.

O Valor do Dinheiro no Tempo

O surgimento da moeda[1] como padrão de troca de mercadorias e serviços provocou, como consequência imediata, o surgimento do juro como remuneração pelo uso em empréstimo dessa mercadoria e a possibilidade de inflação pela alta generalizada e contínua dos preços medidos em moeda.

O fundamento para a existência do juro é a possibilidade de alguma pessoa antecipar ou não o consumo de bens e serviços. Esse deslocamento de tempo pode ser considerado um serviço, porque o pagamento de juros também é denominado *pagamento do serviço da dívida*. Ou seja, a dívida presta um serviço a quem toma emprestado. Como todo serviço tem um preço, o juro é o preço pelo uso da moeda de outrem.

Outra visão, similar, é de que o juro é uma compensação pela espera, ou seja, uma compensação pelo fato de o dono do capital deixar de dispor desse dinheiro. Uma outra explicação é que o juro é um prêmio pela renúncia temporária da liquidez de seu proprietário, provavelmente uma cobrança para fazer face à escassez dessa mercadoria em determinados momentos e mercados (Sandroni, 2001, p. 316).

Isso posto, fica claro que o valor do dinheiro no tempo decorre: a) do seu custo (para quem paga) e b) da renda (para quem recebe). Assim, o dinheiro (uma unidade monetária) vale hoje mais do que uma unidade monetária disponível no futuro, uma vez que o dinheiro disponível agora pode ser investido e começar a render juros

---

[1] Os primeiros registros do uso da moeda datam do século VII a. C., na Lídia, reino da Ásia Menor, na região que hoje corresponde a Turquia e Iraque (Sandroni, 2001, p. 405).

imediatamente. Além disso, o dinheiro disponível hoje está seguro. O capital emprestado, com o cedente abdicando da liquidez, incorpora o risco de ele não ser devolvido. Portanto, dinheiro hoje vale mais que um dinheiro com risco no futuro.

> *A taxa de juros é o elemento que liga e ajusta as decisões intertemporais de consumo.*

O método básico para avaliar a equivalência de capitais ao longo do tempo é trazer os valores de dois tempos distintos em uma única data-base de comparação. O método mais utilizado é a *taxa de retorno* (ou *taxa interna de retorno*), que corresponde ao desconto do valor futuro a ser pago, trazendo-o à base monetária de hoje, com o valor atual desembolsado, identificando a taxa de juros adotada.

Tomemos como exemplo alguém que empresta $ 10.000 para pagamento em 30 dias, prometendo pagar, ao final dos 30 dias, $ 10.500. A fórmula básica é a seguinte:

$$\frac{\text{Valor Futuro}}{1 + \text{taxa de juros (i)}} = \text{Valor Presente}$$

Em nosso exemplo, temos:

$$\frac{\$\ 10.500}{(1+i)} = \$\ 10.000$$

$$\frac{\$\ 10.500}{\$\ 10.000} = (1+i)$$

$$1,05 = (1+i)$$

No caso, a taxa de juros que equaliza o valor presente ao valor futuro é 5% (o que excede 1 multiplicado por 100). Em outras palavras, considerando uma taxa de juros de 5% ao mês, $ 10.500 a preços daqui a 30 dias equivalem a $ 10.000 a preços de hoje.

A metodologia do *valor presente líquido*, variante da taxa de retorno (e mais utilizada devido à sua simplicidade), em vez de descobrir a taxa, parte da determinação de uma taxa necessária ou desejada e desconta o valor futuro a essa taxa. Se o valor futuro descontado for superior ao valor presente, entende-se que há um valor presente líquido ou valor presente adicional, o que valida a negociação.

Com os dados iniciais do exemplo anterior, mas admitindo que o indivíduo que emprestou o dinheiro aceite uma taxa de 4% ao mês, ele desconta o valor futuro por essa taxa e compara com os $ 10.000 de valor presente, que ele emprestou. A fórmula é a mesma, mas, em vez de determinar a taxa de juros, determina-se o valor presente:

$$\frac{\text{Valor Futuro}}{1 + \text{taxa de juros (i)}} = \text{Valor Presente}$$

Em nosso exemplo, temos:

$$\frac{\$\ 10.500}{(1 + 0,04)} = X$$

$$\frac{\$\ 10.500}{1,04} = 10.096$$

10.096 = Valor Presente

Nesse caso, o emprestador abdicou de $ 10.000 reais agora para receber no futuro $ 10.500. Como ele se contenta com 4% ao mês, receberá, daí a 30 dias, $ 10.096, um valor superior ao que tinha. Dessa maneira, além de perceber os juros mínimos desejados, terá $ 96 a mais. Essa avaliação indica que a operação deve ser aceita.

Juros e Inflação

A inflação[2] é um fenômeno que tem a possibilidade de existir em todas as economias regidas por moeda. Como a moeda é utilizada para mensurar o preço dos bens e serviços, determinados momentos econômicos podem fazer com que os preços inicialmente estabelecidos subam. Quando os preços sobem, a mesma quantidade de moeda perde poder aquisitivo (poder de compra), pois não consegue comprar a mesma quantidade de bens e serviços de antes da subida dos preços.

Assim, a taxa de juros tenderá a se elevar se a inflação existir ou subir. Caso um emprestador aceita receber 10% ao ano pela cessão do seu dinheiro, tenderá a exigir 15% se tiver a expectativa de que no ano haverá uma inflação de 5%. Ou seja, ele adicionará à taxa de juros o percentual da expectativa da inflação.

Nesse caso, as terminologias mais utilizadas são as seguintes:

- *Taxa de juros nominal*, que representa a taxa completa e compreende a taxa de juros mais a taxa de inflação esperada. Em nosso exemplo, 15%.
- *Taxa de juros real*, que é a taxa de juros diminuída da taxa esperada de inflação. Em nosso exemplo, é 10% (taxa de juros nominal – 15% –, menos 5% da taxa esperada de inflação no ano).

---

[2] A deflação é o fenômeno oposto ao da inflação. Significa queda generalizada e contínua dos preços dos bens e serviços.

Critérios de Avaliação dos Investimentos – VPL, TIR, Tirm, *Payback*

Os modelos para decisão de investimentos e para mensuração do valor da empresa compreendem fundamentalmente as mesmas variáveis. Todos consideram o valor a ser investido ou atualmente investido, os fluxos futuros de benefícios, a quantidade de tempo em que esses fluxos futuros ocorrerão e o custo do dinheiro no tempo.

Os modelos para decisão de investimentos partem da ideia de verificar a viabilidade econômica de um investimento, antes de sua implementação. Os modelos de decisão de mensuração do valor da empresa centram-se em determinar o valor de uma empresa em andamento. Como uma empresa em andamento é fruto de um conjunto de investimentos em operação, já decididos no passado, os critérios de avaliação devem ser os mesmos. Em outras palavras, os mesmos critérios adotados para a decisão de investir devem ser utilizados para a mensuração do valor desses mesmos investimentos em operação.

Para a controladoria, é fundamental a apuração do valor da empresa. A controladoria tem como foco os resultados empresariais e avalia a eficácia da empresa por meio dos resultados periódicos obtidos. O objetivo de qualquer empreendimento é criar valor para os acionistas, valor esse que é gerado pelas operações e mensurado e evidenciado contabilmente pela demonstração de resultados. Os resultados obtidos refletem as decisões de investimentos do passado, e, consequentemente, são avaliadores do desempenho dos responsáveis pela decisão. Dessa maneira, a controladoria deve continuadamente mensurar o valor da empresa, para monitorar os processos de criação de valor e avaliação do desempenho dos investimentos.

Modelo Básico para Decisão de Investimento: Valor Presente Líquido (VPL)

Um investimento é feito no pressuposto de gerar um resultado que supere o valor investido, para compensar o risco de trocar um valor presente certo por um valor futuro com risco em sua recuperação.[3] Esse resultado excedente é a rentabilidade do investimento além do prêmio por investir. Essa recompensa é o conceito que fundamenta a existência dos juros como pagamento pelo serviço prestado ao investidor pelo ato de emprestar dinheiro para um terceiro.

Outrossim, no mercado existem inúmeras possibilidades de investimentos, e, dentre elas, algumas em que não há risco nenhum, como os títulos governamentais.

---

[3] Não podemos dizer que há incerteza do retorno, porque a incerteza caracteriza-se pelo total desconhecimento do futuro. No caso de um investimento, denomina-se essa lacuna de *conhecimento do futuro de risco*, uma vez que é possível associar probabilidades de êxito ao retorno do investimento. Ou seja, quando faz um investimento, o investidor tem uma série de informações que lhe permitem vislumbrar algo do futuro e associar probabilidades de êxito ao seu investimento, o que se caracteriza como risco, e não como incerteza.

Portanto, o aplicador tem informações sobre as rentabilidades possíveis de inúmeros investimentos. Ao empregar seu dinheiro, o investidor está diante de várias possibilidades de investimento e respectivas rentabilidades. Denominamos essas possibilidades *oportunidades de investimento*.

Dessa maneira, ao se decidir por um investimento, o aplicador deixa de receber rentabilidades dos demais investimentos abandonados. Portanto, o grande parâmetro para o modelo de decisão do investidor é a rentabilidade dos outros investimentos. Denominamos *custo de oportunidade* essas rentabilidades de investimentos concorrentes.

A rentabilidade dos demais investimentos determina qual será a rentabilidade que o investidor desejará do investimento sob o processo de decisão. Ele pode desejar a rentabilidade média dos demais investimentos, como pode desejar rentabilidades superiores. Dificilmente ele admitirá rentabilidades inferiores à média, se bem que, em teoria, isso seria possível.

A rentabilidade desejada que será incorporada ao modelo de decisão de investimentos é denominada *juros remuneratórios*. Em condições normais de mercado, o juro é expresso de forma anual, e, nas economias estabilizadas, compreende o custo de capital mais uma taxa esperada de inflação, redundando em uma taxa única ou pré-fixada. Em economias com ocorrência de inflação crônica, o conceito mais utilizado é o de rendimento pós-fixado, que compreende uma taxa de juros pré-fixada que se somará à inflação que acontecer no futuro.

Valor Presente Líquido

O critério de valor presente líquido é o modelo clássico para a decisão de investimentos e compreende as seguintes variáveis:

a) o valor do investimento;
b) o valor dos fluxos futuros de benefícios (de caixa, de lucro, de dividendos, de juros);
c) a quantidade de períodos em que haverá os fluxos futuros;
d) a taxa de juros desejada pelo investidor.

Exceto com relação ao item *a* (o valor do investimento), todas as demais variáveis apresentam alguma dificuldade para incorporação ao modelo decisório.

A obtenção das informações sobre o valor dos fluxos futuros depende de estudos antecipatórios das probabilidades de ocorrência de vendas, mercados, custos, inflação etc., que fatalmente conduzem a dificuldades de previsibilidade. O mesmo acontece com a quantidade de períodos a serem utilizados no modelo. Excetuando-se casos como aplicações em renda fixa, contratos de remuneração pré-fixada com período certo etc., dificilmente se sabe com precisão por quanto tempo o investimento produzirá fluxos futuros.

As taxas de juros sempre dependerão das expectativas de inflação, tanto do país como do exterior. Dependerão também das taxas básicas de juros existentes no mercado, como as do banco central do país, as taxas dos títulos do Tesouro norte-americano, as do banco central europeu, da Libor, da Prime Rate etc.

Fundamento do VPL: O Valor do Dinheiro no Tempo

O fundamento do VPL é o custo do dinheiro no tempo. Um bem ou direito hoje tem um valor diferente para as pessoas em relação a esse mesmo bem ou direito no futuro. Essa diferença tem como base o custo do dinheiro. Ou seja, sempre haverá uma possibilidade de emprestar o dinheiro, que será remunerado por uma taxa de juros. Portanto, o valor de um bem ou direito que não acompanha o juro mínimo existente no mercado perde valor econômico.

Adicionalmente, quanto mais tempo for necessário para que haja retorno do investimento, mais riscos haverá, e, portanto, a taxa de juros a ser incorporada ao modelo deverá ser adequada para cobrir o risco decorrente da extensão do tempo.

Conceito do VPL: Valor Atual

Valor Presente Líquido significa descontar o valor dos fluxos futuros, a uma determinada taxa de juros, de tal modo que esse fluxo futuro se apresente a valores de hoje, ou ao valor atual. O valor atual dos fluxos futuros, confrontado com o valor atual do investimento a ser feito, indica a decisão a ser tomada:

- Se o valor atual dos fluxos futuros for *igual ou superior* ao valor atual a ser investido, o investimento *deverá ser aceito*.
- Se o valor atual dos fluxos futuros for *inferior* ao valor a ser investido, o investimento *não deverá ser aceito*.

Exemplo

Investimento a ser feito (Ano 0 ou T0) – $ 1.000.000
Rentabilidade mínima exigida (taxa de juros)   12%
Fluxo Futuro de Benefícios
- Ano 1 (T1)   500.000
- Ano 2 (T2)   500.000
- Ano 3 (T3)   500.000
Total   1.500.000

Valor Presente Líquido dos Fluxos Futuros

	Fluxo Futuro A	Índice da Taxa de Desconto B	Valor Atual do Fluxo Futuro C (A : B)
Ano 1	500.000	1,12	446.429
Ano 2	500.000	1,2544	398.597
Ano 3	500.000	1,404928	335.890
	1.500.000		1.200.916

Pelos dados apurados no exemplo, o investimento deverá ser aceito, uma vez que a soma do valor atual dos fluxos dos próximos três anos, descontados à taxa de 12% a.a., é de $ 1.200.916, superior ao valor de $ 1.000.000 a ser investido.

Note que o fluxo futuro de cada ano é diferente em termos de valor atual. O fluxo futuro do Ano 1 foi descontado pela taxa de 12% para um ano, e o seu valor atual equivalente, um ano antes, é de $ 446.429. Ou seja, $ 446.429 hoje equivalem a $ 500.00 daqui a um ano.

O valor atual do fluxo do segundo ano equivale a preços do Ano 0 a $ 398.597. Ou seja, se aplicarmos hoje $ 398.597 a uma taxa de 12% ao ano, teremos $ 500.000 daqui a dois anos ($ 398.597 x 1,12 x 1,12).

Taxa Interna de Retorno (TIR)

O modelo de decisão baseado na Taxa Interna de Retorno é uma variação do critério do VPL. Nesse modelo, em vez de se buscar o VPL do fluxo futuro, busca-se a taxa de juros que iguala o total dos fluxos futuros descontados a essa taxa de juros, com o valor do investimento inicial. A fórmula é a seguinte:

$$I(0) = \frac{FF(1)}{(1+i)^1} + \frac{FF(2)}{(1+i)^2} + \ldots + \frac{FF(n)}{(1+i)^n}$$

onde:

- $I(0)$ = Investimento inicial no período 0
- FF = Fluxos futuros dos períodos 1 a n
- i = Taxa de juros que iguala a equação

Utilizando os dados do nosso exemplo, a taxa de juros anual que iguala o investimento ao fluxo futuro descontado é de 23,3752% a.a. Para o cálculo da TIR, utilizamos essa função no Excel. O Excel exige que o investimento inicial esteja com sinal negativo. Esse valor está na célula B2, enquanto os três fluxos futuros estão nas células B4, B5 e B6. A fórmula exigida pelo Excel para calcular a TIR com essas células é =TIR (B2 : B6). O resultado é imediato: 23,3752%, que é a taxa anual.

Utilizando essa taxa para descontar os fluxos futuros, e aplicar no modelo de VPL, temos que o valor atual dos fluxos futuros, descontados a 23,3752% a.a., é de $ 1.000.000, comprovando a TIR.

	A	B
1	**Taxa Interna de Retorno**	
2	Investimento a Ser Feito (Ano 0 ou T0) – $	(1.000.000)
3	Fluxo Futuro de Benefícios	
4	• Ano 1 (T1)	500.000
5	• Ano 2 (T2)	500.000
6	• Ano 3 (T3)	500.000
7	Total	1.500.000
8	= TIR (B2 : B6)	23,3752 %

Valor Presente Líquido dos Fluxos Futuros com Taxa de 23,3752%

	Fluxo Futuro A	Índice da Taxa de Desconto B	Valor Atual do Fluxo Futuro C (A : B)
Ano 1	500.000	1,233752	405.268
Ano 2	500.000	1,5221438	328.484
Ano 3	500.000	1,8779479	266.248
	1.500.000		1.000.000

Taxa Interna de Retorno Modificada – Tirm

O grande problema da TIR é que a taxa de juros resultante da fórmula pode ser mais do que uma, ou seja, pode ocorrer a existência de múltiplas taxas de TIR para um único fluxo. Assim, desenvolveram-se várias melhorias neste critério de avaliação de investimento, denominadas de "modificações" na taxa interna de retorno, de modo a permitir um único valor resultando da aplicação da fórmula.

Vamos tomar como exemplo o seguinte fluxo de caixa:

Fluxo de Caixa	$
Ano 0	(1.600)
Ano 1	9.200
Ano 2	(17.000)
Ano 3	10.000

Aplicando a função TIR do Excel, teremos como resposta a taxa de 25% ao ano. Isto pode ser confirmado fazendo o VPL com essa taxa de 25%, conforme demonstrado a seguir.

Descontando por período a 25% a.a.

Fluxo de Caixa	$	Divisor	Valor Descontado
Ano 0	(1.600)	0	(1.600)
Ano 1	9.200	1,25	7.360
Ano 2	(17.000)	1,5625	(10.880)
Ano 3	10.000	1,9531	5.120
Saldo do Fluxo			0

Note que o saldo do fluxo, somando todos os fluxos anuais, positivos e negativos, é zero, confirmando a TIR de 25%. Contudo, se aplicarmos para desconto a taxa de 100% ao ano, o fluxo de caixa também será zerado, significando que a TIR de 100% também é uma resultante matemática desse mesmo fluxo, conforme apresentado a seguir.

Descontando por período a 100% a.a.

Fluxo de Caixa	$	Divisor	Valor Descontado
Ano 0	(1.600)	0	(1.600)
Ano 1	9.200	2,00	4.600
Ano 2	(17.000)	4,00	(4.250)
Ano 3	10.000	8,00	1.250
Saldo do Fluxo			0

Outra taxa que se caracteriza por TIR para este mesmo fluxo é a taxa de 150% a.a., como é demonstrado a seguir.

Descontando por período a 150% a.a.

Fluxo de Caixa	$	Divisor	Valor Descontado
Ano 0	(1.600)	0	(1.600)
Ano 1	9.200	2,50	3.680
Ano 2	(17.000)	6,250	(2.720)
Ano 3	10.000	15,625	640
Saldo do Fluxo			0

A premissa subjacente TIR é que a reaplicação dos fluxos, positivos ou negativos, se dá pela mesma TIR que será obtida no cálculo, o que também não ocorre na realidade. Em razão dessas questões é que desenvolveu-se metodologias complementares para ajuste da TIR.

No exemplo dado a seguir apresentaremos o método desenvolvido por Kassai (1996) extraído do trabalho de Eder *et al.* (2004). O método desenvolvido por Kassai tem quatro etapas:

a) Definição da taxa de reinvestimento e taxa de financiamento;
b) Descapitalização dos fluxos de caixa negativos por meio da taxa de financiamento;
c) Capitalização dos fluxos de caixa positivos por meio da taxa de reinvestimento;
d) Cálculo da Tirm como a taxa de desconto que iguala os dois valores.

Vamos tomar como exemplo o fluxo de caixa apresentado nos cálculos anteriores deste tópico.

A taxa de reinvestimento a ser utilizada será de 15% e a taxa de financiamento será de 10%. Fazendo a descapitalização dos fluxos de caixa negativos, com a taxa de financiamento, teremos o valor de $ 156.500 no período zero, que passará a representar o Valor Presente (VP – *Present Value*), ou seja o valor dos investimentos.

Descapitalização dos fluxos de caixa negativos

Fluxo de Caixa	$	Divisor	Valor Descontado
Ano 0	(1.600)	1,00	(1.600)
Ano 2	(17.000)	1,210[1]	(14.050)
Total			(15.650)

(1) $(1 + 0{,}10)^2 = 1{,}21$

Fazendo a capitalização dos fluxos de caixa positivos pela taxa de reinvestimento, teremos o valor de $ 22.167 para o período 3, que passará a representar o Valor Futuro (VF – *Future Value*), ou seja, o valor das entradas líquidas de caixa do fluxo do projeto.

Capitalização dos fluxos de caixa positivos

Fluxo de Caixa	Valor	Multiplicador	Valor Capitalizado
Ano 1	9.200	1,32[2]	12.167
Ano 3	10.000	1,000	10.000
Total			22.167

(2) $(1 + 0{,}15)^2 = 1{,}32$

Com esses dois valores podemos agora calcular a TIR que iguala os fluxos de saída e os fluxos de entrada, que é de 12,31% a.a. Com aplicação do critério do VPL isto pode ser confirmado, conforme apresentado a seguir.

Valor Presente Líquido dos fluxos de caixa positivos à taxa de 12,31% a.a.

Fluxo de Caixa	Valor	Divisor	Valor Presente
Ano 1	12.167	1,416626239[3]	8.589
Ano 3	10.000	1,416626239[3]	7.059
Total			15.648

(3) $(1 + 0{,}1231)^3 = 1{,}416626239$

A diferença de $ 2 decorre de arredondamentos. A Tirm é importante quando os fluxos permitem múltiplas taxas resultantes da aplicação da fórmula. Em condições normais, a TIR é suficiente para avaliar os projetos de investimento.

Períodos de Retorno do Investimento (*Payback*)

Este critério, aplicado ao conceito VPL, indica em quantos períodos (normalmente anos) haverá o retorno do investimento inicial. É uma informação complementar ao processo decisório, e eventualmente importante quando, além do retorno do investimento, o tempo de recuperação é importante.

Em nosso exemplo, considerando a taxa de 12% a.a., o *payback* médio é de 2,43 anos.

PAYBACK – Valor Presente Líquido dos Fluxos Futuros a 12% a.a.

	Fluxo Futuro	Índice da Taxa de Desconto	Valor Atual do Fluxo Futuro	Investimento Inicial $ 1.000.000
	A	B	C (A : B)	Saldo a Recuperar
Ano 1	500.000	1,12	446.429	553.571
Ano 2	500.000	1,2544	398.597	154.974
Ano 3	500.000	1,404928	355.890	
	1.500.000		1.200.916	

O saldo do investimento de $ 1.000.000 só será recuperado no último e no terceiro anos. Esse saldo de $ 154.974 equivale a 43% do fluxo do terceiro ano, que representa 5,2 meses.

$ 154.974 : 355.890 x 12 meses = 5,2 meses.

Somando esse período aos dois primeiros anos, o retorno do investimento será obtido em 2 anos e 5,2 meses.

Payback Nominal

Muitos autores e administradores financeiros utilizam o critério do *payback* com os valores dos fluxos futuros nominais, sem o desconto por um custo de capital, para simplificar e obter uma informação do tempo de recuperação de forma mais rápida. Para projetos em que o retorno esperado seja de poucos períodos ou o retorno esperado seja substancialmente nos primeiros períodos, a informação, mesmo não sendo científica, torna-se utilizável.

Em nosso exemplo, como os dois primeiros anos terão fluxos futuros iguais de $ 500.000 e o valor do investimento foi de $ 1.000.000, o período de recuperação é de exatamente dois anos.

Projetos de Investimento e Fluxo de Caixa Descontado

O planejamento financeiro de longo prazo compreende um ou mais projetos de investimento. Cada projeto tem que ser analisado e avaliado em relação a seu retorno, seus critérios do valor presente líquido ou à taxa interna de retorno. Serão aceitos os projetos de investimento: a) com valor presente líquido positivo ou igual a zero ou b) os que tiverem maior taxa interna de retorno, de acordo com a metodologia de decisão adotada pela empresa.

Em linhas gerais, os projetos se classificam em:

- projetos independentes;
- projetos dependentes;
- projetos mutuamente excludentes.

Os projetos independentes são avaliados isoladamente, e, por não incorporarem nenhuma dependência com outros projetos, a decisão pode ser tomada apenas em função de que satisfaçam a rentabilidade desejada. Os projetos dependentes envolvem a análise conjunta de dois ou mais projetos, já que a aceitação de um projeto pode afetar significativamente a rentabilidade de outro, e vice-versa. Às vezes, pelo grau de dependência, ambos devem ser aceitos conjuntamente. Projetos mutuamente excludentes são aqueles em que a decisão de aceitação de um projeto impede a aceitação conjunta de outro projeto concorrente.

Fluxos de Caixa, Fluxos de Lucros e Fluxo de Caixa Descontado

Como já vimos, todos os fluxos de lucros se transformam em fluxo de caixa ao longo do tempo. Dessa maneira, considerando-se horizontes de longo prazo, em teoria, ambos os fluxos seriam aceitos para a análise de viabilidade econômica dos projetos. Contudo, uma vez que um investimento significa um desembolso financeiro, recomenda-se a adoção do fluxo de caixa como o modelo condutor para esse tipo de decisão.

Em termos práticos, há a necessidade de se elaborar os dois fluxos. Primeiro, é preciso projetar os fluxos de lucros, uma vez que eles contêm dados fundamentais para mensurar os impostos sobre o lucro. Como a demonstração de resultados compreende a depreciação contábil, e esta despesa não financeira é abatida para cálculo dos impostos sobre o lucro, há a necessidade de projetar os fluxos de lucros futuros.

Em seguida, com as projeções dos balanços patrimoniais de cada período futuro, elabora-se o fluxo de caixa. O fluxo de caixa não levará em conta as depreciações contábeis, mas os impostos sobre o lucro, em que essas despesas foram consideradas.

Genericamente, um fluxo de caixa compreende um resumo de todas as receitas oriundas do projeto, menos as despesas necessárias para produzir, vender e receber as vendas dos produtos e serviços que geram essas receitas. Os fluxos de caixa líquidos do projeto (receitas do projeto (-) despesas do projeto) devem ser descontados a um custo de capital e confrontados com o valor dos investimentos. Essa metodologia básica é denominada *fluxo de caixa descontado* e é, na realidade, o mesmo modelo decisório do *valor presente líquido*.

Representação Gráfica do Fluxo de Caixa

É comum a representação do fluxo de caixa em um gráfico, evidenciando o resumo das entradas e saídas do projeto de investimento:

a) todos os períodos (normalmente anuais) das entradas e saídas ao longo da vida do projeto, que é a linha do tempo do projeto;
b) o valor de cada entrada em cada período;
c) o valor de cada saída em cada período.

Com esses dados e a incorporação do custo de capital, calcula-se o valor presente líquido do projeto, ou seja, o seu fluxo de caixa descontado. As figuras 4.3, 4.4 e 4.5 apresentam exemplos de fluxos de caixa. A primeira figura mostra o modelo mais simples, em que o investimento (a saída) é feito em um período inicial (o período 0) e as entradas acontecem regularmente nos três períodos subsequentes.

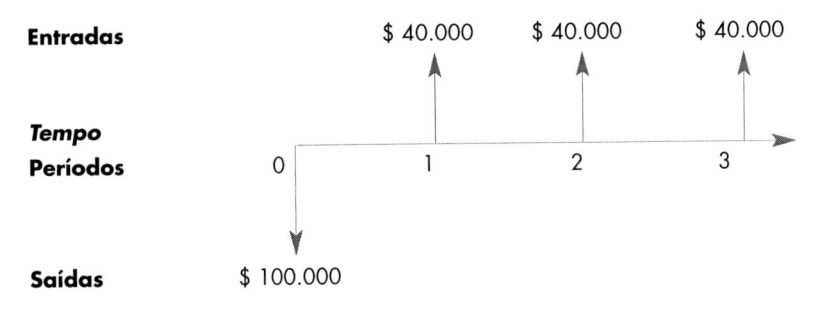

Figura 4.3 – Representação Gráfica de um Fluxo de Caixa.

Não necessariamente o investimento é feito de uma só vez. Na realidade, é provável que na maior parte dos projetos de investimentos os desembolsos sejam feitos em várias parcelas e em vários momentos. A Figura 4.4 mostra um exemplo em que as saídas para os investimentos ocorrem nos períodos 0 e 1, enquanto as entradas começam a existir a partir do período 2.

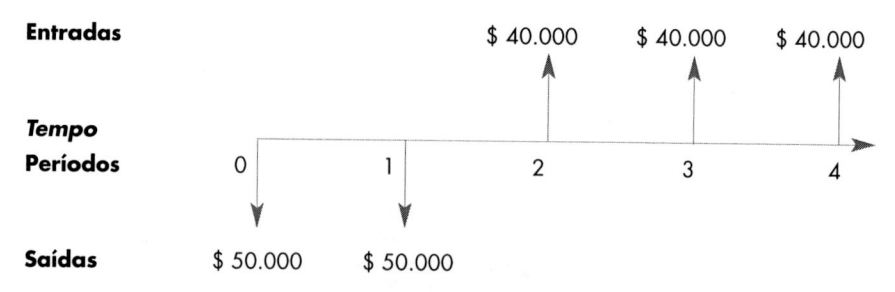

```
Entradas                    $ 40.000    $ 40.000    $ 40.000
                               ↑           ↑           ↑
Tempo
Períodos         0        1    2           3           4
                 ↓        ↓
Saídas        $ 50.000  $ 50.000
```

Figura 4.4 – Representação Gráfica de um Fluxo de Caixa.

Também não necessariamente os retornos ou entradas do projeto devem iniciar apenas após os investimentos. É possível que alguns retornos aconteçam antes da conclusão total dos investimentos. A Figura 4.5 mostra de forma resumida essa possibilidade.

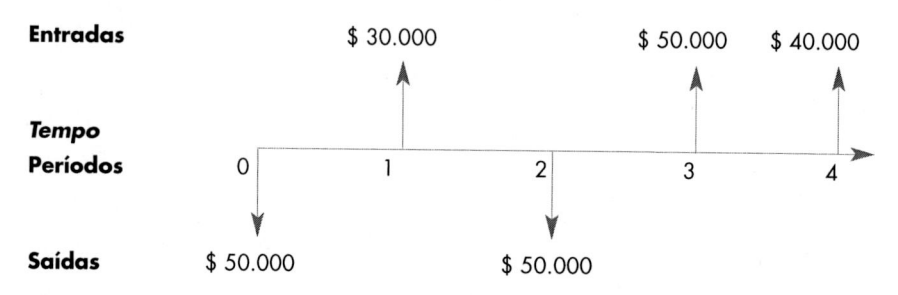

```
Entradas            $ 30.000              $ 50.000    $ 40.000
                       ↑                     ↑           ↑
Tempo
Períodos     0         1         2           3           4
             ↓                   ↓
Saídas    $ 50.000            $ 50.000
```

Figura 4.5 – Representação Gráfica de um Fluxo de Caixa.

Fluxo de Caixa Descontado ou Valor Presente Líquido de um Projeto de Investimento

A mensuração das entradas de um projeto é, provavelmente, o que traz maior dificuldade para sua obtenção, uma vez que, pela própria característica do investimento, lida com a mensuração dos retornos futuros e com as incertezas inerentes a qualquer futuro. De um modo geral, a mensuração das saídas (os investimentos) não apresenta dificuldades em demasia, pela mesma questão. Os administradores operacionais e financeiros sabem o que deve ser adquirido ou investido agora, ou seja, o grau de incerteza é muito menor porque basicamente o tempo é o presente.

As entradas dos fluxos futuros de caixa devem ser obtidas pelas projeções das demonstrações de resultados periódicas e dos balanços patrimoniais futuros dos períodos de benefícios que os projetos de investimentos trarão. Faremos dois exemplos, considerando apenas as demonstrações de resultados, no pressuposto de que os balanços iniciais e finais não contemplem nenhum investimento inicial ou valor residual do investimento.

Tabela 4.1 – Demonstração de Resultados para os Períodos Futuros de um Projeto de Investimento

	Período 1	Período 2	Período 3	Total
Receita de Vendas				
Quantidade de Produtos	50.000	50.000	50.000	150.000
Preço Médio Unitário	6,00	6,00	6,00	
Receita de Vendas	300.000	300.000	300.000	900.000
Custos e Despesas				
Custo das Vendas	(180.000)	(180.000)	(180.000)	(540.000)
Despesas Operacionais	(76.566)	(76.566)	(76.566)	(229.697)
Depreciações	(33.333)	(33.333)	(33.333)	(100.000)
Lucro Operacional	10.101	10.101	10.101	30.303
Impostos sobre o Lucro (34%)	(3.434)	(3.434)	(3.434)	(10.303)
Lucro Líquido	6.667	6.667	6.667	20.000

Considerando o projeto de investimento como independente (no caso, a empresa tendo seu início por esse projeto e operacionalizando apenas o projeto), temos que transformar o fluxo de lucros em fluxo de caixa. Nessa demonstração de resultados, temos as depreciações (onde simulamos depreciar todo o investimento inicial de $ 100.000 em três anos, com uma taxa de depreciação de 33,33% ao ano), que, em termos de caixa, não representam desembolsos financeiros, mas são abatidas para fins de impostos sobre o lucro.

Dessa maneira, para transformarmos o fluxo de lucros em fluxo de caixa, adicionamos ao valor do Lucro Líquido o valor das depreciações de cada período, obtendo, assim, o fluxo de caixa de entradas para cada período futuro do projeto de investimento, como mostrado na Tabela 4.2.

Tabela 4.2 – Fluxo de Caixa de um Projeto de Investimento

	Período 1	Período 2	Período 3	Total
Lucro Líquido	6.667	6.667	6.667	20.000
(+) Depreciações	33.333	33.333	33.333	100.000
= Caixa Gerado no Período	40.000	40.000	40.000	120.000

Com os dados do caixa gerado em cada período, confrontados com o total do investimento, descontando a um custo de capital desejado ou necessário, podemos elaborar o fluxo de caixa descontado. Os números das entradas e saídas do projeto de investimento são os constantes da Figura 4.3. Adotamos para o exemplo da Tabela 4.3 um custo de capital de 8% ao ano.

Tabela 4.3 – Fluxo de Caixa Descontado

	Período 0	Período 1	Período 2	Período 3	Total
Investimento (Saídas)	(100.000)	0	0	0	(100.000)
Retornos (Entradas) Nominais	0	40.000	40.000	40.000	120.000
Fluxo de Caixa Nominal	(100.000)	40.000	40.000	40.000	20.000
Taxa de Desconto – 8% ao Ano	1,00	1,08000	1,16640	1,25971	
Fluxo de Caixa Descontado	(100.000)	37.037	34.294	31.753	3.084

Os fluxos futuros de caixa do projeto, descontados a 8%, capitalizados anualmente, resultam em um valor presente líquido de $ 3.094, que é o somatório dos fluxos descontados dos três períodos futuros, de $ 103.084, menos o valor de $ 100.000 investido inicialmente. Nessas condições, esse projeto deverá ser aceito.

Fica claro, nesse exemplo, a importância do custo de capital ou da taxa de juros. Ele é o elemento que une as decisões de investimento com a decisão de financiamento. Em cima desses dados, a empresa buscará fundos para financiar os investimentos, cujo custo deverá ser inferior, no máximo igual, aos 8% considerados no fluxo de caixa descontado.

Outrossim, se o custo de capital necessário ou desejado for maior – digamos, 10% –, o valor presente passará a ser negativo. Quanto maior o custo de capital, maior dificuldade para justificar cada projeto de investimento.

Projeto de Investimento Considerando Fundos de Capital de Terceiros

O exemplo anterior de fluxo de caixa descontado não faz referência a quem financiará o projeto de investimento, podendo ser todo de capital próprio ou de capital de terceiros, pois considera o retorno operacional. Outra alternativa para avaliar projetos de investimento é fazê-lo da ótica do capital próprio, considerando o capital de terceiros como entradas e saídas a ser cobertas pelos fluxos futuros.

Partindo dos dados do exemplo anterior, vamos imaginar que 50% dos fundos serão obtidos por meio de empréstimos bancários, a uma taxa de juros de 10%, pagos em cada período. O principal, $ 50.000, será pago no último período. Os juros serão abatidos para fins de impostos sobre o lucro. A seguir é mostrado como ficaram os demonstrativos.

Tabela 4.4 – Demonstração de Resultados dos Períodos Futuros – Projeto com Recursos de Terceiros

	Período 1	Período 2	Período 3	Total
Receita de Vendas				
Quantidade de Produtos	50.000	50.000	50.000	150.000
Preço Médio Unitário	6,00	6,00	6,00	
Receita de Vendas	300.000	300.000	300.000	900.000
Custos e Despesas				
Custo das Vendas	(180.000)	(180.000)	(180.000)	(540.000)
Despesas Operacionais	(76.566)	(76.566)	(76.566)	(229.697)
Depreciações	(33.333)	(33.333)	(33.333)	(100.000)
Lucro Operacional	10.101	10.101	10.101	30.303
Juros sobre os Empréstimos	(5.000)	(5.000)	(5.000)	(15.000)
Lucro Antes dos Impostos	5.101	5.101	5.101	15.303
Impostos sobre o Lucro (34%)	(1.734)	(1.734)	(1.734)	(5.203)
Lucro Líquido	3.367	3.367	3.367	10.100

Note que a demonstração de resultados contempla agora as despesas de juros sobre os empréstimos após o lucro operacional. Essas despesas financeiras reduzem o lucro líquido, mas também reduzem os impostos sobre o lucro. O lucro líquido final é menor que o lucro líquido obtido no exemplo anterior.

Tabela 4.5 – Fluxo de Caixa do Projeto de Investimento

	Período 1	Período 2	Período 3	Total
Lucro Líquido	3.367	3.367	3.367	10.100
(+) Depreciações	33.333	33.333	33.333	100.000
= Caixa Operacional Gerado no Período	36.700	36.700	36.700	110.100
(–) Pagamento dos Empréstimos	0	0	(50.000)	(50.000)
= Caixa Líquido Gerado	36.700	36.700	(13.300)	60.100

O fluxo de caixa, neste exemplo, contempla também uma nova linha, que é o pagamento dos empréstimos (ao final do Período 3), uma vez que determinamos a premissa de que os juros serão pagos também dentro do ano e já estão dentro do lucro líquido. Temos um caixa líquido gerado menor nos períodos 1 e 2 e um caixa negativo no período 3.

Tabela 4.6 – Fluxo de Caixa Descontado

	Período 0	Período 1	Período 2	Período 3	Total
Investimento (Saídas)	(50.000)	0	0	0	(50.000)
Retornos (Entradas) Nominais	0	36.700	36.700	(13.300)	60.100
Fluxo de Caixa Nominal	(50.000)	36.700	36.700	(13.300)	10.100
Taxa de Desconto – 8% ao Ano	1,00	1,08000	1,16640	1,25971	
Fluxo de Caixa Descontado	(50.000)	33.981	31.464	(10.558)	4.888

Descontando o fluxo de caixa, temos um valor presente líquido de $ 4.888, superior ao fluxo de caixa descontado do primeiro exemplo. Como o projeto foi avaliado da ótica dos acionistas (os donos do capital próprio), que, neste caso, investiram apenas $ 50.000 (o restante foi captado em bancos), o valor presente líquido justifica também o projeto de investimento nessa condição de financiamento parcial com recursos de terceiros.

É importante ressaltar que, mesmo pagando 10% ao ano de custo de capital dos empréstimos, há alavancagem financeira para o capital próprio. Isso ocorre porque os juros são abatidos do imposto de renda e o custo líquido de capital do empréstimo é 6,6% ao ano, ou seja, a taxa de 10% ao ano diminuída da taxa de 34% de impostos sobre o lucro.

Custo de capital de terceiros efetivo
Taxa nominal   10%
(-) 34% de abatimento de impostos sobre o lucro   (3,4%) (0,10 x 34%)
Taxa efetiva   6,6%

Questões e Exercícios

1. Um investimento de $ 2.000.000 tem um lucro estimado de 10% no primeiro ano, 15% no segundo, 25% no terceiro e 22,5% nos próximos quatro anos. Calcule o *payback* pelo critério do retorno médio e pelo critério do retorno histórico.

2. Um investimento tem gastos de $ 200.000 no período 1 e $ 200.000 no período 2. O lucro é de $ 180.000 nos próximos três anos.
   a) Desejando-se uma taxa de 10% ao ano de retorno, qual o VPL?
   b) Se a taxa for de 15% ao ano, qual o VPL?
   c) Qual a TIR?

3. Calcule o VPL do Exercício 1, considerando uma taxa de retorno de 8% ao ano e também um valor residual do investimento de $ 200.000 no último ano. Calcule também os dois novos *paybacks*, com os valores descontados.

4. Considerando os dados do Exercício 1, calcule a TIR do investimento.

5. Uma empresa tem um projeto de investimento que exigirá $ 150.000 em investimentos iniciais, a ser recuperados nos próximos três anos. A linha de produtos que pretende vender terá preços unitários médios de $ 40,00 no Ano 1, $ 41,00 no Ano 2 e $ 42,00 no Ano 3. Espera-se vender 10 mil, 11 mil e 12 mil unidades, respectivamente, nos anos 1, 2 e 3.

O custo das vendas é variável e representa 65% da receita de vendas. As despesas operacionais serão fixas durante os três anos futuros, no valor de $ 80.000 por ano. Todo o investimento inicial será amortizado em três anos. Considerando uma taxa de impostos sobre o lucro de 34% e um custo de capital de 15% ao ano.
a) Faça a demonstração de resultados para os próximos três anos.
b) Elabore o fluxo de caixa do projeto de investimento.
c) Elabore o fluxo de caixa descontado com custo de capital de 15% ao ano e verifique se o projeto poderá ser aceito.

6. Tomando como base os mesmos dados obtidos no exercício anterior, elabore o fluxo de caixa descontado considerando, agora, um custo de oportunidade de 18% ao ano e verifique se o projeto poderá ser aceito.

7. Com os mesmos dados do Exercício 5, considere agora que 40% dos fundos necessários para os investimentos serão obtidos de bancos e que serão remunerados a uma taxa de 30% ao ano. Os juros de cada ano serão pagos no mesmo ano; o valor emprestado será pago ao final do terceiro ano.
a) Faça a demonstração de resultados para os próximos três anos.
b) Elabore o fluxo de caixa do projeto de investimento.
c) Elabore o fluxo de caixa descontado com custo de capital de 15% ao ano e verifique se o projeto poderá ser aceito.

8. Considere os dados apresentados no fluxo de caixa representado pela Tabela 4.5 e calcule o valor presente líquido do projeto utilizando um custo de capital de 10% ao ano.

9. Considere os dados apresentados no fluxo de caixa representado pela Figura 4.5 e calcule o valor presente líquido do projeto utilizando um custo de capital de 12% ao ano.

PARTE II – PLANEJAMENTO FINANCEIRO

5 Decisão de Investimento e Estrutura do Ativo

Praticamente todos os autores de finanças são unânimes em definir as funções fundamentais do administrador financeiro. São elas: decisão de investimento, decisão de financiamento e decisão de dividendos. Conforme Van Horne (1998, p. 5 e 6), "as funções de finanças envolvem três principais decisões que a companhia tem que tomar: a decisão de investimento, a de financiamento e a de dividendos. Cada uma deve ser considerada em relação ao nosso objetivo; uma ótima combinação das três criará valor. A **decisão de investimento** é a mais importante das três quando o propósito é de criar valor. Investimento de capital é a alocação de capital para as propostas de investimentos cujos benefícios serão realizados no futuro. Uma vez que os futuros benefícios não são conhecidos com certeza, as propostas de investimento necessariamente envolvem riscos. Consequentemente, elas devem ser avaliadas na relação de seu retorno e risco esperados, uma vez que esses fatores afetam a avaliação da empresa no mercado".

O tema *decisão de investimento* tem sido normalmente explorado, na literatura financeira, em termos de uma decisão em cima de opções de investimentos, com seus respectivos riscos e retornos. Os investimentos possíveis são apresentados basicamente dentro do conceito de fluxos de caixa, e a decisão deve ser feita à luz dos conceitos de valor do dinheiro no tempo e retorno e risco esperados. Os critérios mais utilizados são o VPL (Valor Presente Líquido) e a TIR (Taxa Interna de Retorno). Será escolhido o investimento, ou conjunto de investimentos, que apresentar o melhor retorno com o menor risco. Esses aspectos foram apresentados no Capítulo 4.

Não tem sido explorado e desenvolvido, contudo, um modelo de decisão que evidencie os critérios e conceitos para se chegar ao valor que deverá ser investido em cada uma das opções. Os modelos apresentados em finanças basicamente partem de valores totais estimados, sem evidenciar os meios, critérios e conceitos para se chegar a tais valores.

Contudo, conforme Gitman (1997, p. 14), "as decisões de investimento determinam a combinação e o tipo de ativos constantes do balanço patrimonial da empresa... A combinação refere-se ao montante de recursos aplicados em ativos circulantes e ativos permanentes". Esse aspecto, que em nosso entendimento é da etapa do planejamento operacional, será o objeto de apresentação neste capítulo.

Conceito e Classificação de Investimentos

Um investimento se caracteriza por ser um gasto não consumido imediatamente cujos resultados virão dos benefícios futuros desse gasto.

Portanto, um investimento caracteriza-se pelo seguinte:

- são todos os gastos que utilizam determinado modelo de mensuração, normalmente fluxo de caixa descontado;
- são geradores de outros produtos e serviços;
- são instrumentos e meios para desenvolver as atividades;
- não se exaurem de uma única vez;
- deve haver o usufruto (uma obra de arte não seria considerada um investimento industrial).

A contabilidade denomina esses investimentos de *ativos permanentes*, e as finanças, de *ativos fixos*.

Investimentos e Atividades

Uma das características dos investimentos é que eles são um dos recursos, meios ou instrumentos utilizados pelas atividades para que estas produzam os produtos e serviços a que se destinam. Podemos definir as atividades como unidades de aglutinação de especializações do conhecimento humano dentro da empresa, necessárias para que ela atinja seus objetivos com eficácia. Como as pessoas desenvolvem suas atividades dentro da empresa consumindo recursos, a empresa também pode ser caracterizada como uma matriz de especializações e recursos.

Dessa maneira, podemos classificar as atividades (especializações) da empresa, em relação aos recursos utilizados para obtenção dos produtos e serviços finais, em dois grandes tipos:

- atividades que utilizam os recursos;
- atividades que coordenam ou distribuem recursos.

As atividades de compras, estocagem, produção e vendas são os principais exemplos de atividades que utilizam os recursos. As de finanças, recursos humanos, sistemas, engenharia, controladoria etc. são exemplos de atividades que têm como função monitorar ou distribuir recursos.

Ativos Fixos e Capital de Giro

Dentro do balanço patrimonial, o ativo representa os investimentos da empresa, agrupados em duas classes principais:

- investimentos que têm uma dinâmica própria e acompanham o ciclo de operações da empresa, denominados *investimentos no capital de giro* (estoques, contas a receber, contas a pagar);
- investimentos que se caracterizam por um forte grau de imutabilidade ou fixidez, denominados *ativos fixos* (imóveis, equipamentos, utensílios, intangíveis adquiridos).

Portanto, as atividades, para desenvolver suas funções, requerem, além dos recursos imediatamente consumidos no processo de execução de suas atividades e obtenção dos produtos e serviços, investimentos nas duas classes de ativos.

Tipos de Investimentos

As possibilidades de investimentos são infinitas e podem ocorrer de forma ininterrupta e variada para as pessoas físicas, dentro das empresas e corporações. Podemos investir em ativos financeiros (títulos do governo, de renda fixa, ações de empresas, derivativos, mercado futuro etc.), em *commodities* (metais, produtos agropecuários, minerais etc.), no mercado imobiliário, em artes etc.

O que nos interessa, contudo, é o ambiente empresarial, onde podemos vislumbrar quatro grandes principais tipos de investimentos:

1. aquisição de uma empresa já existente;
2. investimento em uma nova empresa;
3. investimento da empresa em uma nova unidade de negócio ou novo produto;
4. investimento da empresa em ativos específicos.

Todos os tipos de investimentos requerem análise do retorno e risco. Contudo, a decisão sobre os investimentos dos tipos 1 e 4 se caracterizam fundamentalmente por ser baseada em único valor – o valor total da empresa e o valor do ativo específico. Já a decisão sobre os investimentos dos tipos 2 e 3 se caracteriza por um valor decorrente da combinação das duas classes de investimentos: ativos fixos e capital de giro. Esses tipos de investimentos requerem um estudo diferenciado denominado *determinação da estrutura do ativo*.

Determinação da Estrutura do Ativo

Determinar a estrutura do ativo significa identificar a quantidade e a qualidade do investimento.

> *Conceitua-se* determinação da estrutura do ativo *como a decisão de investimento que é tomada com base na obtenção da combinação ideal de ativos em relação ao negócio proposto, objetivando a menor estrutura de capital.*

Essa combinação objetiva determinar a parcela ideal de investimentos em ativos fixos e capital de giro para o negócio ou empresa a ser constituída.

Talvez seja uma das decisões mais difíceis de ser modeladas na gestão econômica das empresas. A determinação da estrutura do ativo é consequência de uma série de outras decisões anteriores, que decorreram do planejamento estratégico. Da análise do plano estratégico para investir em uma nova empresa, ou em uma nova unidade de negócio, sairão as diretrizes e os pontos referenciais que vão determinar a estrutura do ativo do investimento.

Modelo de Decisão para Definição da Estrutura do Ativo[1]

Para desenvolver este tema, tomaremos como referência o processo de investimento em uma nova empresa ou uma nova unidade de negócio.

> *Para definir a estrutura do ativo, é necessária antes a definição de uma série de outras variáveis, que se inicia pela definição do produto, ou produtos, que serão fornecidos dentro do negócio a ser explorado.*

A definição da estrutura do ativo é complexa, pois envolve uma série muito grande de variáveis (volume, preços de venda, tecnologias, processos, estrutura do produto, atividades a ser internadas etc.) que devem ser definidas com antecedência, já que necessidade de investimentos e o tipo de ativo decorrem de opções efetuadas em cada uma delas, cada uma a seu tempo, obedecendo a uma ordenação e dentro de uma estrutura lógica de geração e inter-relacionamento de variáveis.

É possível, contudo, construir um modelo de decisão orientativo. Em linhas gerais, qualquer modelo de definição da estrutura do ativo inicia-se por definir o produto ou linha de produtos que a empresa ou unidade de negócio irá oferecer aos consumidores. Portanto, o modelo deve partir das seguintes definições prévias:

- definição dos produtos ou linha de produtos que serão oferecidos;
- definição, concomitante, dos mercados em que serão oferecidos;
- definição, também concomitante, do volume normal esperado e do(s) preço(s) de venda;
- definição, logo a seguir, de em qual segmento da cadeia produtiva ou comercial a empresa ou unidade de negócio operará;
- definição, em conclusão, da tecnologia básica a ser adotada para produção e comercialização.

Essas definições conduzirão a uma estrutura de ativos da empresa ou unidade de negócio, como, consequentemente, a uma estrutura de custos dos produtos. Esse processo pode ser visualizado sumariamente na Figura 5.1.

---

[1] Esse modelo está detalhado no artigo do autor "A controladoria no planejamento operacional: Modelo para determinação da estrutura do ativo". *Revista de Contabilidade do CRC-SP*, São Paulo, Ano VI, nº 20, junho de 2002, p. 24 a 44.

```
[Definição do      →  [Definições         →  [Definição do    →  [Definição das       →  [Estruturação
 Produto ou           Concomitantes:          Segmento da         Tecnologias              do Ativo:
 Serviço]             • Volume                Cadeia              Essenciais:              Ativos Fixos e
                      • Preço de              Produtiva]          Produtiva;               Capital de
                        Venda                                     Comercial e              Giro]
                      • Mercados]                                 Administrativa]
```

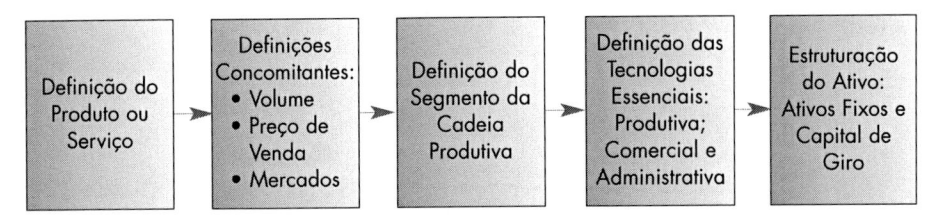

Figura 5.1 – Modelo Decisório para Determinação da Estrutura do Ativo.

A Figura 5.2 apresenta um exemplo de cadeia produtiva do ramo têxtil de confecções. Essa etapa do processo decisório é fundamental, uma vez que, escolhida a opção pela etapa da cadeia produtiva do produto ou serviço, essa decisão indica a estrutura do ativo a ser formada. Se a empresa preferir entrar desde o início da cadeia produtiva, fatalmente terá uma estrutura mais verticalizada, demandando mais ativos fixos. Se optar por trabalhar nas etapas finais da cadeia produtiva, como no varejo, terá uma estrutura mais horizontalizada, com menor demanda de ativos fixos e mais demanda de capital de giro, basicamente de estoques.

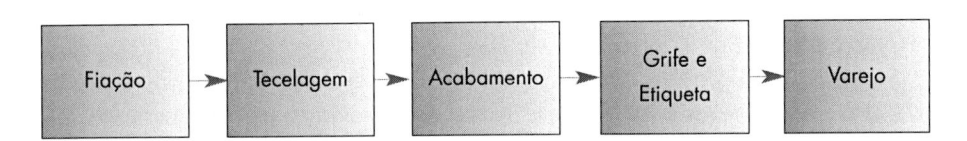

```
[Fiação] → [Tecelagem] → [Acabamento] → [Grife e Etiqueta] → [Varejo]
```

Figura 5.2 – Exemplo de Cadeia Produtiva – Confecção.

Exemplo de Estruturas de Ativos

A seguir, trabalharemos um pequeno e simples exemplo de como pode se apresentar a estrutura do ativo de uma nova empresa ou unidade de negócio, estruturado em cima do setor de confecção de vestuário. O exemplo apresenta duas opções para o decisor, a partir de uma definição inicial. A empresa pode ser estruturada desenvolvendo o máximo possível de atividades operacionais internamente (Opção 1), como pode entregar a terceiros o desenvolvimento das atividades necessárias para levar o produto ao consumidor final (Opção 2).

A Opção 1 representa uma empresa de confecção que produz e vende com corpo próprio de vendas. A Opção 2 representa uma empresa que não produz; apenas põe sua marca e, além disso, negocia por meio de vendedores terceirizados que ganham por comissão. A Tabela 5.1 representa como uma estrutura de ativo pode ser diferente de outra, a partir de decisões de tecnologias e segmento da cadeia operacional. As quantidades a ser vendidas são as mesmas para as duas opções.

Tabela 5.1 – Estrutura do Ativo (Investimentos)

	Opção 1		Opção 2	
	$	%	$	%
GIRO				
. Estoque de Materiais	24.000,00	9,56%	0,00	0,00%
. (–) Fornecedores	(8.000,00)	-3,19%	(16.266,67)	-13,96%
. Estoque de Produtos Acabados	43.000,00	17,13%	48.800,00	41,88%
. Clientes	60.000,00	23,90%	60.000,00	51,49%
Soma	119.000,00	47,41%	92.533,33	79,41%
ATIVO FIXO				
. Imóveis – Fábrica	48.000,00	19,12%	0,00	0,00%
. Equipamentos – Fábrica	60.000,00	23,90%	0,00	0,00%
. Equipamentos – Administração / Vendas	24.000,00	9,56%	24.000,00	20,59%
Soma	132.000,00	52,59%	24.000,00	20,59%
TOTAL	251.000,00	100,00	116.533,33	100,00

Fica evidente que o ativo decorrente da escolha pela Opção 1 é muito maior do que se escolhida a Opção 2, porque, internando mais processos, há necessidade de mais ativos fixos e estoques. A Opção 2 exige menos investimentos. Outro ponto importante é a estrutura percentual do ativo. A Opção 1 tem 52,59% de ativos fixos e 47,41% de capital de giro. A Opção 2 tem muito mais participação de capital de giro (79,41%), já que, por não ter fábrica, exige menos investimentos em ativos fixos.

Lucro Esperado

Cada opção traz resultados diferentes em termos de lucro ou prejuízo. As estruturas de gastos, de materiais e de ativos são diferentes. Portanto, fica claro que o lucro será diferente. Na Tabela 5.2, apresentamos a resultante, em termos de resultado, das duas opções, a partir dos dados levantados inicialmente. Nesse momento, não introduziremos as despesas financeiras do financiamento dos investimentos, nem os impostos sobre o lucro, objetivando uma análise operacional mais focada.

Tabela 5.2 – Demonstração de Resultados

	Opção 1		Opção 2	
	$	%	$	%
RECEITA TOTAL	40.000,00	100,00	40.000,00	100,00
(–) Custos Variáveis				
. Materiais	8.000,00	20,00%	24.400,00	61,00%
. Comissões	0,00	0,00%	6.000,00	15,00%
Total	8.000,00	20,00%	30.400,00	76,00%
Margem de Contribuição (1)	32.000,00	80,00%	9.600,00	24,00%
(–) Custos/Despesas Fixas (A+B+C)	28.700,00	71,75%	7.700,00	19,25%
Lucro Operacional (2)	3.300,00	8,25%	1.900,00	4,75%

A Opção 1 evidencia um lucro operacional mensal de $ 3.300,00, bem maior que o lucro operacional de $ 1.900,00 da Opção 2. Se atentássemos apenas para o valor absoluto do lucro, poderíamos escolher a Opção 1. Porém, essa análise não é conclusiva. É necessário fazer a análise de rentabilidade, por meio do retorno sobre o ativo, uma vez que cada opção exigiu valores de investimentos diferentes nos ativos.

De qualquer maneira, as diversas etapas do modelo de decisão conduziram a determinadas estruturas de ativos, que, por sua vez, conduziram a determinadas estruturas de resultado, e, consequentemente, de lucro esperado.

Retorno do Investimento

Esta é a análise final dentro dessa etapa de definição. O retorno do investimento é que deve ser o elemento a determinar a escolha de uma alternativa ou outra. Ele é a relação entre o lucro operacional e os ativos necessários para se obter esse lucro, pelo processamento das transações e operações necessárias para produzir, administrar e vender o produto escolhido para a nova empresa ou unidade de negócio. Essa análise é apresentada na Tabela 5.3 a seguir. A anualização da rentabilidade foi feita de forma simples, multiplicando por 12 a rentabilidade mensal obtida.

Tabela 5.3 – Rentabilidade do Ativo

	Opção 1	Opção 2
Lucro Operacional (A)	3.300,00	1.900,00
Ativo Total (B)	251.000,00	116.533,33
Rentabilidade do Ativo (anualizada) (A:B)	**15,78%**	**19,57%**

De posse dessa análise, verificamos que, apesar do lucro operacional da Opção 2 ser menor, pelo fato de ela ter exigido menos investimentos de recursos financeiros na sua estrutura de ativos, a rentabilidade é maior – 19,57% –, contra os 15,78% da Opção 2. A Opção 1 exigiu mais ativos, à luz dos dados elaborados. Assim, mesmo tendo lucro maior, a rentabilidade final foi menor que a da Opção 2.

A decisão seria, nesse momento, pela Opção 2.

Estrutura do Ativo, Estrutura de Custos e Alavancagem Operacional

Podemos definir a estrutura de custos de uma empresa como a proporção relativa entre o total de custos e despesas fixas e o total de custos e despesas variáveis, dentro do total de custos e despesas da empresa. Podemos ver de duas formas a estrutura de custos de uma empresa: o total dos gastos fixos e variáveis em relação às vendas e o total dos gastos fixos e variáveis em relação ao total de gastos. O mais comum tem sido analisar a estrutura de custos em relação às vendas ou receitas (líquidas de impostos sobre as receitas).

> **Estrutura de Custos:** *participação relativa dos custos fixos e variáveis no total dos gastos ou em relação à receita total.*

A Tabela 5.2 evidenciou a participação dos custos variáveis e fixos na receita total. Na Opção 1, os custos variáveis representam 20% da receita, enquanto os custos e despesas fixas representam 71,75%. Na Opção 2, os custos variáveis representam muito mais, 61%, uma vez que a empresa é praticamente revendedora, comprando o produto pronto. Nessa opção, os custos e despesas fixas representam apenas 19,25% da receita.

A seguir, na Figura 5.3, apresentamos os mesmos dados, mas considerando apenas os gastos. Na Opção 1, os gastos fixos representam 78% do total dos gastos, e os variáveis, 22%. Na Opção 2, quase uma estrutura oposta, os gastos fixos representam apenas 20%, contra 80% de variáveis.

	Opção 1		Opção 2	
Custos e Despesas Variáveis	8.000,00	22%	30.400,00	80%
Custos e Despesas Fixas	28.700,00	78%	7.700,00	20%
Total	36.700,00	100%	38.100,00	100%

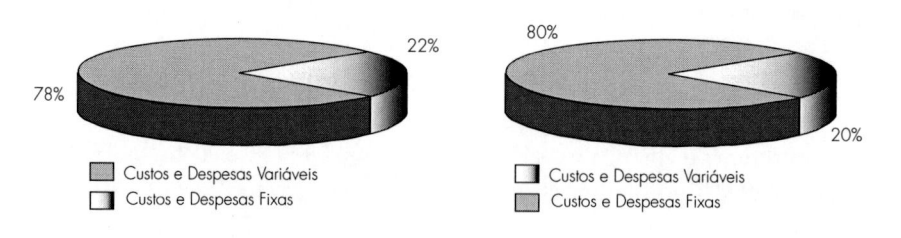

Figura 5.3 – Estrutura de Custos.

Alavancagem Operacional

Ocorrendo custos e despesas fixas operacionais dentro da empresa, há a possibilidade de alavancagem operacional. A palavra *alavancagem*, derivada do conceito de alavanca da física, é utilizada para indicar a obtenção de um resultado final em uma relação mais do que proporcional ao esforço empregado. A alavancagem operacional caracteriza-se quando, dado um determinado aumento de volume (do nível de atividade), a empresa obtém um aumento maior no lucro operacional.

> **Alavancagem operacional** *é a possibilidade de um acréscimo percentual, no lucro operacional, maior do que o percentual obtido com o aumento das vendas.*

Só existe possibilidade de alavancagem operacional quando há custos e despesas fixos. Portanto, a alavancagem operacional é um instrumento gerencial de otimização de gastos fixos, pelo aumento do volume. Quanto maior a incidência de gastos fixos, maior a possibilidade de alavancagem operacional.

A separação e classificação de custos entre *diretos* e *indiretos*, utilizada para fins de apuração do custo unitário dos produtos, não permite o estudo e identificação da alavancagem. Isso porque muitos custos diretos são fixos, bem como alguns custos indiretos podem ter características de variabilidade. Portanto, o estudo e a utilização do conceito de alavancagem operacional são possíveis apenas quando se separam os gastos pela sua natureza comportamental em relação ao volume (*fixos* e *variáveis*).

A separação dos custos e despesas em fixos e variáveis também possibilita a utilização de um conceito fundamental na gestão econômica, que é a *margem de contribuição*, unitária e total. Margem de contribuição é a diferença entre o preço de venda (ou das vendas) e os custos/despesas variáveis unitários (ou o total dos gastos variáveis). Esse conceito e sua instrumentalização serão estudados mais profundamente ao final do capítulo.

Relação entre Estrutura de Ativo e Alavancagem Operacional

A alavancagem operacional decorre de uma estrutura operacional montada para uma empresa ou unidade de negócio. Ou seja, deriva da montagem de uma estrutura de ativo para atender às operações necessárias para produzir e vender os produtos e serviços definidos.

A estrutura de ativos adotada conduz a uma estrutura de custos, ou seja, uma parcela de custos fixos e uma parcela de custos variáveis. A alavancagem operacional maior ou menor tem origem de uma estrutura de custos com maior ou menor incidência de custos fixos. Dessa maneira, fica configurada a relação entre estrutura de ativos e alavancagem operacional, já que a estrutura de ativos determina uma estrutura de custos, e a alavancagem operacional decorre da estrutura de custos configurada.

A estrutura de ativos se caracteriza pela composição de capital de giro e ativo fixo no ativo do empreendimento. Cada tipo de ativo se expressa em termos de custos e despesas na demonstração de resultados, de onde se origina a estrutura de custos.

Na Figura 5.4, fazemos uma apresentação esquemática dessa relação, exemplificando dois principais tipos de ativos e como eles se refletem em termos de custos na demonstração de resultados, evidenciando a relação entre estrutura de ativo e alavancagem operacional.

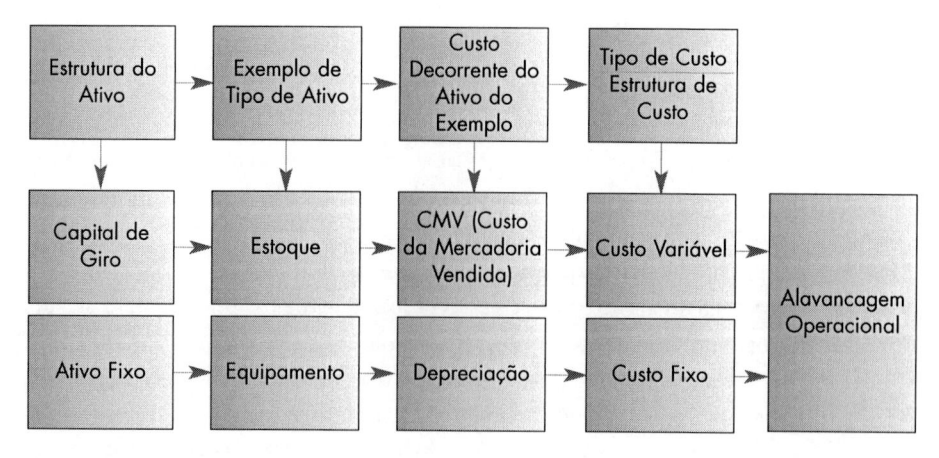

Figura 5.4 – Relacionamento entre Estrutura do Ativo e Alavancagem Operacional.

Grau de alavancagem operacional

Grau de alavancagem operacional é a medida da extensão da utilização dos custos e despesas fixos dentro da empresa. É um indicador que mede o potencial da possibilidade da alavancagem operacional. Pode ser medido pela seguinte fórmula:

$$\frac{\text{Margem de Contribuição Total}}{\text{Lucro Operacional}} = \text{Grau de Alavancagem Operacional (GAO)}$$

Em nosso exemplo numérico, o grau de alavancagem operacional da Opção 1 é 9,70, e o da Opção 2 é 5,05. Vejamos a Tabela 5.4 apresentada a seguir.

Tabela 5.4 – Demonstração de Resultados

	Opção 1		Opção 2	
	$	%	$	%
RECEITA TOTAL	40.000,00	100,00	40.000,00	100,00
(–) Custos Variáveis				
. Materiais	8.000,00	20,00%	24.400,00	61,00%
. Comissões	0,00	0,00%	6.000,00	15,00%
Total	8.000,00	20,00%	30.400,00	76,00%
Margem de Contribuição (1)	**32.000,00**	**80,00%**	**9.600,00**	**24,00%**
(–) Custos/Despesas Fixas (A+B+C)	28.700,00	71,75%	7.700,00	19,25%
Lucro Operacional (2)	**3.300,00**	**8,25%**	**1.900,00**	**4,75%**
GRAU DE ALAVANCAGEM OPERACIONAL (1:2)	9,70		5,05	

O fenômeno da alavancagem evidencia-se quando há aumento de volume. Dado um aumento de volume, quanto maior o grau de alavancagem operacional, maior será a variação do lucro operacional. A Tabela 5.5 exemplifica como o valor do lucro operacional reage em relação a um determinado aumento de vendas (que significa aumento por volume, não por preços).

Tabela 5.5 – Alavancagem Operacional – Demonstração de Resultados com 15% de Aumento no Volume

	Opção 1		Opção 2	
	$	Variação %	$	Variação %
RECEITA TOTAL	46.000,00	15,0%	46.000,00	15,0%
(–) Custos Variáveis				
. Materiais	9.200,00	15,0%	28.060,00	15,0%
. Comissões	0,00		6.900,00	
Total	9.200,00	15,0%	34.960,00	15,0%
Margem de Contribuição	**36.800,00**	**15,0%**	**11.040,00**	**15,0%**
(–) Custos/Despesas Fixas	28.700,00	0,0%	7.700,00	0,0%
Lucro Operacional	**8.100,00**	**145,5%**	**3.340,00**	**75,8%**
ATIVO TOTAL	251.000,00		116.533,33	
Rentabilidade do Ativo (Anualizada)	**38,7%**	**145,5%**	**34,4%**	**75,8%**

Um aumento de 15% no volume aumenta na mesma proporção as vendas, os custos variáveis e a margem de contribuição. Os custos fixos, pela sua própria natureza, não têm aumento. Portanto, o lucro operacional tem um aumento muito maior que o aumento do volume.

No caso da Opção 1, um aumento de 15% no volume de vendas ocasionou um aumento de 145,5% no lucro operacional, em relação à situação anterior.

$$\frac{\textit{Lucro operacional com aumento de 15\% nas vendas}}{\textit{Lucro operacional anterior}} = \frac{\$\ 8.100,00}{\$\ 3.300,00} = 145,5\%$$

Na Opção 2, devido a um menor grau de alavancagem operacional, a reação do lucro operacional em termos percentuais foi menor, de apenas 75,8%.

$$\frac{\textit{Lucro operacional com aumento de 15\% nas vendas}}{\textit{Lucro operacional anterior}} = \frac{\$\ 3.340,00}{\$\ 1.900,00} = +\ 75,8\%$$

A variação percentual do lucro operacional, dado um aumento de vendas, pode também ser obtida de forma direta, utilizando-se o grau de alavancagem operacional (GAO), de acordo com a seguinte fórmula:

> *Variação Percentual do Lucro = GAO x Variação Percentual das Vendas*

Comprovando:
Opção 1:
GAO x variação % vendas = variação % do lucro operacional
9,70 x 15%   = 145,5%

Opção 2:
GAO x variação % vendas = variação % do lucro operacional
5,05 x 15%   = 75,8%

Risco Operacional

Toda estrutura de alavancagem tem a sua contrapartida, que é a possibilidade de ocorrência do risco. No caso da alavancagem operacional, o seu oposto é o risco operacional. Risco pode ser definido como a possibilidade de o retorno real se desviar do retorno esperado. Em outras palavras, a probabilidade de perder ou não ganhar.

Toda empresa tem seu risco. Um dos componentes fundamentais do risco da empresa é o risco operacional, que decorre da adoção de uma determinada estrutura do ativo. Uma estrutura de ativo está ligada ao volume e aos preços esperados, bem como à estrutura de custos decorrente da composição do ativo.

Evidencia-se a ocorrência do risco operacional quando, ao invés do aumento do volume, ocorre a diminuição do volume esperado. Portanto, o risco é o fenômeno contrário ao da alavancagem. A alavancagem operacional acontece quando aumenta-se o volume e não há aumento dos gastos com os custos e despesas fixos. *O risco operacional acontece quando há uma redução do volume e não há possibilidade de reduzir os gastos com os custos e despesas fixos.*

A resposta do lucro operacional é na proporção do grau de alavancagem operacional. Portanto, uma redução do volume significa uma alavancagem negativa, e o lucro decresce na mesma proporção do grau de alavancagem. A Tabela 5.6 apresenta o mesmo exemplo anterior, mas em uma situação de diminuição de 15% no volume.

O exemplo numérico deixa claro que o lucro operacional diminuiu na mesma proporção do grau de alavancagem. Uma redução de 15% no volume ocasionou uma redução de 145,5% no lucro operacional da Opção 1 (que resultou em prejuízo). A Opção 2, por ter menos custos fixos, teve uma redução menor, de –75,8%.

Tabela 5.6 – Risco Operacional – Demonstração de Resultados com 15% de Diminuição no Volume

	Opção 1		Opção 2	
	$	Variação %	$	Variação %
RECEITA TOTAL	34.000,00	−15,0%	34.000,00	−15,0%
(−) Custos Variáveis				
. Materiais	6.800,00	−15,0%	20.740,00	−15,0%
. Comissões	0,00		5.100,00	
Total	6.800,00	−15,0%	25.840,00	−15,0%
Margem de Contribuição	27.200,00	−15,0%	8.160,00	−15,0%
(−) Custos/Despesas Fixas	28.700,00	0,0%	7.700,00	0,0%
Lucro Operacional (Prejuízo)	(1.500,00)	−145,5%	460,00	−75,8%
ATIVO TOTAL	251.000,00		116.533,33	
Rentabilidade do Ativo (Anualizada)	−7,2%	−145,5%	4,7%	−75,8%

Podemos concluir este tópico da seguinte maneira:

- quanto mais custos fixos na estrutura de custos, maior grau de alavancagem operacional;
- maior grau de alavancagem operacional produz lucros melhores em situação de aumento da demanda, já que não há aumento dos custos fixos;
- maior grau de alavancagem operacional leva a lucros menores (até a prejuízo) em situação de redução da demanda, já que não há diminuição dos custos fixos.

Existe Grau de Alavancagem Operacional Ideal?

Não existe grau de alavancagem ideal. Tampouco é possível dizer que um determinado índice de GAO, analisado isoladamente, significa uma empresa bastante ou pouco alavancada. O GAO só tem duas validades:

- permite comparar duas estruturas de custos, evidenciando que a estrutura com maior GAO é mais alavancada;
- permite calcular imediatamente qual será a variação do lucro operacional, dado uma variação percentual esperada no volume de vendas.

Outra utilização possível do GAO seria comparar qual o GAO da empresa em relação ao GAO médio do setor em que ela atua. Porém, o que realmente determina o GAO de uma empresa é a sua decisão de como estruturar o ativo, conforme demonstramos no modelo de decisão apresentado na Figura 5.1.

Nas decisões que a empresa toma e que conduzem a uma determinada estrutura do ativo, há o componente denominado *grau de aversão ao risco*. Cada empresa tem a sua cultura, e, dentro dessa cultura, cria-se um determinado e específico comportamento diante do risco. Algumas empresas tendem a ser mais arrojadas, e, normalmente, optam por estruturas mais arriscadas (mais custos e despesas fixas). Outras empresas têm uma cultura mais conservadora e preferem uma estrutura com mais custos e despesas variáveis, e, portanto, com menor grau de exposição ao risco.

Modelo de Decisão da Margem de Contribuição

A determinação da estrutura do ativo conduz, como já vimos, a uma estrutura de custos. Os custos, por sua vez, podem, essencialmente, ser fixos ou variáveis. A separação desses custos é fundamental para o cálculo do custo unitário dos produtos e, consequentemente, a análise de rentabilidade destes. Assim, o estudo da estrutura do ativo conduz ao estudo dos tipos de custos e aos modelos decisórios baseados nos métodos de custeio.

O método de custeio recomendado decisorialmente é o método do custeio variável, também às vezes denominado, inadequadamente, *custeio direto*. Podemos dizer que todos os custos variáveis são custos diretos aos produtos, mas nem todos os custos diretos aos produtos são variáveis, pois podemos ter custos diretos fixos.

> *O modelo de decisão da margem de contribuição é o modelo decisório fundamental para gestão dos resultados da empresa, seja em termos de rentabilidade dos produtos, atividades, áreas de responsabilidade, divisões, unidades de negócios ou da empresa como um todo.*

Principais Conceitos do Método de Custeio Variável/Direto

O conceito de análise comportamental de custos, separando-os em custos fixos e variáveis, possibilita uma expansão das possibilidades de análise dos gastos e receitas da empresa, em relação aos volumes produzidos ou vendidos, determinando pontos importantes para fundamentar futuras decisões de aumento ou diminuição dos volumes de produção, corte ou manutenção de produtos existentes, mudanças no mix de produção, incorporação de novos produtos ou quantidades adicionais etc.

Esse ferramental de análise econômica é normalmente denominado *análise de custo/volume/lucro* e conduz a três importantes conceitos: margem de contribuição, ponto de equilíbrio e alavancagem operacional. Esses conceitos podem ser agrupados em um único modelo decisório, que denominamos *modelo de decisão da margem de contribuição*.

Essencialmente, classificam-se de duas maneiras os custos e despesas:
- quanto ao objeto a ser custeado: custos diretos e indiretos;
- quanto ao volume de produção ou venda: custos fixos e variáveis.

Denomina-se *comportamento de custo* a evolução do valor dos custos fixos e variáveis em relação ao volume de atividade.

Custos Diretos

Custos diretos são os custos que podem ser fisicamente identificados para um segmento particular sob consideração. Assim, se o que está sob consideração é uma linha de produtos, os materiais e a mão de obra envolvidos na sua manufatura são ambos custos diretos.

Dessa forma, relacionando-os com os produtos finais, os custos diretos são os gastos industriais que podem ser alocados direta e objetivamente aos produtos. Podem ser fixos ou variáveis.

Custos Indiretos

São os gastos industriais que não podem ser alocados de forma direta ou objetiva aos produtos ou a outro segmento ou atividade operacional, e, caso sejam atribuídos aos produtos, serviços ou departamentos, será por meio de critérios de distribuição (rateio, alocação e apropriação são outros termos utilizados). São também denominados *custos comuns*. Podem ser fixos ou variáveis.

Custos Fixos

Apesar da possibilidade de classificarmos uma série de gastos como custos fixos, é importante ressaltar que qualquer custo é sujeito a mudanças. Mas os custos que tendem a se manter constantes nas alterações do volume das atividades operacionais são tidos como custos fixos. De um modo geral, são custos e despesas necessários para manter um nível mínimo de atividade operacional, por isso são também denominados *custos de capacidade*.

Apesar de ser conceitualmente fixos, tais custos podem aumentar ou diminuir em função da capacidade ou do intervalo de produção. Assim, os custos são fixos dentro de um intervalo relevante de produção ou venda, e podem variar se os aumentos ou diminuições de volume forem significativos.

Custos Variáveis

São assim chamados os custos e despesas cujo montante em unidades monetárias varia na proporção direta das variações do nível de atividades. É importante salientar que a variabilidade de um custo existe em relação a um denominador específico. Dessa forma, é importante ressaltar a diferença entre custo variável e custo direto.

Um custo é variável se realmente acompanha a proporção da atividade com que é relacionado. Um custo direto é aquele que se pode medir em relação a essa atividade ou ao produto. Assim, a mão de obra direta, quando contratada para determinado volume de produção, é fixa em relação a esse volume, mas é direta em relação ao produto, uma vez que podemos medir os esforços feitos para cada unidade de produto.

Análise Gráfica do Comportamento dos Custos

Exemplo: Materiais Diretos

Volume de Produção Quantidade	Valor Gasto $
–	–
200	4.000
400	8.000
600	12.000
800	16.000
1.000	20.000

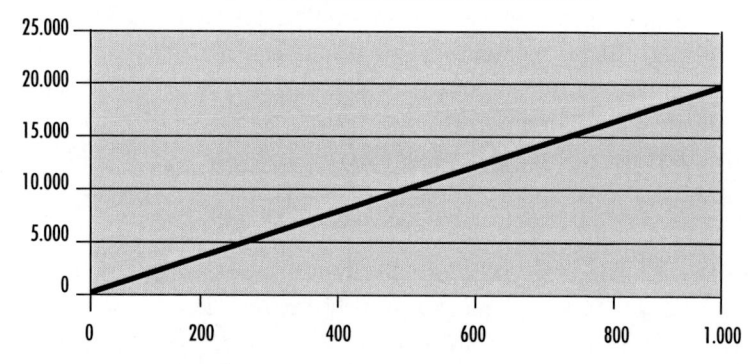

Figura 5.5 – Custo Variável.

Exemplo: Prestação de *Leasing*

Volume de Produção Quantidade	Valor Gasto $
–	2.000
200	2.000
400	2.000
600	2.000
800	2.000
1.000	2.000

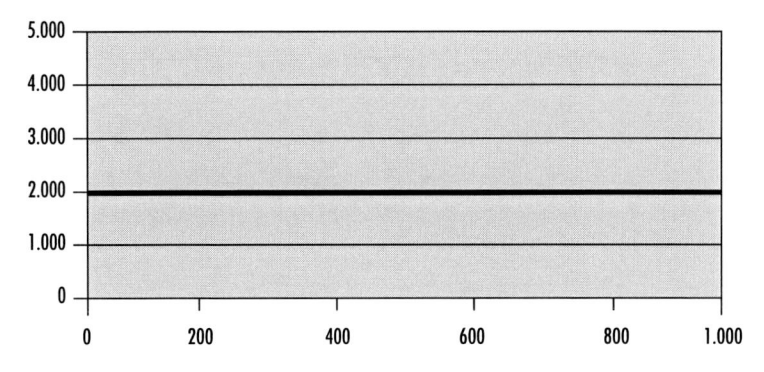

Figura 5.6 – Custo Fixo.

Exemplo: Materiais Auxiliares	
Volume de Produção	Valor Gasto
Quantidade	$
–	–
200	700
400	880
600	1.050
800	1.200
1.000	1.320

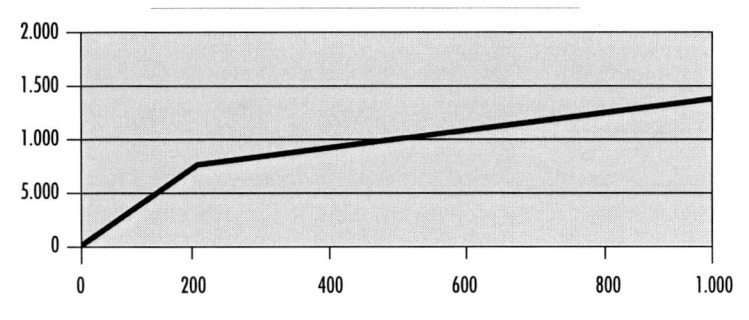

Figura 5.7 – Custo Semivariável.

Exemplo: Energia Elétrica	
Volume de Produção	Valor Gasto
Quantidade	$
–	300
200	700
400	1.100
600	1.500
800	1.900
1.000	2.300

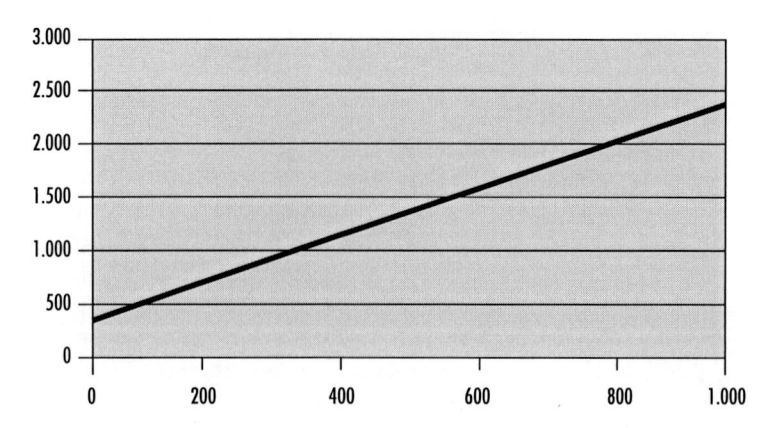

Figura 5.8 – Custo Semifixo.

Custos Fixos, Capacidade de Produção e Intervalo Relevante

Sabemos que os custos fixos conceitualmente não variam em relação ao volume produzido ou vendido. Porém, não podemos esquecer que os custos fixos estão também relacionamos à capacidade de produção ou venda, ou seja, de um modo geral eles acontecem ou são fixados considerando-se um intervalo de produção ou venda.

Exemplificando novamente com as despesas de aluguéis: a empresa aluga um imóvel para produzir e vender determinado produto. Esse imóvel é suficiente para abrigar um volume de produção e um número de funcionários que variam dentro de um intervalo quantitativo. Caso haja necessidade de expansão, haverá necessidade de um outro imóvel, que terá um outro aluguel. Assim, o custo fixo de aluguel será alterado, mudando para outro patamar de custo fixo. Conceitualmente, continuará como custo fixo, mas dentro de um novo valor, de um novo patamar. Denominamos isso *intervalo relevante*. Vejamos como fica o gráfico de custo fixo dentro de intervalos relevantes:

Exemplo: Aluguéis de Imóveis	
Volume de Produção Quantidade	Valor Gasto $
0	2.000
200	2.000
400	4.000
600	4.000
800	6.000
1.000	6.000

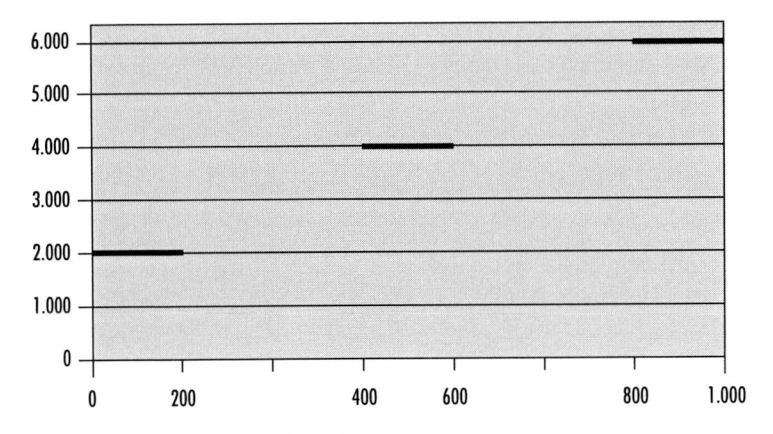

Figura 5.9 – Custo Fixo e Intervalo Relevante.

Margem de Contribuição

Representa o lucro variável. É a diferença entre o preço de venda unitário do produto ou serviço e os custos e despesas variáveis por unidade de produto ou serviço. Significa que em cada unidade vendida a empresa lucrará determinado valor. Multiplicado pelo total vendido, teremos a margem de contribuição total do produto para a empresa.

Ponto de Equilíbrio

Evidencia, em termos quantitativos, qual é o volume que a empresa precisa produzir ou vender para que consiga pagar todos os custos e despesas fixos, além dos custos e despesas variáveis que ela tem necessariamente que incorrer para fabricar/vender o produto. No ponto de equilíbrio, não há lucro ou prejuízo. A partir de volumes adicionais de produção ou venda, a empresa passa a ter lucros.

A informação do ponto de equilíbrio da empresa, tanto do total global como por produto individual, é importante porque identifica o nível mínimo de atividade em que a empresa ou cada divisão deve operar.

Margem de Contribuição Unitária e Ponto de Equilíbrio por Produto ou Divisão

A partir do momento em que há o custeamento variável/direto para cada produto da empresa, além de uma boa identificação dos custos e despesas fixos de cada um deles, é possível construir o ponto de equilíbrio de cada produto. O mesmo acontece com os dados das divisões.

Margem de Contribuição

Margem de contribuição é a margem bruta obtida pela venda de um produto ou serviço que excede seus custos variáveis unitários. Em outras palavras, a margem de contribuição é o mesmo que o lucro variável unitário, ou seja, preço de venda unitário do produto deduzido dos custos e despesas variáveis necessários para produzir e vender o produto.

Usando o mesmo exemplo conceitual, temos:

Custos e despesas variáveis – Produto A

	$
Matéria-prima e materiais diretos	460,00
Materiais indiretos variáveis	36,00
Mão-de-obra direta	200,00
Comissões – 12% de $ 1.700,00 (preço de venda unitário)	204,00
Total do Custo Variável	900,00

Produto A		
Preço de Venda Unitário	$ 1.700,00	100,00%
Custo Variável Unitário	900,00	52,94%
Margem de Contribuição Unitária	800,00	47,06%

Isso significa que, a cada unidade vendida de Produto A, a empresa recebe um lucro unitário de $ 900,00. É a contribuição unitária que o Produto A dá para a empresa, para cobrir todos os custos e despesas fixos (custos de capacidade) e também propiciar a margem de lucratividade desejada.

No custeamento variável, os custos e despesas fixos são considerados custos periódicos, e não custos do produto. Nesse conceito, não há necessidade de adicionar os custos e as despesas fixos ao custeamento unitário do produto, devendo esses gastos ser tratados de forma global, apenas na demonstração de resultados do período.

O exemplo anterior evidencia dois importantes conceitos de margem de contribuição:

- o conceito de margem de contribuição unitária, em valor;
- o conceito de margem de contribuição percentual.

Modelo de Decisão – Um Único Produto

O modelo de decisão da margem de contribuição se expressa em uma demonstração de resultados, em que necessariamente devem ser incorporados os dados quantitativos (que representam os volumes de produção, venda ou o nível de atividade) e os preços unitários. A Tabela 5.7 apresenta o modelo de decisão da margem de contribuição para um volume de atividade de mil unidades anuais de produção e vendas do Produto A.

Tabela 5.7 – Modelo de Decisão de Margem de Contribuição: Único Produto – Demonstração de Resultados do Período

	Quantidade	Preço Unitário – $	Total - $
Vendas	1.000	1.700,00	1.700.000
Custos e Despesas Variáveis	1.000	900,00	900.000
Margem de Contribuição	**1.000**	**800,00**	**800.000**
Custos e Despesas Fixas do Ano			560.000
Lucro Operacional Total			**240.000**

Margem de Contribuição e Volume de Produção/Vendas

Partindo do pressuposto de que a venda de cada unidade de produto propicia uma contribuição unitária para cobrir os custos e despesas fixos e possibilitar valores de lucro, podemos fazer uma simulação de como seria o lucro líquido em algumas situações de quantidade vendida:

Tabela 5.8 – Margem de Contribuição e Volume de Produção/Vendas

	Dados Unitários	Quantidade Produzida/Vendida			
		1	2	700	701
Vendas	1.700,00	1.700	3.400	1.190.000	1.191.700
Custos e Despesas Variáveis	(900,00)	(900)	(1.800)	(630.000)	(630.900)
Margem de Contribuição	*800,00*	800	1.600	560.000	560.800
Custos e Despesas Fixos do Ano		(560.000)	(560.000)	(560.000)	(560.000)
Resultado Operacional Total		**(559.200)**	**(558.400)**	**0**	**800**

Ao vender 700 unidades, a empresa tem um resultado líquido igual a zero. Denominamos essa situação de *estrutura de equilíbrio*, ou *ponto de equilíbrio das vendas*. Estudaremos esse conceito a seguir com mais detalhes.

Ponto de Equilíbrio (*Break-Even Point*)

Denominamos *ponto de equilíbrio* o volume de atividade operacional em que o total da margem de contribuição da quantidade vendida/produzida se iguala aos custos e despesas fixos. Em outras palavras, o ponto de equilíbrio mostra o nível de atividade ou volume operacional quando a receita total das vendas se iguala ao somatório dos custos variáveis totais mais os custos e despesas fixos. Assim, o ponto de equilíbrio evidencia os parâmetros que mostram a capacidade mínima em que a empresa deve operar para não ter prejuízo, mesmo que à custa de um lucro zero. O ponto de equilíbrio é também denominado *ponto de ruptura* (*break-even point*).

Ponto de Equilíbrio e Gestão de Curto Prazo

O conceito de ponto de equilíbrio também é um conceito para a gestão de curto prazo da empresa. É importante ressaltar esse enfoque. Isso é claro porque o ponto de equilíbrio mostra o ponto mínimo onde a empresa pode operar tendo lucro zero. Nesse ponto mínimo de capacidade de operação, a empresa consegue cobrir os custos variáveis das unidades vendidas ou produzidas, e também cobrir todos os custos de capacidade, os custos fixos.

Nessa linha de pensamento, fica evidente que é uma técnica para utilização em gestão de curto prazo, porque não se pode pensar em planejamento de longo prazo para uma empresa que não dê resultado positivo e não remunere os detentores de suas fontes de recursos.

Equação e Cálculo do Ponto de Equilíbrio

Como o ponto de equilíbrio conceitua o ponto em que o lucro líquido é igual a zero, é fácil determinar sua equação, em uma determinada quantidade, utilizando-se os dados restantes da análise da margem de contribuição. Assim, a **equação** do ponto de equilíbrio é desenvolvida a partir das seguintes premissas:

Vendas = Custos Variáveis + Custos Fixos + Lucros

Como se busca um ponto em que os lucros serão iguais a **zero**, a equação fica assim:

Vendas = Custos Variáveis + Custos Fixos

Ponto de Equilíbrio em Quantidade

Objetiva determinar a quantidade mínima que a empresa deve produzir e vender. Abaixo dessa quantidade de produção e vendas, seguramente a empresa estará operando com prejuízo.

Partindo da equação mostrada anteriormente, a fórmula do ponto de equilíbrio em quantidade é a seguinte:

$$\text{Ponto de Equilíbrio em Quantidade} = \frac{\text{Custos Fixos Totais}}{\text{Margem de Contribuição Unitária}}$$

Demonstração da Fórmula

Partindo da equação que fundamenta o ponto de equilíbrio, vamos demonstrar sua fórmula:

> Vendas = Custos Variáveis + Custos Fixos

Vendas = Preço de Venda Unitário (**PV**) x Quantidade vendida no PE (**Q**)
Custos Variáveis = Custo Variável Unitário (**CV**) x Quantidade no PE (**Q**)
Custos Fixos = Total em Reais dos Custos e Despesas Fixos (**CF**)
Margem de Contribuição (**MC**) = Preço de Venda – Custo Variável

$$MC = PV - CV$$

Assim, temos:
Equação do ponto de equilíbrio, considerando dados unitários:

$$\underbrace{\frac{PV \times Q}{Vendas}} = \underbrace{\frac{CV \times Q}{Custos\ Variáveis}} + \underbrace{\frac{CF}{Custos\ Fixos}}$$

$$PV \times Q = CV \times Q + CF$$
$$(PV \times Q) - (CV \times Q) = CF$$

Como PV – CV = MC (Margem de Contribuição Unitária), substituímos assim:

$$MC \times Q = CF$$

Portanto, a quantidade no Ponto de Equilíbrio é:

$$PE\ (Q) = \frac{MC}{CF}$$

Em nosso exemplo introdutório:

$$\text{Ponto de Equilíbrio em Quantidade} = \frac{\$\ 560.000}{\$\ 800,00\ [\$\ 1.700,00\ (-)\ \$\ 900,00]} =$$

PE em quantidade = *700 unidades*

Ponto de Equilíbrio em Valor

Em determinadas situações, notadamente quando o leque de produtos é muito grande e há dificuldades de se obter o mix ideal de produtos e suas quantidades no ponto de equilíbrio, além de dificuldades em identificar os custos e as despesas fixos para cada produto, temos que nos valer de uma informação de caráter global expressa em denominador monetário. Assim, traduzimos o ponto de equilíbrio em valor de vendas – ou seja, qual o valor mínimo de vendas para que a empresa não tenha prejuízo e obtenha lucro zero.

Para esse cálculo, precisamos conhecer a margem de contribuição em percentual sobre o preço de venda.

Margem de contribuição percentual:

Preço de venda unitário	$ 1.700,00	100,00
Margem de contribuição unitária	$ 800,00	47,06%

Fórmula:

$$\text{Ponto de Equilíbrio em Valor} = \frac{\text{Custos Fixos Totais}}{\text{Margem de Contribuição Percentual}}$$

Em nosso exemplo introdutório:

$$\text{Ponto de Equilíbrio em Valor} = \frac{\$\ 560.000}{0,4706\ (47,06\% : 100)} =$$

PE em valor = $ 1.190.000 (aproximação do resultado matemático de $ 1.189.970)

Em nosso exemplo, o valor mínimo que a empresa necessita vender para cobrir todos os seus custos fixos e variáveis é $ 1.190.000.

Podemos confirmar o cálculo do ponto de equilíbrio em valor, multiplicando a quantidade obtida no ponto de equilíbrio em quantidade pelo preço unitário de venda.

PE em quantidade = 700 unidades (A)
Preço de venda unitário = $ 1.700,00 (B)
PE em valor = $ 1.190.000 (A x B)

Metas de Ponto de Equilíbrio

Em algumas situações se faz necessário um estudo de ponto de equilíbrio, principalmente em valor, para evidenciar alguma situação desejada, ou mesmo um cálculo rápido que mostre o mínimo de atividade em que a empresa pode atuar em determinadas situações não habituais.

Basicamente, as diversas variantes de cálculo de metas de ponto de equilíbrio são elaboradas com a retirada de alguns custos e despesas fixos da fórmula de cálculo, ou da introdução de valores mínimos de lucro que se imagina colocar como meta. Dão-se nomes diversos para os pontos de equilíbrio encontrados nessas situações. Veremos a seguir algumas delas.

Ponto de Equilíbrio Operacional

Denominamos *ponto de equilíbrio operacional* a quantidade de vendas que deve ser efetuada para cobrir todos os custos e despesas fixos, deixando de lado os aspectos financeiros e não operacionais. Portanto, o ponto de equilíbrio operacional considera os seguintes dados:

- receitas de vendas (ou da produção a preços de venda);
- custos variáveis – obtidos do custo dos produtos vendidos/produzidos;

- despesas variáveis – obtidas das despesas operacionais (administrativas e de vendas);
- custos fixos – obtidos do custo dos produtos vendidos/produzidos;
- despesas fixas – obtidas das despesas operacionais.

Ponto de Equilíbrio Econômico

Para este cálculo, incluiremos as despesas e receitas financeiras, mais os efeitos monetários, tratados como despesas fixas. Obteremos, assim, o valor da receita mínima que gera lucro zero, mas que cobre todos os gastos operacionais e financeiros e os efeitos da inflação nos ativos e passivos monetários.

Ponto de Equilíbrio Financeiro

Trata-se de uma variante do ponto de equilíbrio econômico, excluindo-se apenas a depreciação, pois momentaneamente ela é uma despesa não desembolsável. É importante em situações de eventuais reduções da capacidade de pagamento da empresa.

Ponto de Equilíbrio Meta

É outra variante do ponto de equilíbrio em valor, adicionando-se aos custos e despesas fixos e aos efeitos financeiros e monetários um montante de lucro mínimo que a empresa entende ser obrigatório.

Análise Gráfica do Ponto de Equilíbrio

Extremamente interessante e importante é colocarmos em um gráfico os dados que formam o ponto de equilíbrio. No eixo **X** serão indicados os dados de volume, e no eixo **Y**, os dados de valor. Colocaremos graficamente as retas de valor das vendas e as retas de custos fixos e variáveis, conforme havíamos introduzido no tópico onde analisamos graficamente o comportamento dos custos.

Como Construir o Gráfico

a) Faça a linha paralela ao eixo **X** do volume (quantidade) com o valor dos custos fixos totais.
b) Pegue um volume de vendas (no caso, mil unidades) e encontre o total de custos fixos mais custos variáveis para essa quantidade. Trace a reta partindo da intersecção da reta paralela ao eixo **X**, conseguida no item *a* (o ponto onde a reta dos custos fixos encontra o eixo **Y**).
c) Trace a reta de vendas totais, partindo do ponto **O** até um volume em reais, multiplicando a quantidade pelo preço de venda (no caso, o Preço de Venda x 1.000 Unidades).

Com isso, na intersecção da reta dos custos totais com a reta das vendas totais, teremos graficamente representado o ponto de equilíbrio. Abaixo do ponto de equilíbrio, encontra-se a área de prejuízo, e acima dele, a área de lucros.

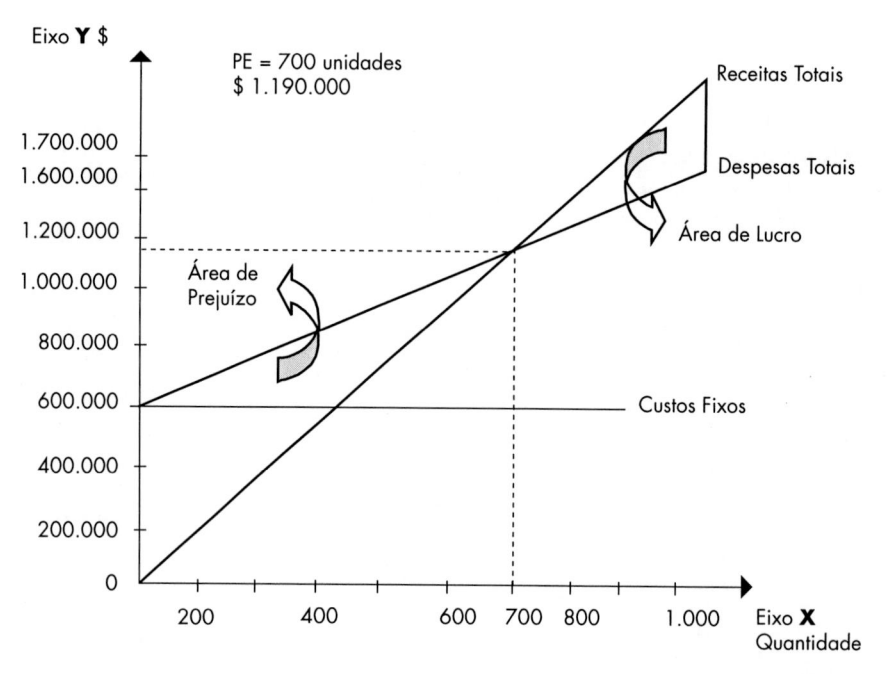

Figura 5.10 – Gráfico do Ponto de Equilíbrio.

Ponto de Equilíbrio em Quantidade para Múltiplos Produtos

Este é um dos assuntos mais complexos da análise custo/volume/lucro. Já vimos que o ponto de equilíbrio em valor é um critério de margem de contribuição média, por meio da margem de contribuição percentual, e é um dos procedimentos mais utilizados para se encontrar o valor das vendas no ponto de equilíbrio. Contudo, há dificuldades para se encontrar o ponto de equilíbrio em quantidade para mais de um produto.

Outra consideração necessária é que o ponto de equilíbrio em quantidade para mais de um produto só tem sentido se a unidade de medida de quantidade de produção e vendas for a mesma para todos os produtos, além de os produtos serem relativamente homogêneos. Apresentamos a seguir um modelo para determinação do ponto de equilíbrio em quantidade para três produtos: Produto 1, Produto 2 e Produto 3. A empresa tem custos fixos comuns de $ 488.000, e os dados unitários apresentados a seguir. Vamos assumir que o mix atual será o mesmo no ponto de equilíbrio.

	Dados Unitários			
	Preço de Venda	Custo Variável	Margem de Contribuição	Quantidade de Vendas Esperadas
Produto 1	6	4	2	62.500 unidades
Produto 2	7	3	4	75.000 unidades
Produto 3	8	5	3	112.500 unidades
Custos Fixos Comuns = $ 488.000				

Calcula-se primeiro a participação dos produtos no total de quantidades produzidas, obtendo-se o mix em percentual. Em seguida, aplica-se o percentual obtido nas margens de contribuição unitárias, obtendo-se uma margem de contribuição unitária média. Com isso, podemos utilizar a equação do ponto de equilíbrio em quantidade.

	Mix de Quantidades	Em Percentual
Produto 1	62.500	25%
Produto 2	75.000	30%
Produto 3	112.500	45%
Total	250.000	100%

Aplicando os percentuais do mix na margem de contribuição unitária, obteremos uma margem de contribuição unitária média.

Produto 1		Produto 2		Produto 3		
(0,25 x $ 2)	+	(0,30 x $ 4)	+	(0,45 x $ 3)	=	
= 0,50	+	1,20	+	1,35	=	$ 3,05

$$\text{PE em quantidade} = \frac{\$\ 488.000}{\$\ 3{,}05} = 160.000 \text{ unidades}$$

Margem de Segurança

Margem de segurança pode ser definida como o volume de vendas que excede as vendas calculadas no ponto de equilíbrio. O volume de vendas excedente para analisar a margem de segurança pode ser tanto o valor das vendas orçadas como o valor real das vendas.

Equacionando:

Margem de segurança (MS) = Vendas reais/orçadas (–) Vendas no PE

Em nosso exemplo:
MS = 1.700.000 (–) 1.190.000
MS = 510.000

Percentual da margem de segurança

$$\text{Percentual da MS} = \frac{\text{MS em valor}}{\text{Vendas totais}}$$

Em nosso exemplo:

$$\text{Percentual da MS} = \frac{510.000}{1.700.000}$$

Percentual da MS =   30%

Modelo de Decisão da Margem de Contribuição – Vários Produtos

Dificilmente uma empresa produz e vende um único produto ou serviço. Portanto, é necessário construir um modelo de decisão de margem de contribuição para múltiplos produtos e serviços. Ele deve conter também os mesmos elementos fundamentais do modelo básico: os volumes e os dados unitários, no formato de demonstração de resultados de um período, conforme demonstrado a seguir.

Tabela 5.9 – Modelo de Decisão de Margem de Contribuição – Múltiplos Produtos

	Produto A	Produto B	Produto N	
Quantidade	625	250	N	
Preço de Venda – Unitário	1.700,00	3.750,00	N	
Custos Variáveis – Unitários	696,00	1.512,00	N	
Despesas Variáveis – Unitárias	204,00	450,00	N	
Margem de Contribuição – Unitária	800,00	1.788,00	N	Total
Vendas Totais	1.062.500	937.500		2.000.000
Custos Variáveis Totais	(435.000)	(378.000)		(813.000)
Despesas Variáveis Totais	(127.500)	(112.500)		(240.000)
Margem de Contribuição Total	500.000	447.000	0	947.000
Margem de Contribuição Percentual	47,1%	47,7%		47,4%
(–) Custos e Despesas Fixos Totais				(560.000)
Lucro Operacional Total				**387.000**
Margem Operacional Percentual				19,4%
Participação dos Produtos na Margem de Contribuição Total	52,8%	47,2%		100%

Utilização do Modelo de Decisão da Margem de Contribuição para Maximização do Lucro

Todos os componentes do modelo poderão ser trabalhados de forma a alavancar o resultado líquido total da empresa. Cada um deles permite ao administrador financeiro um estudo aprofundado e políticas estruturadas ou aplicações momentâneas, possibilitando alterações de forma a aumentar o lucro da companhia.

Repassemos os fatores que afetam o estudo da margem de contribuição e a alavancagem operacional:

1. preços dos produtos;
2. quantidade vendida/produzida, ou nível de atividade;
3. custos variáveis por unidade;
4. total dos custos fixos;
5. mix dos produtos vendidos;
6. produtividade.

Alterações em qualquer uma das variáveis do modelo provocarão alterações no resultado líquido da companhia, para mais ou para menos. O parâmetro decisório sugerido pelo modelo é econômico, mensurado pelo resultado total da empresa. Comparando o resultado obtido de um curso alternativo de ação com o resultado total anterior, a decisão será pelo resultado maior.

Sabemos que uma decisão empresarial não necessariamente tem que ser decidida apenas pelo resultado econômico. Outras variáveis podem ser consideradas, e, em determinados momentos, elas podem até ter mais significância que o resultado econômico. Variáveis como qualidade, concorrência, participação no mercado, novos mercados, tecnologias emergentes etc. poderão fazer com que a decisão não se paute exclusivamente pelo resultado econômico.

O modelo de decisão da margem de contribuição é um modelo de mensuração econômica e é o modelo indicado para esse aspecto da decisão.

Exemplo de Utilização do Modelo e suas Variáveis

Após pesquisa de mercado, a empresa identificou a possibilidade de lançar um produto de preço e funções intermediárias entre o Produto A e o Produto B, capaz de trazer um maior valor agregado. Esse novo produto, Produto C, pode ser vendido por $ 2.500,00, desde que o Produto A seja vendido a um preço 10% inferior ao atual, para que o cliente perceba diferença de valor. A comissão sobre vendas é a mesma dos demais produtos: 12% do preço de venda unitário.

A empresa imagina que deixará de vender 250 unidades do Produto A e que venderá 230 unidades do novo Produto C. O custo variável unitário do Produto C é 30% maior que o do produto A. Para efetivar essa modificação do mix de venda dos produtos, a empresa necessitará incorrer em $ 30.000 de despesas fixas anuais de publicidade.

Observe que esse exemplo provoca alterações em todas as variáveis:

- altera-se o preço do Produto A;
- altera-se a quantidade vendida do Produto A e incorpora-se quantidade do Produto C;
- incorpora-se o custo variável do Produto C e altera-se a despesa variável do Produto A, já que a redução em seu preço causa redução também da comissão unitária;
- os gastos fixos são alterados, pois há um aumento de $ 30.000;
- a produtividade é alterada, pois haverá diminuição da quantidade de produto final, já que serão trocadas 250 unidades do Produto A por 230 do Produto C.

Apresentamos as variáveis modificadas e seus respectivos cálculos:

- Novo preço de venda unitário do Produto A = $ 1.530,00 ($ 1.700,00 − 10%).
- Comissão (despesa variável) do Produto A = $ 183,60 (12% x $ 1.530,00).
- Comissão (despesa variável) do Produto C = $ 300,00 (12% x $ 2.500,00).
- Custo variável do Produto C = $ 904,80 ($ 696,00 x 1,30).
- Nova quantidade do Produto A = 375 unidades (625 − 250).
- Novo total de custos e despesas fixos = $ 590.000 ($ 560.000 = $ 30.000).

Tabela 5.10 – Utilização do Modelo de Decisão de Margem de Contribuição

	Produto A	Produto B	Produto N	
Quantidade	375	250	230	
Preço de Venda – Unitário	1.530,00	3.750,00	2.500,00	
Custos Variáveis – Unitários	696,00	1.512,00	904,80	
Despesas Variáveis – Unitárias	183,60	450,00	300,00	
Margem de Contribuição – Unitária	650,40	1.788,00	1.295,20	Total
Vendas Totais	573.750	937.500	575.000	2.086.250
Custos Variáveis Totais	(261.000)	(378.000)	(208.104)	(847.104)
Despesas Variáveis Totais	(68.850)	(112.500)	(69.000)	(250.350)
Margem de Contribuição Total	243.900	447.000	297.896	988.796
Margem de Contribuição Percentual	42,5%	47,7%	51,8%	47,4%
(−) Custos e Despesas Fixas Totais				(590.000)
Lucro Operacional Total				**398.796**
Margem Operacional Percentual				19,1%
Participação dos Produtos na Margem de Contribuição Total	24,7%	45,2%	30,1%	100%

Os dados levantados dentro do modelo evidenciam informações importantes, comparando-se com os dados constantes do modelo inicial com apenas dois produtos:

- A nova alternativa propiciou aumento da receita total de vendas, de $ 2.000.000 para $ 2.086.250.
- O novo mix não alterou significativamente a margem de contribuição percentual média da empresa, que continuou em 47,4%.
- A margem de contribuição do Produto A diminuiu de 47,1% para 42,5%, pois houve redução de 10% no preço de venda unitário.
- O novo Produto C traz um valor agregado maior, evidenciado pela maior margem de contribuição percentual, que é de 51,8% – a maior dos três produtos.
- Os custos fixos aumentaram, mas a margem de contribuição total com o novo mix e o novo produto é maior, resultando em um lucro operacional total maior, de $ 387.000 para $ 398.796.
- A margem operacional percentual total média diminuiu de 19,4% para 19,1%. Esse dado, que analisado isoladamente é ruim, não deve ser considerado relevante, pois o *valor absoluto* do lucro operacional total aumentou. Como nas premissas não houve investimentos em ativos imobilizados, a rentabilidade dos ativos aumentou.
- Pelos dados evidenciados no modelo decisório, essa alternativa deverá ser aceita, pois economicamente o lucro total é superior ao da situação anterior.

Questões e Exercícios

1. Identifique os principais segmentos da cadeia operacional para os seguintes produtos finais:
   a) açúcar refinado;
   b) sabão em pó com marca de supermercado;
   c) hambúrguer de carne bovina;
   d) microcomputador;
   e) móveis de madeira;
   f) ferramentas de aço.

2. Uma empresa está decidindo pela instalação de um negócio e tem duas opções básicas de processos operacionais, bem como de imobilização. Com os dados a seguir, pede-se:
   a) Determinar a estrutura do ativo (investimentos) necessária de cada opção.
   b) Fazer a análise de rentabilidade do investimento de cada opção. Desconsidere impostos sobre o lucro.

Dados:	Opção A	Opção B
Vendas Esperadas em um Mês Normal	3.000 unidades	3.000 unidades
Preço de Venda Unitário de Mercado	$ 30 por unidade	$ 30 por unidade

DEMONSTRAÇÃO DE RESULTADOS

Receita Total	$ 90.000	$ 90.000
(–) Custos Variáveis Totais – Materiais	(27.000)	(54.000)
= Margem de Contribuição	63.000	36.000
(–) Custos e Despesas Fixos		
. Industriais	(20.000)	-0-
. Administrativos/Comerciais	(30.000)	(30.000)
= Lucro Operacional	13.000	11.000

GIRO NECESSÁRIO/OBTIDO

Estoques de Materiais	2,5 meses	-0-
Produtos Acabados	4 meses	4 meses
Financiamento a Clientes	27 dias	27 dias
Pagamentos de Fornecedores	20 dias	10 dias

ATIVO FIXO NECESSÁRIO

Imóveis	40.000	20.000
Equipamentos	80.000	40.000

3. Discorra resumidamente sobre os fundamentos da alavancagem operacional.

4. Com os dados obtidos no Exercício 2, calcule o grau de alavancagem operacional de cada opção. Faça em seguida uma estimativa com um aumento do volume de vendas da ordem de 5% e verifique a variação do lucro líquido e a nova rentabilidade do investimento de cada opção. Considere que os investimentos em ativos fixos serão os mesmos e que os investimentos em capital de giro seguirão as premissas anteriores.

5. Vejamos duas estruturas de custos diferentes para volume de produção de 800 unidades:

	Empresa A	*Empresa B*
VENDAS	3.200.000	3.200.000
CUSTOS VARIÁVEIS	1.450.000	750.000
CUSTOS E DESPESAS FIXOS	950.000	1.650.000
LUCRO OPERACIONAL	800.000	800.000

   a) Calcule o grau de alavancagem operacional.
   b) Qual será o aumento de lucro líquido, se houver uma variação de 15% nas vendas, para mais e para menos, para cada empresa? Elabore um quadro evidenciando os valores. Desconsidere impostos sobre o lucro.

6. O que é margem de contribuição e onde ela se fundamenta?

7. Por que o conceito de ponto de equilíbrio é associado à gestão de curto prazo da empresa?

8. Apresente a melhor resposta para cada uma das seguintes questões:
   a) Se a empresa tem uma contribuição marginal negativa, para alcançar o ponto de equilíbrio deverá:
      (1) aumentar o volume de vendas;
      (2) diminuir o volume de vendas;
      (3) aumentar o valor dos custos fixos;
      (4) diminuir o valor dos custos fixos;
      (5) aumentar o preço de venda.
   b) Se a contribuição marginal diminuiu em determinado montante, o lucro operacional deve ter:
      (1) diminuído no mesmo montante;
      (2) diminuído mais do que esse montante;
      (3) aumentado no mesmo montante;
      (4) permanecido inalterado;
      (5) nenhuma das alternativas anteriores.
   c) O ponto de equilíbrio de um produto pode ser aumentado por:
      (1) um decréscimo nos custos fixos;
      (2) um aumento no percentual da margem de contribuição;
      (3) um aumento nos custos variáveis;
      (4) um decréscimo nos custos variáveis;
      (5) nenhuma das alternativas anteriores.

9. Para fazer e vender o Produto A, a empresa tem que incorrer nos seguintes gastos operacionais:

   Matéria-prima necessária para uma unidade do Produto A:
   500 unidades a $ 2,00 cada
   Tempo necessário para produzir uma unidade do Produto A:
   5 horas a $ 80,00 por hora
   Gastos do período:
   • Salários/despesas dos departamentos de apoio à produção $ 440.000
   • Depreciações $ 320.000
   • Salários/despesas administrativas/comerciais $ 180.000
   Outros dados:
   Comissões – 12% sobre o preço de venda
   Preço de Venda – $ 3.600 por unidade do Produto A
   Quantidade produzida (e igualmente vendida) – 900 unidades

   I. a) Calcule o custo unitário pelo critério de custeio direto, e identifique a margem de contribuição unitária e a percentual.
      b) Apure o lucro líquido total com a venda de 900 unidades.
      c) Calcule o ponto de equilíbrio da empresa, em quantidade e em valor.

II. d) Com um novo processo de produção, haverá necessidade de troca de qualidade de material direto, que passará a custar 20% a mais. Esse aumento de custo fixo de $ 60.000 fará o volume de produção aumentar em 120 unidades, que o mercado deverá aceitar se o preço de venda reduzir 2%. Será lucrativa essa hipótese?

10. Uma revendedora de automóveis vende dois modelos básicos: Esporte e Luxo. A seguir, apresentamos os dados de custos e vendas.

	Esporte	Luxo
Preço Médio de Venda Unitário	$ 25.000	$ 35.000
Custo Variável Médio Unitário	20.000	25.000
Margem de Contribuição Unitária	5.000	10.000

Custos Fixos Totais = $ 300.000

a) Monte a equação matemática para obter a quantidade de vendas no ponto de equilíbrio.
b) Calcule a quantidade no ponto de equilíbrio se fosse vendido apenas o modelo Esporte.
c) Calcule a quantidade no ponto de equilíbrio se fosse vendido apenas o modelo Luxo.
d) Assumindo que um pacote de mix normal de produtos seja de três carros Esporte para cada um Luxo (3 : 1), qual seria o número de pacotes no ponto de equilíbrio?
e) Calcule a quantidade de carros no ponto de equilíbrio, independentemente de modelo, assumindo uma margem de contribuição média.
f) Supondo que se possa distinguir custos fixos diretos de $ 80.000 para o modelo Esporte e $ 100.000 para o modelo Luxo, restam apenas $ 120.000 de custos fixos comuns. Qual a quantidade a ser vendida de cada modelo para assumir um prejuízo de $ 120.000?
g) Imaginando uma alocação dos $ 120.000 de custos fixos comuns, distribuindo metade para cada modelo, calcule o ponto de equilíbrio em quantidade para cada modelo, bem como o ponto de equilíbrio em quantidade de carros, independentemente de modelos, considerando uma margem de lucro média para os dois produtos.

11. Uma companhia produz os seguintes produtos, com estes dados de custos e vendas:

	Produto I	Produto II	Produto III
Preço Unitário de Venda	$ 5	$ 6	$ 7
Custo Variável Unitário	$ 3	$ 2	$ 4
Vendas Esperadas (em unidades)	100.000	150.000	250.000

Custos Fixos Totais = $ 1.240.000

Assumindo que o mix de produto poderia ser o mesmo no ponto de equilíbrio, calcule o ponto de equilíbrio em quantidades e em valor de vendas.

12. Contribuição Marginal e Fator Limitativo

    Uma empresa tem dois produtos, que apresentam os seguintes dados:

	Produto A	Produto B
Preço de Venda	$ 20,00	$ 30,00
Custos e Despesas Variáveis	14,00	18,00
Margem de Contribuição	6,00	12,00

    a) Pela análise percentual da margem de contribuição, qual produto deveria ter sua produção e vendas mais enfatizadas?
    b) Ainda com os dados já apresentados, sabendo que o mercado tem condição de absorver apenas 500 unidades do Produto B, a capacidade de produção do Produto A fica restrita a 1.500 unidades. Calcule a margem de contribuição total da empresa nessa combinação de faturamento.
    c) Outra informação agora é incorporada a nosso problema. A gerente divisional diz que só tem à sua disposição mil horas de fábrica para produzir os produtos A e B. Sabendo que uma hora de trabalho fabrica três unidades do Produto A e apenas uma unidade do Produto B, mas que o mercado pode absorver apenas 2.400 unidades do Produto A, calcule a margem de contribuição total da empresa nessa nova combinação de produção.

6 Decisão de Financiamento e Estrutura do Passivo

Como complemento natural da determinação da estrutura do ativo, qualquer projeto de investimento requer a decisão de financiamento, ou seja, quais serão as fontes de recursos a ser buscadas que permitirão a efetivação do investimento proposto. A decisão de financiamento para um projeto específico determina sua estrutura específica de passivo. Contudo, dentro da visão de uma operacionalidade contínua, uma empresa não deixa de ser uma sucessão de projetos de investimentos. Assim, a decisão de financiamento de um projeto junta-se a decisões anteriores de financiamento de outros projetos, formando, no seu conjunto, a estrutura do passivo da empresa. Essa estrutura do passivo tem que ser administrada continuadamente.

Define-se *estrutura do passivo* a participação relativa dos diversos tipos de fontes de capital remuneradas que estão em uso para financiar os investimentos do ativo da empresa. A estrutura do passivo também é denominada *estrutura do capital*.

Dentro do estudo da estrutura do passivo não se consideram fontes de capital os passivos normais decorrentes do financiamento dos custos das operações da empresa, como fornecedores, contas a pagar, salários e encargos sociais a pagar, impostos a recolher e adiantamentos de clientes. Estes são denominados passivos de *funcionamento*, pois não são remunerados explicitamente com juros, e os prazos de pagamento desses passivos existem para dar operacionalidade de rotina de pagamentos. Esses passivos, para estudo da estrutura do passivo, devem ser alocados no ativo com sinal negativo, pois fazem parte do investimento no capital de giro. Os passivos remunerados com juros, que fazem parte do conceito de estrutura do passivo, são denominados passivos de *financiamento*.

Apresentamos a seguir dois exemplos de estrutura do passivo.

Tabela 6.1 – Exemplos de Estrutura do Passivo

	Empresa A		Empresa B	
	Valor – $	Participação %	Valor – $	Participação %
Financiamentos	100.000	10%	250.000	25%
Debêntures	250.000	25%	350.000	35%
Ações Preferenciais	300.000	30%	150.000	15%
Ações Ordinárias	350.000	35%	250.000	25%
Total	1.000.000	100%	1.000.000	100%

A Empresa A apresenta fontes de capital externas – financiamentos e debêntures – que totalizam 35% da estrutura do passivo. A maior parte está representada por captação junto a acionistas ordinários e preferenciais, que detêm 65% da estrutura do passivo.

A Empresa B tem uma situação oposta: 60% de sua participação é captação externa, e apenas 40% são de acionistas. Graficamente, a estrutura do passivo costuma ser apresentada em forma de pizza, como na Figura 6.1 a seguir.

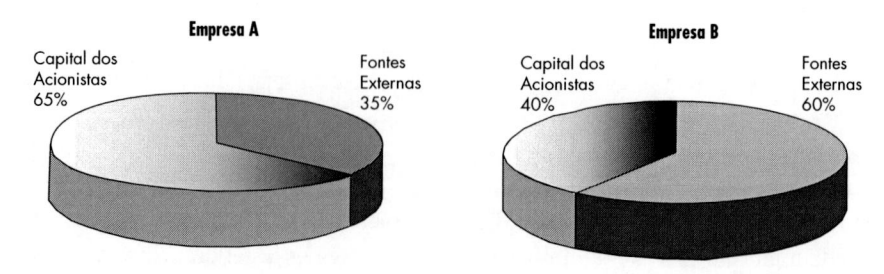

Empresa A
Capital dos Acionistas 65%
Fontes Externas 35%

Empresa B
Capital dos Acionistas 40%
Fontes Externas 60%

Figura 6.1 – Estrutura do Passivo – Apresentação Gráfica.

Estrutura do Passivo como Opção

Já vimos que a decisão de investimento e a determinação da estrutura do ativo apresentam possibilidades. Sabe-se, contudo, que determinados negócios, dentro de volumes e tecnologias recomendadas, exigem determinadas estruturas de ativo que permitem menor liberdade de ação para sua decisão.

Para a determinação da estrutura do passivo, existe maior grau de liberdade, tanto nas decisões iniciais de financiamento dos investimentos como posteriormente, quando, dentro de um conjunto normal de condições empresariais, há sempre possibilidades de refazimento do perfil da dívida, tanto em termos de participações percentuais como de prazos de amortização e taxas de juros.

Os principais parâmetros norteadores da estrutura do passivo são:

- grau de aversão ao risco;
- dilema liquidez x rentabilidade;
- mensuração do endividamento.

Capital Próprio e Capital de Terceiros

A visão tradicional de finanças (denominada *abordagem ortodoxa*) encara os fornecedores de fontes externas de capital (financiamentos e debêntures) como capital de terceiros, ou seja, seus detentores não fazem parte da gestão da firma.

O valor das fontes dos acionistas, considerados fornecedores internos de capital, é denominado *capital próprio*. Em nosso país, enquadram-se aí os acionistas preferenciais e ordinários. Na literatura financeira internacional, basicamente dominada pela literatura norte-americana, as ações preferenciais são consideradas capital de terceiros.

Basicamente, a separação entre capital próprio e capital de terceiros decorre de dois fundamentos:

1. *Aspecto Jurídico:* legalmente, os acionistas assumem os riscos e as responsabilidades finais pelo empreendimento, quando de sua eventual liquidação.
2. *Tipo de Remuneração:* as fontes de capital de terceiros devem ser remuneradas de acordo com os termos contratuais, por meio dos juros ou prêmios, independentemente de a empresa ter ou não lucro suficiente para tanto. São considerados como *renda fixa*. Já as fontes de capital próprio são remuneradas basicamente pelo lucro residual, após o pagamento dos juros aos financiadores externos. Em caso de inexistência de lucros residuais (prejuízo), os acionistas não terão lucros para serem distribuídos. Os lucros pagos aos acionistas são denominados *dividendos* ou *lucros distribuídos*. São considerados como *renda variável* por ser lucros residuais.

Grau de Endividamento e Risco Financeiro

A separação das fontes de capital em capital próprio e capital de terceiros decorre, então, como já vimos, do fato de a empresa, por meio de seus acionistas, ser responsável final pelo empreendimento; além disso, os financiadores externos (bancos e debenturistas) devem receber os juros independentemente da existência ou não de lucros. Denomina-se *risco financeiro* a possibilidade de a empresa não se responsabilizar, temporária ou definitivamente, pelos pagamentos das parcelas do principal e dos juros contratuais. Portanto, os financiadores externos têm um risco de não receber em devolução o capital emprestado e seus juros. Esse é o risco financeiro da empresa.

Os financiadores externos adotam como referência básica para medir o risco financeiro de cada empresa, além do potencial de geração operacional de lucros, o grau de endividamento atual e futuro. O grau de endividamento é a relação percentual entre o total das fontes de capital de terceiros em relação ao total das fontes de capital próprio.

$$Grau\ de\ Endividamento\ (GE) = \frac{Capital\ de\ Terceiros}{Capital\ Próprio}$$

Quanto maior o grau de endividamento maior o risco financeiro da empresa, pois há maior utilização do capital de terceiros. Como o capital de terceiros exige uma remuneração fixa, quanto mais empréstimos e debêntures existirem dentro da empresa maior serão os comprometimentos financeiros no seu fluxo de caixa. Os financiadores externos sempre estarão atentos a empresas com elevado grau de endividamento, pois, em caso de lucros futuros menores que os esperados, a possibilidade de inadimplência dos compromissos financeiros aumenta.

O grau de endividamento também mostra uma relação de garantia. Evidencia qual é a proporção em que os acionistas estão financiando o negócio em relação ao capital de terceiros. Quanto mais investem no próprio negócio, mais claros são os sinais de que há confiança no empreendimento e que os acionistas estão dispostos a assumir os riscos operacionais, salientando aos donos do capital de terceiros uma garantia adicional.

Tabela 6.2 – Exemplos de Grau de Endividamento

	Estrutura A	Estrutura B	Estrutura C
Capital de Terceiros (A)	0	500.000	750.000
Capital Próprio (B)	1.000.000	500.000	250.000
Total das Fontes – Passivo Total	1.000.000	1.000.000	1.000.000
Grau de Endividamento (A/B)	0,0	1,0	3,0

A Estrutura A é de uma empresa que não usa capital de terceiros e, portanto, o endividamento é zero, bem como seu risco financeiro. É também denominada *estrutura financeira não alavancada*, absolutamente conservadora. A Estrutura B mostra uma relação 1:1, ou seja, para cada unidade monetária de capital de terceiros, os acionistas também participam da estrutura financeira em montante igual. Portanto, o endividamento é igual a 1. A Estrutura C mostra uma empresa com pouco grau de aversão ao risco e uso intensivo de capital de terceiros, com grau de endividamento igual a 3. Pode ser considerada uma estrutura arrojada financeiramente.

No Brasil, são comuns estruturas financeiras com grau de endividamento entre 0,5 e 1,0, sendo consideradas aceitáveis até 1,20. Nos países europeus, nos Estados Unidos e no Japão não é incomum haver estruturas financeiras com grau de endividamento ao redor de 2, pois as taxas de juros são menores e os ambientes econômicos têm maior grau de estabilidade.

Lembramos que, teoricamente, existiria a possibilidade de estrutura financeira somente com capital de terceiros. Porém, dentro da abordagem ortodoxa, tal situação não existe na realidade.

Estrutura Financeira, Rentabilidade do Ativo e Rentabilidade do Acionista

A rentabilidade geral da empresa decorre da rentabilidade do ativo, do resultado operacional. A rentabilidade do capital próprio depende, outrossim, de quanto em juros deve ser pago para os empréstimos (capital de terceiros). Com isso, empresas do mesmo setor podem ter a mesma rentabilidade do ativo e, no entanto, obterem rentabilidades diferentes para o capital próprio, decorrente de sua estrutura financeira e da taxa de juros do capital de terceiros.

A Tabela 6.3 apresenta três estruturas financeiras e o impacto na rentabilidade dos acionistas sob o efeito de duas taxas de juros escolhidas arbitrariamente, 12% e 18%. O lucro operacional para todas as hipóteses é o mesmo ($ 150.000), uma vez que a rentabilidade operacional está relacionada com os ativos e sua estrutura não é afetada pela estrutura de capital. Outrossim, a estrutura de capital, considerando os juros devidos ao capital de terceiros, afeta a rentabilidade líquida, que é o lucro residual, de direito dos acionistas. Não estamos levando em conta os impostos sobre o lucro neste momento, para fins de simplificação.

Tabela 6.3 – Endividamento e Rentabilidade

Hipótese 1 – Taxa de Juros de 12% a.a.

	Estrutura A	Estrutura B	Estrutura C
Lucro Operacional Antes dos Juros	150.000	150.000	150.000
Juros – 12% a.a. s/ Capital de Terceiros	0	60.000	90.000
Lucro Líquido p/ os Acionistas	150.000	90.000	60.000
Rentabilidade do Ativo	**15,0%**	**15,0%**	**15,0%**
Rentabilidade dos Acionistas	**15,0%**	**18,0%**	**24,0%**

Hipótese 2 – Taxa de Juros de 18% a.a.

	Estrutura A	Estrutura B	Estrutura C
Lucro Operacional Antes dos Juros	150.000	150.000	150.000
Juros – 18% a.a. s/ Capital de Terceiros	0	90.000	135.000
Lucro Líquido p/ os Acionistas	150.000	60.000	15.000
Rentabilidade do Ativo	**15,0%**	**15,0%**	**15,0%**
Rentabilidade dos Acionistas	**15,0%**	**12,0%**	**6,0%**

Na Hipótese 1, na Estrutura Financeira A, a rentabilidade do ativo é igual à rentabilidade do capital próprio (dos acionistas), porque não há endividamento; por isso, não há ocorrência dos juros. Toda a rentabilidade é do acionista e todo o ativo é financiado com recursos próprios. Nas estruturas B e C, a rentabilidade dos acionistas cresce, porque a taxa de juros sobre capital de terceiros (12%) é menor que a rentabilidade obtida pelos ativos (15%). Na Hipótese 1, quanto mais capital de terceiros existir na estrutura financeira maior será a rentabilidade residual para os acionistas.

Na Hipótese 2, as estruturas financeiras B e C evidenciam queda da rentabilidade para o acionista em relação à remuneração do capital de terceiros. Ao pagar 18% ao ano para os financiadores externos, os acionistas terminam por obter rentabilidade inferior até àquela gerada pelo ativo. Nesse caso, a taxa de juros compromete a estrutura e a alavancagem financeiras.

Na Hipótese 2, fica clara a relação do endividamento financeiro com o risco financeiro. Tomando como base a Estrutura C, se o lucro operacional, por perturbações não previstas, for inferior a $ 135.000, a empresa não conseguirá honrar seus compromissos financeiros anuais, entrando em problemas de liquidez.

Alavancagem Financeira

Alavancagem financeira significa a possibilidade de os acionistas da empresa obterem maiores lucros para suas ações, com o uso mais intensivo de capital de terceiros, ou seja, empréstimos. O fundamento da alavancagem financeira é que os juros são custos fixos e, portanto, permitem o fenômeno alavancagem. Como sempre, no dilema risco e retorno, todo fenômeno alavancagem, com base em custos fixos, tem a sua contrapartida negativa, que é o risco. Assim, a alavancagem financeira traz também o risco financeiro.

O fato de os juros serem um custo fixo permite duas possibilidades de alavancagem financeira, que podem ser utilizadas conjuntamente. A primeira decorre de obter custos de financiamentos das fontes externas em percentual inferior à rentabilidade oferecida pelos ativos da empresa, como vimos no exemplo anterior. A segunda alavancagem decorre da natural possibilidade de as empresas aumentarem seu nível de atividade, com vendas e lucros operacionais maiores, alavancando rentabilidade para os acionistas por manterem fixos os valores pagos ao capital de terceiros.

A alavancagem financeira decorrente do aumento do volume é similar à alavancagem operacional e, dentro de expectativas de volumes maiores esperados, pode até aceitar taxas de juros maiores daquelas admissíveis dentro de volumes menores de atividades e vendas.

A Figura 6.2 a seguir apresenta um esquema resumido desses conceitos.

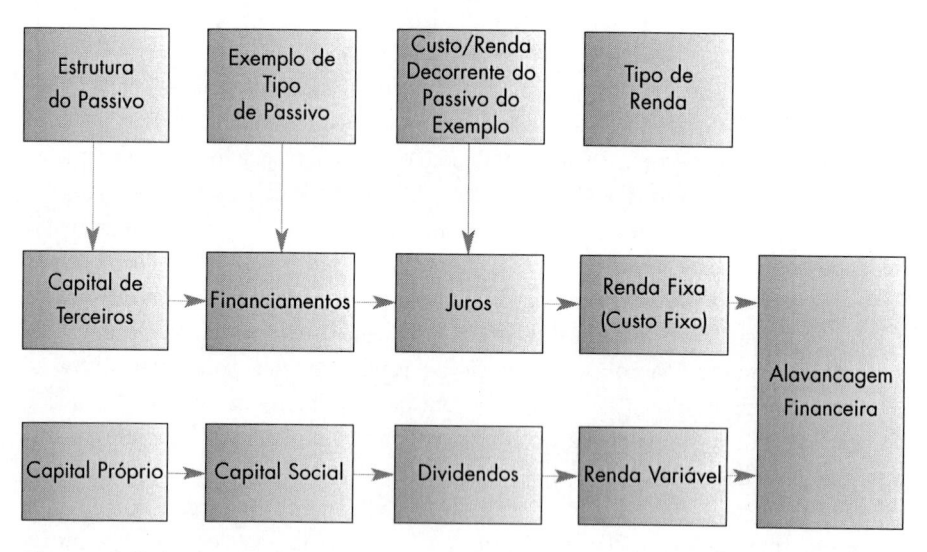

Figura 6.2 – Relacionamento entre Estrutura do Passivo e Alavancagem Financeira.

Alavancagem Financeira e Alavancagem Combinada

Já vimos que a alavancagem financeira parte do pressuposto de que os custos fixos dos juros podem ser utilizados para maximização do retorno dos acionistas. Vimos também que ela é um fundamento clássico da abordagem tradicional da estrutura de capital.

As empresas têm seus custos fixos operacionais decorrentes da estruturação de seus ativos para o desempenho de suas atividades operacionais. Esses custos fixos permitem a alavancagem operacional e representam o risco operacional.

A existência do capital de terceiros na estrutura de financiamento permite o fenômeno alavancagem financeira para o capital próprio. Quando uma empresa não utiliza capital de terceiros, não existe a possibilidade de alavancagem financeira, e dizemos que se trata de uma empresa não alavancada. A alavancagem financeira está ligada ao passivo.

Alavancagem Combinada e o Risco da Empresa

A combinação de uma determinada estrutura de ativo com uma determinada estrutura do passivo dá origem a um grau determinado de alavancagem geral da empresa, que denominamos *alavancagem combinada*. O grau de alavancagem combinada é obtido pela multiplicação do grau de alavancagem operacional pelo grau de alavancagem financeira. Por conseguinte, o grau de alavancagem combinada determina o grau de risco do empreendimento dentro daquela combinação de alavancagem escolhida.

Ativo	Passivo
Alavancagem Operacional	Alavancagem Financeira
Risco Operacional	Risco Financeiro
Alavancagem Combinada	
Risco da Empresa	

Figura 6.3 – Alavancagem e Risco no Balanço Patrimonial.

Exemplo: Alavancagem Financeira

A seguir, na Tabela 6.4, apresentamos um exemplo numérico para evidenciar tanto o efeito alavancagem como o efeito risco financeiro.

Tabela 6.4 – Alavancagem Financeira e Risco Financeiro

	Estrutura Financeira A	Estrutura Financeira B
Capital de Terceiros	350.000	600.000
Capital Próprio	650.000	400.000
Ativo Total	1.000.000	1.000.000
Taxa de Juros	10%	10%

	Situação Atual		Aumento de 12% no Volume		Diminuição de 12% no Volume	
	Estrutura A	Estrutura B	Estrutura A	Estrutura B	Estrutura A	Estrutura B
Receita de Vendas	1.500.000	1.500.000	1.680.000	1.680.000	1.320.000	1.320.000
Custos e Despesas Variáveis	900.000	900.000	1.008.000	1.008.000	792.000	792.000
Custos e Despesas Fixos	490.000	490.000	490.000	490.000	490.000	490.000
Lucro Operacional Antes dos Juros (A)	110.000	110.000	182.000	182.000	38.000	38.000
Juros	35.000	60.000	35.000	60.000	35.000	60.000
Lucro Depois dos Juros (B)	75.000	50.000	147.000	122.000	3.000	(22.000)
Rentabilidade Operacional do Ativo	11,0%	11,0%	18,2%	18,2%	3,8%	3,8%
Rentabilidade do Capital Próprio	11,5%	12,5%	22,6%	30,5%	0,5%	-5,5%
Grau de Alavancagem Financeira (A:B)	1,467	2,200		Efeito da Alavancagem Financeira		Ocorrência do Risco Financeiro

Dentro de uma mesma estrutura operacional, apresentamos duas estruturas financeiras possíveis: a Estrutura A, mais conservadora, e a Estrutura B, mais alavancada. Note que, na situação atual, a Estrutura B já evidencia o efeito da alavancagem financeira pela taxa de juros. O ativo rendendo 11% ao ano, mais do que o custo do capital de terceiros, de 10%, já permite maior rentabilidade para o capital próprio dos acionistas. No caso, a Estrutura B rende 12,5%, enquanto a Estrutura A rende 11,5%.

Fazendo uma hipótese de aumento de 12% do nível de atividade, ambas as estruturas respondem com alavancagem financeira, pois o lucro para os acionistas cresce mais do que proporcionalmente ao aumento das vendas, beneficiado também pela alavancagem operacional já existente. A Estrutura B, por ser financeiramente mais alavancada – evidenciada pelo maior grau de alavancagem financeira –, mostra uma rentabilidade muito maior para os acionistas.

O risco financeiro fica evidente em um decréscimo do nível de atividade. Reduzindo as vendas em 12%, a Estrutura B, por ter que bancar custos fixos financeiros maiores que a Estrutura A, tem seu lucro após os juros reduzido em uma proporção maior. Em nosso exemplo, o resultado termina por ser um prejuízo.

Fica claro então que, quanto mais alavancada financeiramente for uma empresa mais ela se beneficiará em dois aspectos:

- quando o custo dos empréstimos for menor que o lucro operacional sobre os ativos;
- quando houver aumento do nível de atividade.

Fica claro também que, quanto mais alavancada financeiramente for a empresa maior risco ela terá na hipótese de ocorrer queda do nível de atividade.

Exemplo: Alavancagem Combinada

A alavancagem combinada, ou alavancagem total da empresa, resulta da multiplicação da alavancagem operacional pela alavancagem financeira. Portanto, a alavancagem total da empresa é uma combinação de estrutura de custos operacionais (via estrutura de ativos) com uma estrutura de capital (estrutura financeira ou de passivo). Em tese, podemos ter, então, quatro combinações de estruturas de empresas:

> 1. *Estrutura Operacional Conservadora + Estrutura Financeira Conservadora*
> 2. *Estrutura Operacional Conservadora + Estrutura Financeira Arrojada*
> 3. *Estrutura Operacional Arrojada + Estrutura Financeira Conservadora*
> 4. *Estrutura Operacional Arrojada + Estrutura Financeira Arrojada*

Consideramos estrutura operacional conservadora aquela que se utiliza o máximo possível de custos variáveis e o mínimo possível de custos fixos. O oposto é a estrutura operacionalmente arrojada.

Consideramos estrutura financeira conservadora aquela que se utiliza o máximo possível de capital próprio e o mínimo possível de capital de terceiros. O oposto é a estrutura financeiramente arrojada.

Para evidenciar as possibilidades de combinação de alavancagem, utilizaremos os dados do exemplo numérico do Capítulo 4, onde verificamos duas possibilidades de estrutura de ativo. Imaginaremos também duas estruturas financeiras alternativas, apresentadas agora na Tabela 6.5.

Tabela 6.5a – Estrutura do Passivo (Financiamento)
Estrutura A: 30% de capital de terceiros, 70% de capital próprio

	Opção 1		Opção 2	
	$	%	$	%
Capital de Terceiros				
Empréstimos, Financiamentos	75.300,00	30,00%	34.960,00	30,00%
Soma	75.300,00	30,00%	34.960,00	30,00%
Capital Próprio				
Capital Social, Lucros Retidos	175.700,00	70,00%	81.573,33	70,00%
Soma	175.700,00	70,00%	81.573,33	70,00%
TOTAL	251.000,00	100,00	116.533,33	100,00

Tabela 6.5b – Estrutura do Passivo (Financiamento)
Estrutura B: 70% de capital de terceiros, 30% de capital próprio

	Opção 1		Opção 2	
	$	%	$	%
Capital de Terceiros				
Empréstimos, Financiamentos	175.700,00	70,00%	81.573,33	70,00%
Soma	175.700,00	70,00%	81.573,33	70,00%
Capital Próprio				
Capital Social, Lucros Retidos	75.300,00	30,00%	34.960,00	30,00%
Soma	75.300,00	30,00%	34.960,00	30,00%
TOTAL	251.000,00	100,00	116.533,33	100,00

A seguir, na Tabela 6.6, apresentamos o resultado líquido após os juros para evidenciar o efeito das combinações da alavancagem. Deixaremos de considerar os impostos sobre o lucro, objetivando simplificar a análise dos dados.

No primeiro quadro, apresentamos as duas possibilidades de estrutura de custos – Opção 1 e Opção 2 – com a Estrutura Financeira A. No segundo quadro, apresentamos as mesmas opções de estrutura de custos, mas com a Estrutura Financeira B.

Tabela 6.6a – Demonstração de Resultados – Estrutura Financeira A
Custo do Capital de Terceiros – 1% ao mês

	Opção 1		Opção 2	
	$	%	$	%
RECEITA TOTAL	40.000,00	100,00	40.000,00	100,00
(–) Custos Variáveis				
. Materiais	8.000,00	20,00%	24.400,00	61,00%
. Comissões	0,00	0,00%	6.000,00	15,00%
Total	8.000,00	20,00%	30.400,00	76,00%
Margem de Contribuição (1)	32.000,00	80,00%	9.600,00	24,00%
(–) Custos/Despesas Fixas	28.700,00	71,75%	7.700,00	19,25%
Lucro Operacional (2)	3.300,00	8,25%	1.900,00	4,75%
Juros	753,00	1,88%	349,60	0,87%
Lucro Depois dos Juros (3)	2.547,00	6,37%	1.550,40	3,88%
Grau de Alavancagem Operacional (1:2)	9,70		5,05	
Grau de Alavancagem Financeira (2:3)	1,30		1,23	
Grau de Alavancagem Combinada (1:3)	12,56		6,19	
RENTABILIDADE DO CAPITAL PRÓPRIO (Anualizada)	17,40%		22,81%	

Tabela 6.6b – Demonstração de Resultados – Estrutura Financeira B
Custo do Capital de Terceiros – 1% ao mês

	Opção 1		Opção 2	
	$	%	$	%
RECEITA TOTAL	40.000,00	100,00	40.000,00	100,00
(–) Custos Variáveis				
. Materiais	8.000,00	20,00%	24.400,00	61,00%
. Comissões	0,00	0,00%	6.000,00	15,00%
Total	8.000,00	20,00%	30.400,00	76,00%
Margem de Contribuição (1)	32.000,00	80,00%	9.600,00	24,00%
(–) Custos/Despesas Fixas	28.700,00	71,75%	7.700,00	19,25%
Lucro Operacional (2)	3.300,00	8,25%	1.900,00	4,75%
Juros	1.757,00	4,39%	815,73	2,04%
Lucro Depois dos Juros (3)	1.543,00	3,86%	1.084,27	2,71%
Grau de Alavancagem Operacional (1:2)	9,70		5,05	
Grau de Alavancagem Financeira (2:3)	2,14		1,75	
Grau de Alavancagem Combinada (1:3)	20,74		8,85	
RENTABILIDADE DO CAPITAL PRÓPRIO (Anualizada)	24,59%		37,22%	

Note que temos dois graus de alavancagem operacional e dois graus de alavancagem financeira. Essa combinação possibilita quatro combinações de alavancagem, e, portanto, quatro diferentes graus de alavancagem combinada. Obviamente, a reunião de duas estruturas conservadoras dá o menor grau de alavancagem combinada (6,19), e a reunião de duas estruturas arrojadas dá o maior grau de alavancagem combinada (20,74).

Assim, em um possível aumento do nível de atividade da empresa, haverá maior resposta no lucro para os acionistas da combinação que tiver o maior grau de alavancagem combinada; o lucro crescerá mais. Em uma situação inversa, com uma redução do nível de atividade, essa mesma combinação sofrerá maior redução do lucro dos acionistas.

A Tabela 6.7 reflete os efeitos da alavancagem combinada com um aumento de 15% no volume de vendas.

Tabela 6.7a – Demonstração de Resultados – Estrutura Financeira A, + 15% no Volume de Vendas
Custo do capital de terceiros – 1% ao mês

	Opção 1 $	Opção 1 %	Opção 2 $	Opção 2 %
RECEITA TOTAL	46.000,00	100,00	46.000,00	100,00
(–) Custos Variáveis				
. Materiais	9.200,00	20,00%	28.060,00	61,00%
. Comissões	0,00	0,00%	6.900,00	15,00%
Total	9.200,00	20,00%	34.960,00	76,00%
Margem de Contribuição	**36.800,00**	**80,00%**	**11.040,00**	**24,00%**
(–) Custos/Despesas Fixas	28.700,00	62,39%	7.700,00	16,74%
Lucro Operacional	**8.100,00**	**17,61%**	**3.340,00**	**7,26%**
Juros	753,00	1,64%	349,60	0,76%
Lucro Depois dos Juros	**7.347,00**	**15,97%**	**2.990,40**	**6,50%**
RENTABILIDADE DO CAPITAL PRÓPRIO (Anualizada)	50,18%		43,99%	

Tabela 6.7b – Demonstração de Resultados – Estrutura Financeira B, + 15% no Volume de Vendas
Custo do capital de terceiros – 1% ao mês

	Opção 1 $	Opção 1 %	Opção 2 $	Opção 2 %
RECEITA TOTAL	46.000,00	100,00	46.000,00	100,00
(–) Custos Variáveis				
. Materiais	9.200,00	20,00%	28.060,00	61,00%
. Comissões	0,00	0,00%	6.900,00	15,00%
Total	9.200,00	20,00%	34.960,00	76,00%

continua

Tabela 6.7b – Demonstração de Resultados – Estrutura Financeira B,
+ 15% no Volume de Vendas
Custo do capital de terceiros – 1% ao mês (continuação)

	Opção 1		Opção 2	
	$	%	$	%
Margem de Contribuição	36.800,00	80,00%	11.040,00	24,00%
(–) Custos/Despesas Fixas	28.700,00	62,39%	7.700,00	16,74%
Lucro Operacional	8.100,00	17,61%	3.340,00	7,26%
Juros	1.757,00	3,82%	815,73	1,77%
Lucro Depois dos Juros	6.343,00	13,79%	2.524,27	5,49%
RENTABILIDADE DO CAPITAL PRÓPRIO (Anualizada)	101,08%		86,65%	

Variação do Lucro Líquido

O efeito da alavancagem fica evidente na variação percentual do lucro depois dos juros, que é o lucro para os acionistas. Vamos apresentar o lucro final na situação antes do aumento do volume de vendas, contra o lucro final após o aumento de vendas, para mostrar o efeito combinado da alavancagem da empresa. Veja a Tabela 6.8 a seguir.

A mesma variação do lucro líquido pode ser obtida multiplicando-se o grau de alavancagem combinada pela variação do volume, conforme demonstrado na mesma tabela.

Tabela 6.8 – Variação Percentual do Lucro Líquido após os Juros

	Lucro Após os Juros		
	Anterior	Após Aumento do Volume	Variação Percentual
Estrutura Financeira A + Opção 1	2.547,00	7.347,00	188,46%
Estrutura Financeira A + Opção 2	1.550,40	2.990,40	92,88%
Estrutura Financeira B + Opção 1	1.543,00	6.343,00	311,08%
Estrutura Financeira B + Opção 2	1.084,27	2.524,27	132,81%

Utilizando o Grau de Alavancagem Combinada (GAC)

	GAC (A)	Variação no Volume (B)	Variação Percentual (AxB)
Estrutura Financeira A + Opção 1	12,56	15%	188,46%
Estrutura Financeira A + Opção 2	6,19	15%	92,88%
Estrutura Financeira B + Opção 1	20,74	15%	311,08%
Estrutura Financeira B + Opção 2	8,85	15%	132,81%

O Impacto Tributário na Alavancagem Financeira

Um dos grandes elementos motivadores da alavancagem financeira é a dedutibilidade dos juros para fins de impostos sobre o lucro. No Brasil, a tributação sobre o lucro líquido antes dos impostos, para as pessoas jurídicas tributadas pelo lucro real, varia entre 24% e 34%. Estamos apresentando as alíquotas gerais, sem entrar nas características específicas de cada empresa.

Imposto de Renda – Alíquota Básica	15%
Imposto de Renda – Adicional*	10%
Contribuição Social sobre o Lucro	9%

* Sobre lucros excedentes a $ 240.000 por ano ou $ 20.000 por mês.

Assim, o custo do capital de terceiros, por meio das taxas de juros nominais, é reduzido pelo impacto tributário, já que se trata de despesas dedutíveis. O mesmo não ocorre com os dividendos distribuídos aos acionistas ordinários e preferenciais, que não podem ser abatidos do lucro para fins de tributação, exceto no caso da figura dos juros sobre o patrimônio líquido, que abordaremos a seguir.

Considerando a alíquota máxima dos impostos sobre o lucro de 34%, uma taxa de juros de 20% ao ano tem um custo real, após a utilização como despesa dedutível pela empresa, de 13,2%. Vejamos:

Taxa de Juros Nominal	20,0% a.a.
Dedutibilidade Tributária – 34% x 20%	6,8%
Taxa de Juros Efetiva	13,2% a.a.

Modelos de Decisão para Emprestar ou Não Emprestar: Ponto de Indiferença

A alavancagem financeira nem sempre é vantajosa, dependendo do nível de atividade (volume de produção e vendas e geração de lucro operacional) e da taxa de juros sobre os financiamentos disponíveis no mercado. Apresentaremos os dois modelos mais conhecidos para a decisão de emprestar ou não. O primeiro modelo, chamado *plano financeiro*, analisa a decisão de emprestar ou não emprestar em relação ao volume de atividade, mantendo constante a taxa de juros dos financiamentos.

O segundo modelo, chamado *taxa de juros no ponto de indiferença*, verifica qual a taxa de juros máxima admissível para emprestar, mantendo constante o volume de atividade. Ambos os modelos partem do pressuposto básico de que as duas fontes de financiamento têm capital suficiente para fornecer à empresa.

Planos Financeiros e Análise do Ponto de Equilíbrio ou Indiferença[1]

A Tabela 6.9 a seguir apresenta uma situação de lucro operacional, em determinado momento, de $ 2.400.000 por ano, com duas possibilidades de financiamento para um novo projeto da empresa: a primeira com ações ordinárias, e a segunda, com financiamentos. A necessidade adicional de capital é de $ 5.000.000, e, caso seja obtida por meio de financiamentos, terá um custo anual de 12%. O capital atual da empresa é de $ 10.000.000 e está representado por um número de ações de 200 mil. Caso a empresa venha a aceitar nova captação de dinheiro junto aos acionistas, o número de ações passará a 300 mil.

Tabela 6.9 – Cálculo do Lucro por Ação: Emprestar x Não Emprestar

	Ações	Financiamento
Lucro Operacional Antes dos Juros e Impostos (Laji)	$ 2.400.000	$ 2.400.000
Juros	–	600.000
Lucro Antes dos Impostos	2.400.000	1.800.000
Impostos – 40%	960.000	720.000
Lucro Líquido Depois dos Impostos	1.440.000	1.080.000
Quantidade de Ações	300.000	200.000
Lucro por Ação	$ 4,80	$ 5,40

Dentro desse nível de resultado operacional, a vantagem é clara pela decisão de emprestar. Contudo, se o nível de atividade previsto for inferior, poderá ser vantagem não emprestar. A questão é saber qual é o volume de atividade (de geração de lucro operacional) em que as duas situações são idênticas, ou seja, é indiferente emprestar ou não emprestar. De posse dessa informação, o administrador poderá decidir pelo melhor meio de financiamento para o novo projeto da empresa.

O ponto de indiferença pode ser obtido pela seguinte fórmula:

$$\frac{Laji - C1}{S1} = \frac{Laji - C2}{S2}$$

onde Laji é o Lucro Antes dos Juros e Impostos no ponto de indiferença, C1 e C2 são os encargos dos financiamentos (zero no caso de não emprestar) e S1 e S2 são as quantidades de ações envolvidas nas duas opções.

Resolvendo a equação com os dados da Tabela 6.9:

$$\frac{Laji - 0}{300.000} = \frac{Laji - 600.000}{200.000}$$

$$(Laji)(200.000) = (Laji)(300.000) - (600.000)(300.000)$$

$$100.000 \, Laji = 180.000.000$$

$$Laji = \$ 1.800.000$$

---

[1] Adaptado de Van Horne, 1998, Capítulo 10.

Significa que, ao nível de atividade que gera $ 1.800.000 de lucro operacional, é indiferente emprestar ou não emprestar, pois ambas as hipóteses apresentarão o mesmo lucro por ação. Verificamos, na Tabela 6.10, que, nessa situação, o lucro por ação para as duas possibilidades de captação de numerário dão o mesmo lucro por ação de $ 3,60.

Tabela 6.10 – Lucro por Ação no Ponto de Indiferença

	Ações	Financiamento
Lucro Operacional Antes dos Juros e Impostos (Laji)	$ 1.800.000	$ 1.800.000
Juros	–	600.000
Lucro Antes dos Impostos	1.800.000	1.200.000
Impostos – 40%	720.000	480.000
Lucro Líquido Depois dos Impostos	1.080.000	720.000
Quantidade de Ações	300.000	200.000
Lucro por Ação	$ 3,60	$ 3,60

Essa situação, também chamada de *ponto de equilíbrio*, pode ser demonstrada graficamente, conforme a Figura 6.4. O ponto de intersecção entre as duas retas que representam os dois planos financeiros indica um lucro por ação de $ 3,60 e um lucro operacional de $ 1.800.000.

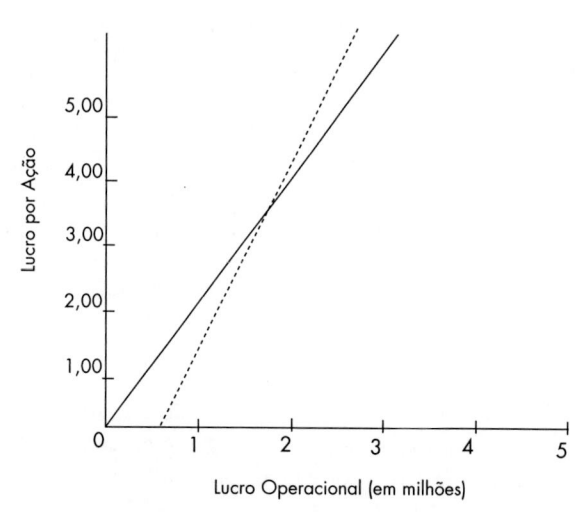

Figura 6.4 – Planos Financeiros Alternativos e Ponto de Equilíbrio.

Taxa de Juros no Ponto de Indiferença

Outro modelo para a decisão de emprestar ou não emprestar fornece um parâmetro em termos de taxa de juros máxima admissível dos financiamentos. Partindo de um volume único, dentro de um projeto de obtenção de fundos, pode-se decidir por emprestar, se a taxa de juros oferecida à empresa for igual ou menor que a identificada no modelo. Se a taxa de juros de mercado oferecida à empresa for superior, a decisão deverá ser por não emprestar e captar junto aos acionistas.

Para desenvolver esse modelo, faremos as seguintes premissas. A empresa tem um capital próprio de $ 500.000, representado por mil ações, e pretende captar mais $ 250.000, para um projeto de investimentos, que deverá aumentar o volume de vendas em 15%. Na hipótese de a empresa não emprestar, a quantidade representativa do capital passará para 1.500 ações. A Tabela 6.11 apresenta os cálculos com base nesses dados.

Tabela 6.11 – Taxa de Juros no Ponto de Indiferença

	Situação Atual	Situação Futura	
		Não Emprestando	Emprestando
Receita de Vendas	1.000.000	1.150.000	1.150.000
Custos Variáveis	720.000	828.000	828.000
Custos Fixos	240.000	240.000	240.000
Lucro Antes dos Juros e Impostos	40.000	82.000	82.000
Juros	0	0	27.333
Lucro Depois dos Juros e Impostos	40.000	82.000	54.667
Impostos sobre o Lucro – 40%	16.000	32.800	21.867
Lucro Líquido para os Acionistas	24.000	49.200	32.800
Quantidade de Ações	1.000	1.500	1.000
Lucro por Ação - $	24,00	32,80	32,80

Na situação projetada, o lucro por ação subirá de $ 24,00 para $ 32,80 por ação, indicando que o projeto é rentável. A situação no ponto de indiferença, emprestando, mantém o rendimento de $ 32,80. Busca-se então determinar o valor máximo a pagar de juros, como custo financeiro de captação de empréstimos de $ 250.000. Em nosso exemplo, os juros máximos admissíveis no ponto de indiferença somam $ 27.333, que representam uma taxa nominal máxima admissível de 10,93%.

$$\text{Taxa de Juros no Ponto de Indiferença} = \frac{\text{Juros Máximos Admissíveis}}{\text{Empréstimo de Capital}}$$

$$\text{Taxa de Juros no Ponto de Indiferença} = \frac{\$\ 27.333}{\$\ 250.000} = 10,93\%$$

Qualquer taxa acima de 10,93% não deverá ser aceita, e o modelo indica que se deve captar dinheiro junto aos acionistas. Qualquer taxa inferior a 10,93% indica que se deve tomar dinheiro emprestado. A taxa de 10,93% indica indiferença, ou seja, tanto faz emprestar ou não emprestar.

A fórmula para obter o valor dos juros no ponto de indiferença (VJPI) é:

$$\text{VJPI} = \text{Laji} \ (-) \ \frac{\text{Lucro por Ação (Não Emprestando)} * \text{Quantidade de Ações Emprestando}}{1 - \text{Alíquota de Imposto sobre o Lucro}}$$

Calculando:

$\text{VJPI} = \$ 82.000 \ (-) \ \dfrac{(32,80 * 1.000)}{1 - 0,4}$

$\text{VJPI} = \$ 82.000 \ (-) \ \dfrac{32.800}{0,60}$

VJPI = $ 82.000 (–) 54.667

VJPI = $ 27.333

Utilizamos, nesses exemplos, capital de terceiros contra capital próprio, considerando distribuição de dividendos para o capital próprio e não considerando a figura dos juros sobre o patrimônio líquido (JSPL). Caso se adote a figura dos JSPL, o critério de cálculo deverá ser adaptado.

Mercados Financeiros e Sistema Financeiro Nacional[2]

O mercado do dinheiro, no qual se obtêm e se transacionam moedas e créditos, representa o mercado de financiamento das empresas. É classificado em:

- mercado monetário;
- mercado de crédito;
- mercado de capitais;
- mercado de câmbio.

As diferenças básicas entre eles são as seguintes:

O mercado monetário tem características de movimentação de curto prazo, com o objetivo de controle da liquidez monetária da economia e suprimentos momentâneos de caixa.

O mercado de crédito se caracteriza por movimentações de curto e médio prazos, com intermediações bancárias e não bancárias, com o objetivo primordial de financiamento de consumo e capital de giro das empresas.

---

[2] Adaptado de Cavalcante Filho e Misumi, 1998.

O mercado de capitais pode ser considerado o mais importante para as empresas, essencialmente não bancário, com a finalidade de movimentar capitais para o financiamento de médio prazo, longo prazo e prazo indeterminado, objetivando financiar os investimentos empresariais e governamentais. Assim, é o mercado idealizado para suprir os investimentos em capital fixo e capital de giro, para os projetos de investimentos. Os objetivos são de lucro para os emprestadores ou participação nos empreendimentos.

O mercado de câmbio, como o próprio nome sugere, é o mercado para conversão de valores em moedas estrangeiras e nacional. É necessário para operacionalizar as transações internacionais.

Sistema Financeiro Nacional

A Figura 6.5, na página seguinte, apresenta em resumo o Sistema Financeiro Nacional. O órgão máximo é o Conselho Monetário Nacional, que estabelece as diretrizes gerais das políticas monetária, cambial e creditícia e regula as condições de funcionamento, constituição e fiscalização das instituições financeiras. O Banco Central do Brasil tem a função de operacionalizar as deliberações do Conselho Monetário Nacional.

O Banco Central, por sua vez, tem no Banco do Brasil e no BNDES (Banco Nacional de Desenvolvimento Econômico e Social) os principais órgãos para fomento das políticas de desenvolvimento nacionais. As demais instituições financeiras e do Sistema Financeiro da Habitação também são reguladas e monitoradas pelo Banco Central do Brasil.

A CVM (Comissão de Valores Mobiliários) é a instituição que se responsabiliza pelas Bolsas de Valores e pelas empresas sociedades anônimas de capital aberto, com o intuito de proteção dos acionistas das empresas e dos credores dos títulos comercializados e transacionados no mercado de ações e títulos.

Fontes de Financiamento

Os mercados monetários, de crédito e de capitais são as fontes de financiamento. Elas são classificadas em fontes de recursos próprios ou de terceiros, caso sejam ou não de crédito dos sócios ou acionistas.

As fontes de *recursos próprios* são:

- integralização de capital social;
- reinversão de lucros.

As principais fontes de *recursos de terceiros* são:

- financiamentos bancários;
- emissões de títulos de dívidas;
- debêntures;
- *project finance*;
- *leasing*.

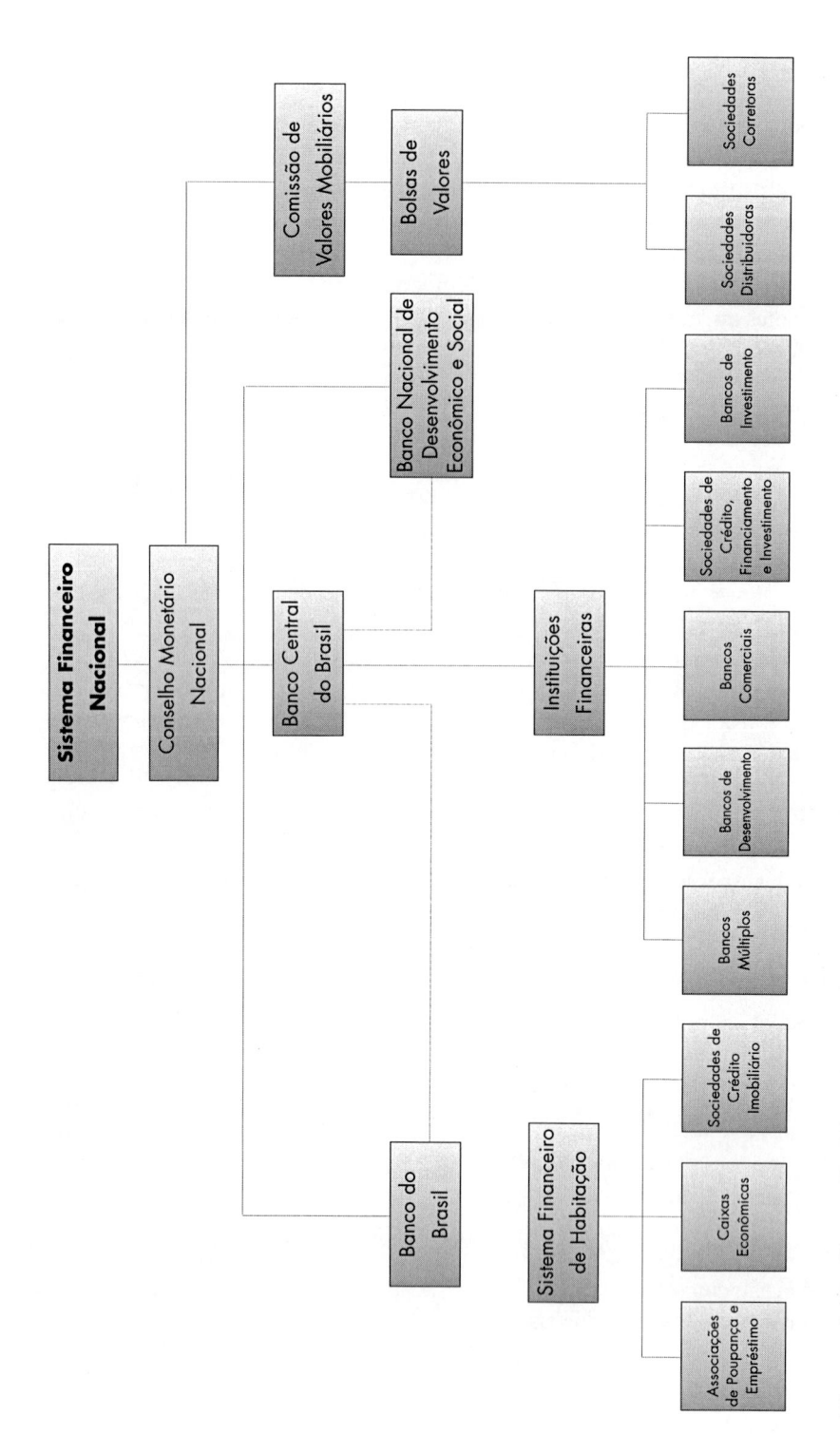

Figura 6.5 – Sistema Financeiro Nacional.

Fontes de Recursos Próprios

A *integralização de capital social* é a principal fonte de recursos próprios e, por que não dizer, a fonte primária de recursos das atividades empresariais, uma vez que o início de um empreendimento normalmente se dá pela pessoa física ou pessoas físicas interessadas em um negócio. Se a empresa for limitada, o dinheiro injetado nela a título de capital social é registrado sob o nome de cotas. Se a empresa for uma sociedade anônima, seja de capital aberto ou capital fechado, é registrada sob o nome de ações.

O primeiro lançamento de ações no mercado de bolsa de valores (a primeira emissão de ações, quando a empresa torna-se de capital aberto) é comumente denominado lançamento inicial ao público (de ações) (IPO – *Initial Public Offering*).

A diferença entre a sociedade anônima de capital fechado e a de capital aberto está no mercado em que as ações são transacionadas. As empresas de capital aberto têm registro nas bolsas de valores, e as transações com suas ações são feitas em um mercado aberto e organizado, com cotações a todo instante e garantias que um mercado organizado e monitorado pela CVM pode dar. As ações das sociedades anônimas de capital fechado não têm um mercado organizado e são transacionadas no mercado de balcão, no qual não há possibilidade usual de oferta ao público. Assim, as negociações com as ações de sociedades de capital fechado têm um grau bem maior de dificuldade, pois não há demandantes ou ofertantes conhecidos em um mercado aberto.

Mercados Primário e Secundário de Ações

As bolsas de valores se responsabilizam pelos dois mercados. O mercado primário existe quando a empresa sociedade anônima de capital aberto faz um lançamento original (novo) de ações, em que o dinheiro arrecadado pela venda das ações junto aos atuais ou novos acionistas entra para o caixa da empresa.

O mercado secundário é o mercado das bolsas de valores que objetiva dar liquidez aos papéis lançados no mercado primário, no qual qualquer acionista pode vender e comprar, a qualquer instante, ações de empresas listadas nas bolsas de valores. É onde acontece a maior parte das transações com ações, com a propriedade delas passando das mãos de uns para outros. O mercado secundário não fornece capital para a empresa que emite ações, pois ele transaciona ações que já foram objeto de um lançamento primário.

Ações Ordinárias e Preferenciais

São duas as grandes classes de ações, que eventualmente podem ser divididas em subclasses. No Brasil, as diferenças principais entre essas duas classes de ações são as seguintes:
    a) As *ações ordinárias* ou *comuns* dão direito de voto ao portador nas decisões da assembleia geral de acionistas, o órgão administrativo máximo das sociedades anônimas, na proporção de um voto por ação. Assim, se um acionista, ou

grupo de acionistas, tiver mais que 50% das ações e exercerem o voto em conjunto, eles sempre terão o controle da empresa.

b) As *ações preferenciais* não têm direito de voto nas decisões da companhia, mas têm direito de dividendos a mais em 10% que os acionistas ordinários, bem como preferência nos ativos em caso de liquidação da companhia.

No Brasil, os acionistas preferenciais e ordinários são considerados donos da empresa na proporção da quantidade de ações que possuírem. Nos Estados Unidos, as ações preferenciais geralmente têm direitos a um dividendo fixo periódico, independentemente de a empresa obter ou não lucro, cabendo aos acionistas ordinários o lucro remanescente. Dessa maneira, nos livros de finanças norte-americanos, as ações preferenciais são tratadas como capital de terceiros, o que não é o caso do Brasil.

Ações Nominativas, ao Portador e Escriturais

Ações nominativas são as registradas com o nome dos proprietários. Ações ao portador são aquelas em que não há registro do proprietário, e os exercícios a que têm direito são usufruídos pelo portador na ocasião em que podem ser exercidos.

No Brasil, as ações são hoje todas nominativas por ser escriturais, ou seja, a entidade custodiante e controladora das ações junto às bolsas de valores tem que registrar o nome do atual proprietário nos seus registros, hoje eletrônicos.

Valor das Ações em Bolsa

O valor de cotação das ações nas bolsas de valores não tem relação direta com o valor patrimonial obtido nas demonstrações financeiras. O valor é dado, basicamente, pela expectativa de rendimentos futuros que cada ação tem, seja em termos de dividendos, seja em termos de valorização ou não do valor de cada ação, ou a soma dos dois.

O modelo mais utilizado pelo mercado de investidores para o apreçamento das ações (o preço de cotação) é o método do fluxo de caixa descontado, obtido por meio de projeções das demonstrações financeiras que cada investidor faz para sua análise e avaliação.

A diferença entre o valor das ações no mercado e o valor patrimonial contábil pode indicar, entre outras coisas:

a) no caso de o valor patrimonial contábil ser superior:
  • superavaliação dos ativos, com os valores registrados nos livros contábeis muito superiores aos valores atuais de mercado;
  • baixa geração de lucros em relação aos ativos existentes;
  • falta de uma política adequada de distribuição de dividendos.

b) no caso de o valor de mercado ser superior:
- subavaliação dos ativos, com os valores registrados nos livros contábeis muito inferiores aos valores atuais de mercado;
- alta geração de lucros em relação aos ativos existentes;
- grande potencial de geração de lucros e fluxos futuros de caixa;
- política adequada de distribuição de dividendos;
- potencial de valorização da ação em função dos itens anteriores.

Reinversão de Lucros

A parcela não distribuída dos lucros obtidos em cada período significa automaticamente a reinversão de lucros. Essa decisão deve ser tomada em relação à política de dividendos. A reinversão de lucros só se justifica se os projetos de investimentos existentes na própria empresa apresentarem rentabilidade superior ao custo de oportunidade de capital do acionista.

A CVM exige que as empresas sociedades anônimas comprovem, via orçamento de capital aprovado pela assembleia dos acionistas, que os lucros reinvestidos sejam aplicados em projetos de investimento existentes ou a existir na empresa.

Fontes de Recursos de Terceiros

São consideradas fontes de recursos de terceiros as obrigações emitidas pela empresa ou os empréstimos e financiamentos contraídos que tenham remuneração financeira, com juros ou prêmios. As dívidas da empresa ou obrigações que não têm ônus financeiro explícito, como fornecedores, contas a pagar e impostos a recolher, não são consideradas tecnicamente como fontes de recursos, uma vez que o fundamento de sua existência é apenas um prazo normal para efetivar a operação de pagamento do bem ou serviço adquirido a prazo.

Emissão de Títulos de Dívida

No mercado internacional, principalmente nas grandes corporações, a principal fonte de recursos de terceiros é a captação de recursos pela emissão de títulos de dívida, comumente denominados *bônus*. A empresa emite esses títulos e oferece no mercado aos investidores interessados em uma remuneração fixa. São títulos muito atrativos porque podem ter um risco menor do que o investimento em ações, em que a renda é variável e dependente dos lucros obtidos.

Os principais tipos são:

a) ADRs (*American Depositary Receipts*), que são notas comerciais ou promissórias (*commercial papers*), emitidas por empresas estrangeiras nos Estados Unidos e vendidas e transacionadas em bolsas de valores;

b) bônus internacionais (bônus estrangeiros e eurobônus), que são títulos vendidos fora do país do tomador e distribuídos frequentemente em vários países.

Debêntures

Debêntures são títulos de dívida emitidos pelas empresas tipicamente no território nacional. As empresas as utilizam para captar recursos, pagando juros e prêmios estipulados em uma escritura registrada, em que são resguardados todos os direitos e condições. Os investidores podem ser empresas jurídicas, bancos e mesmo pessoas físicas. Em linhas gerais, não deixa de ser um financiamento ou empréstimo tomado junto ao público; não se caracteriza, então, como financiamento bancário.

Há dois tipos básicos de debêntures:

a) debêntures conversíveis em ações;

b) debêntures não conversíveis em ações.

As debêntures conversíveis em ações dão ao adquirente do título o direito de renunciar ao recebimento do valor no vencimento, e, com o valor das debêntures, transformá-las em ações ordinárias ou preferenciais, de acordo com o estipulado na escritura em termos de valor e quantidades equivalentes. Nesse caso, a empresa se compromete a uma nova emissão de ações para fundamentar a incorporação das debêntures como capital social.

As debêntures não conversíveis não permitem a transformação em ações. No vencimento, a empresa tem que honrar o pagamento da obrigação.

Financiamentos e Empréstimos Bancários

É o mais conhecido recurso de terceiros. A empresa obtém junto a uma instituição financeira recursos para serem pagos dentro de prazos, períodos e taxas de remuneração acordados, com o objetivo de financiar seus investimentos no ativo.

As melhores taxas de financiamento são oferecidas normalmente pelos bancos de desenvolvimento ligados a órgãos governamentais ou de fomento mundial (Banco Mundial, BNDES etc.). No Brasil, o BNDES tem o papel mais importante no financiamento de empresas nacionais, por meio de diversas linhas específicas (Finame, Modermaq, Moderfrota, Modercarga, Tecnologia, Projetos de Investimentos etc.).

As principais linhas de financiamento do BNDES são operacionalizadas pelos bancos comerciais, denominados *agentes*, que cobram uma taxa adicional para essa intermediação (o *spread*).

Project Finance

Trata-se de uma modalidade de consórcio de financiamento em que diversos interessados se unem para financiar um determinado projeto de investimento, seja ele único ou parte de uma empresa. É indicado apenas para grandes montantes, pois o custo de operacionalização e administração é significativo. Uma característica fundamental do *project finance* é que, além dos juros, os financiadores podem participar dos lucros ou receitas do projeto financiado.

Tem sido utilizado para investimentos de base, como usinas, rodovias, ferrovias, pontes de grande percurso, plataformas específicas de petróleo etc. Quando o *project finance* contempla apenas parte de uma empresa, o projeto deve ter uma contabilidade separada das demais atividades, segmentos ou outros projetos dessa empresa.

Leasing

O *leasing* ou arrendamento mercantil, que significa pagar uma prestação para o aluguel de um bem, é uma fonte de recursos de terceiros que tem a característica de ligar a fonte de recurso a uma aplicação de recurso, ou seja, é o único caso em que, ao financiar, já se sabe o que será investido. É uma modalidade interessante pela sua flexibilidade e rapidez de obtenção, basicamente em função de que há uma garantia real da operação, que é o próprio bem arrendado.

Os principais tipos de *leasing* são:

- *leasing operacional*, que caracteriza de fato a operação de aluguel, na qual, após o uso, o bem é devolvido à empresa que o arrendou;
- *leasing financeiro*, quando a operação é feita a partir da premissa de que, ao final do pagamento das prestações, o bem ficará de posse do arrendador, pagando um valor residual. Esse é o caso que se caracteriza realmente como uma fonte de recursos de terceiros;
- *lease-back*, quando o agente financeiro compra um bem de uma empresa e a arrenda em retorno imediato para a mesma empresa. É uma forma de financiamento que utiliza bens da empresa ainda não onerados em nenhum outro contrato.

Títulos Descontados e *Factoring*

A captação de recursos pelo desconto de saques, títulos ou duplicatas, apesar de exigir uma remuneração financeira, não deve ser enquadrada como fonte de recursos de terceiros, porque sua natureza é de essencialmente cobrir faltas de caixa de curtíssimo prazo. O *factoring* é uma modalidade de desconto de títulos que, em vez de ser feita com um banco tradicional, é feita com empresas exclusivamente constituídas para essa finalidade.

As empresas que utilizam continuamente esses dois tipos de captação de recursos de curto prazo tendem a apresentar problemas de liquidez e rentabilidade, pois o custo financeiro dessas operações é muito mais alto que o de financiamentos comuns.

Refinanciamento de Tributos

Em nosso país, essa figura tem sido muito utilizada, eventualmente até como opção de financiamento. De qualquer forma, quando um tributo é refinanciado, significa que ele não foi pago no vencimento correto. Os órgãos governamentais que recolhem e administram esses tributos podem oferecer condições de refinanciamento, cobrando multas e juros.

Essa obrigação, apesar de ser também remunerada, não deve ser considerada como fonte de recursos de terceiros, pois advém de situações excepcionais, e não de planejamento financeiro normal de longo prazo.

Questões e Exercícios

1. Explique, com suas palavras, o que é grau de endividamento e qual é sua relação com o risco financeiro. Dentro desse contexto, como se insere a questão das taxas de juros do capital de terceiros?

2. A seguir, estão três alternativas de estruturas financeiras. Considere que o patrimônio líquido é composto apenas de capital social.

	Estrutura A	Estrutura B	Estrutura C
	$	$	$
Ativo Total	200.000	200.000	200.000
Passivo Total	200.000	200.000	200.000
Empréstimos	0	75.000	120.000
Patrimônio Líquido	200.000	125.000	80.000

    a) Calcule o grau de endividamento de cada estrutura.
    b) Considerando um lucro operacional de $ 27.500 anual e uma taxa de juros de 11% ao ano incidindo sobre os empréstimos, calcule o lucro após os juros, a rentabilidade do ativo e a rentabilidade do patrimônio líquido. Desconsidere os impostos sobre o lucro.
    c) Apure os mesmos valores e indicadores, agora considerando uma taxa de juros de 16% ao ano.
    d) Faça suas observações sobre os resultados dos dois cálculos.
    e) Qual é a estrutura mais conservadora e a estrutura mais arriscada, considerando o conceito de aversão ao risco? Quais as vantagens e desvantagens?

3. Defina o que é alavancagem financeira e em que ela se fundamenta.

4. Considere as estruturas financeiras dadas a seguir e uma taxa de juros de 12% ao ano, que incide sobre o capital de terceiros.

	Estrutura Financeira A	Estrutura Financeira B
	$	$
Capital de Terceiros	200.000	450.000
Capital Próprio	400.000	150.000
Ativo/Passivo Total	600.000	600.000

As duas estruturas financeiras trabalham com a mesma estrutura de custos para um volume atual de vendas de $ 800.000. Os custos e despesas variáveis representam 60% das vendas, e os custos e despesas fixos montam $ 250.000. Calcule:

a) o lucro operacional e o lucro após os juros, para cada estrutura financeira;
b) a rentabilidade operacional sobre o ativo e a rentabilidade sobre o capital próprio de cada estrutura financeira;
c) o grau de alavancagem financeira das duas estruturas;
d) a variação do lucro líquido, considerando um aumento de 6% no volume/valor das vendas, para cada uma das estruturas financeiras;
e) a variação do lucro líquido, considerando uma redução de 6% no volume/valor das vendas, para cada uma das estruturas financeiras.
Desconsidere os impostos sobre o lucro.

5. Considere as duas estruturas financeiras dadas a seguir (A e B), as duas estruturas de custos (1 e 2) e uma taxa de juros para os empréstimos de 14% no período.

Estrutura Financeira A – Capital Próprio – $ 500.000 / Quantidade de ações = 500
Empréstimos   – 500.000
Estrutura Financeira B – Capital Próprio – $ 700.000 / Quantidade de ações = 700
Empréstimos   – 300.000

	Estrutura de Custos 1	Estrutura de Custos 2
Vendas	$ 1.000.000	$ 1.000.000
Custos Variáveis	450.000	300.000
Custos Fixos	200.000	350.000

I. Calcule:
   a) o lucro por ação para todas as hipóteses de combinações de alavancagens;
   b) os graus de alavancagem (operacional, financeira, combinada);
   c) o lucro por ação para todas as hipóteses de combinação, considerando aumento de 8% nas vendas;
   d) as variações de lucro por ação com o primeiro cálculo.
II. Verifique qual a estrutura mais arrojada e explique resumidamente por quê.
III. Desconsidere os impostos sobre o lucro.

6. Uma empresa tem um patrimônio líquido de $ 300.000, representado por 6 mil ações. Ela está diante de um novo projeto que demandará a obtenção de $ 150.000 em recursos e provocará um aumento de 18% no volume de vendas. A situação atual da empresa, em termos de resultados anuais, é a seguinte:

	$
Vendas	800.000
Custos e Despesas Variáveis	490.000
Custos e Despesas Fixos	260.000
Juros	-0-
Lucro Antes do Imp. Renda	50.000
Imp. Renda – 44%	22.000
Lucro Depois Imp. Renda	28.000

Calcule o lucro por ação: a) com a alternativa de não emprestar e b) no ponto de indiferença, ou seja, o máximo de juros a ser admitido e a taxa de juros, de modo que o lucro por ação, na hipótese de não emprestar, seja igual ao da hipótese de emprestar.

Nota: na hipótese de não emprestar, o número de ações passa para 9 mil.

7 Decisão de Dividendos

A política ou decisão de dividendos caracteriza-se pelo percentual do lucro obtido distribuído em dinheiro aos acionistas.[1] Os dividendos, é claro, reduzem a importância dos lucros retidos e, por conseguinte, afetam a política de financiamento. Quanto mais lucros a empresa retiver menor será a necessidade de recursos de terceiros para financiar os investimentos previstos. Portanto, a política ótima de dividendos é aquela que atinge um equilíbrio entre os dividendos correntes e o crescimento futuro, e maximiza o preço das ações da empresa.

Uma questão fundamental e polêmica é se a política de dividendos afeta o valor das ações (o valor da empresa). Em outras palavras, a política de dividendos pode criar valor para a empresa?

Modigliani e Miller provaram que, em mercados perfeitos, a política de dividendos é irrelevante e não altera o valor da ação. Outros autores entendem que a política de dividendos é um fator que altera o valor da ação, para mais ou para menos. O mercado tende a reagir positivamente dentro de uma política de dividendos fixos, ou com aumento de dividendos, e negativamente quando há cortes de dividendos. A política de dividendos de um percentual sobre o lucro, segundo pesquisas empíricas, também não favorece o aumento do valor da ação no mercado, porque oscila conforme o lucro e não dá tendências de estabilidade.

Sinalização para os Investidores

Os dividendos distribuídos em caixa podem ser vistos como um sinal para os investidores. Presumivelmente, empresas com boas-novas sobre sua futura rentabilidade querem expressar isso aos investidores. Os dividendos funcionam como um atestado da confiança dos diretores no futuro da empresa e de sua lucratividade.

A importância do lucro a ser distribuído pode ser resumida nos seguintes aspectos principais:

- é uma necessidade da empresa para manter nela mesma os investimentos já efetuados pelos seus acionistas e investidores;

---

[1] Denominamos genericamente *acionista* o detentor das ações ou cotas do capital social. Acionista é quem tem ações de empresas organizadas juridicamente sob a forma de sociedade anônima. Sócio ou cotista é o dono de cotas de empresas organizadas sob a forma de sociedade por cotas de responsabilidade limitada. Denomina-se dividendos a distribuição de lucros aos acionistas; a distribuição de lucros aos sócios cotistas é denominada simplesmente *distribuição de lucros*. Trataremos genericamente de dividendos qualquer distribuição de lucros e acionistas, quaisquer detentores do capital social.

- é ponto fundamental para os planos estratégicos, objetivando a continuidade da empresa;
- é a informação mais importante para os acionistas e investidores, para comparação com seus custos de oportunidade.

Política de Dividendos

Tem sido observada uma tendência nas empresas em adotar uma política estável de distribuição de lucros ou dividendos, de maneira a permitir, o máximo possível, que os investidores adquiram confiança nessa política, e, com isso, influenciar positivamente no valor de mercado das ações. Nesse sentido, uma distribuição estável e crescente, não vinculada à oscilação dos lucros periódicos, pode transmitir aos acionistas um sinal de confiança no desempenho da empresa.

A Tabela 7.1 apresenta os dois modelos mais utilizados de distribuição de dividendos.

Tabela 7.1 – Políticas de Dividendos – em Dinheiro

	Lucro do Período – $	Quantidade de Ações	Distribuição Fixa			Distribuição Variável		
			Valor $	s/Lucro %	Por Ação $	Valor $	s/Lucro %	Por Ação $
Período 1	20.000	100.000	12.000	60	0,120	12.000	60	0,120
Período 2	22.000	100.000	12.000	55	0,120	13.200	60	0,132
Período 3	18.000	100.000	14.000	78	0,140	10.800	60	0,108
Período 4	15.000	100.000	14.000	93	0,140	9.000	60	0,090
Período 5	24.000	100.000	15.000	63	0,150	14.400	60	0,144

O modelo de distribuição fixa procura não reduzir o valor dos dividendos por ação, mesmo que haja oscilação de redução no lucro de um ano para outro. Note que no Período 3 houve uma redução do lucro do período, mas os dividendos distribuídos foram maiores que os do período anterior. No Período 4 houve nova redução do lucro total da empresa, mas a distribuição de dividendos continuou com o mesmo valor por ação do período anterior. Esse modelo pode induzir os acionistas a ter uma avaliação positiva e de estabilidade do desempenho da empresa e confiança em seus administradores.

O modelo de distribuição variável de lucro por ação distribui uma parcela fixa dos lucros. Assim, o investidor sabe, no exemplo apresentado, que a empresa deve sempre distribuir 60% do lucro do ano na forma de dividendos. Contudo, caso haja oscilação no montante do lucro do período, haverá oscilação no dividendo por ação a ser distribuído. Quando o lucro cai, cai também a parcela de lucro a ser distribuída, e, consequentemente, o valor dos dividendos por ação. Portanto, em termos de recebimento de dividendos, da ótica do acionista, esse modelo se caracteriza por um comportamento de instabilidade que pode ser transferido negativamente para a avaliação do preço de mercado da ação.

Dividendos em Ações

Outra possibilidade de distribuição de lucros é a emissão de uma quantidade de novas ações, aumentando o número de ações que expressam o capital social da empresa. O objetivo, nesse caso, e na maior parte das vezes, é reter caixa dentro da empresa para novos investimentos, ao mesmo tempo que procura satisfazer os acionistas com alguma possibilidade de realização em dinheiro pela venda das ações adicionais recebidas.

Esse modelo, no caso brasileiro, não pode ser acionado de forma automática, uma vez que se faz necessário, antes, uma assembleia geral para autorizar o aumento de capital. Além disso, nem todos os acionistas necessariamente vão se interessar por integralizar a sua parte, motivo pelo qual é um modelo pouco utilizado. A Tabela 7.2 apresenta um exemplo desse modelo, denominado geralmente *bonificação em ações*.

Tabela 7.2 – Política de Dividendos – Bonificação em Ações – Período 5

Valor do Patrimônio Líquido ao Final do Período 5	$ 180.000	a
Valor de Mercado da Empresa ao Final do Período 5	$ 120.000	b
Quantidade de Ações	100.000	c
Valor Patrimonial por Ação	$ 1,80	d = a : c
Valor de Mercado da Ação	$ 1,20	e = b : c
Valor dos Dividendos a Distribuir	$ 15.000	f
Valor da Ação Acertado para Fins de Bonificação	$ 1,50	g
Quantidade de Ações a Serem Distribuídas como Dividendos	$ 10.000	h = f : g
Nova Quantidade de Ações do Capital Social	110.000	i = h + c
Valor Patrimonial da Ação Após a Bonificação	$ 1,64	j = a : i

Uma variável fundamental nesse modelo é o preço de referência da ação utilizado como base para a distribuição. No exemplo apresentado, o valor utilizado foi $ 1,50, que não é o valor de mercado da ação corrente nem o valor patrimonial da ação. É importante ressaltar que, nesse modelo, há uma diluição automática do valor patrimonial da ação, que pode ter reflexo negativo no próprio valor de mercado.

Continuidade da Empresa e Manutenção do Capital

Há dois conceitos de manutenção do capital: manutenção do capital físico e manutenção do capital financeiro. O conceito de manutenção do capital físico, ou capacidade física da empresa indica que esta deve manter sempre a sua capacidade operacional, medida por meio do conjunto de bens e direitos necessários às suas atividades operacionais, de forma que possa garantir a capacidade de geração de lucros. Nesse conceito, a empresa deve manter sempre o valor monetário a preços atualizados dos ativos necessários para suas operações.

O conceito de manutenção do capital financeiro está ligado à atualização monetária do capital investido, em termos de custo de oportunidade ou índices gerais de preços. Esse conceito centra-se, então, na atualização monetária do capital investido, sem especificar os bens que a empresa deve ter em seu poder.

Esses dois conceitos podem ser visualizados de maneira simples e resumida dentro de uma demonstração de resultados (Horngren *et al.*, 1996, p. 781). Considere que uma empresa investiu $ 100.000 em capital, que foi imediatamente utilizado na compra de mercadorias. As mercadorias foram vendidas, um ano depois, por $ 150.000. O custo de reposição do inventário de mercadorias, um ano depois, é de $ 120.000. Não houve inflação no período.

	Manutenção do Capital Financeiro	Manutenção do Capital Físico
Vendas	$ 150.000	$ 150.000
Custo das Vendas	$ 100.000	$ 120.000
Lucro	$ 50.000	$ 30.000

Nesse exemplo, sob a ótica da manutenção do capital físico, o lucro a ser distribuído precisa ter como parâmetro o resultado avaliado em $ 30.000. Se distribuir os $ 50.000, a empresa necessitará de mais $ 20.000, para repor sua capacidade física operacional.

Lucro que Pode Ser Distribuído

Considerando o conceito de manutenção do capital, Szuster (1985) define qual deve ser o lucro passível de distribuição: *todo o lucro não necessário à manutenção do capital pode ser distribuído.*

Dentro dessa abordagem, a política de dividendos deverá ter como base um modelo de mensuração do capital físico e do financeiro. O capital físico terá como referencial o valor dos ativos necessários para a manutenção da capacidade de geração de lucros; o capital financeiro terá como referencial o custo financeiro de oportunidade de mercado e inflação geral de preços. O lucro a ser distribuído será o valor da empresa que exceder o valor do capital a ser mantido.

O Caso Brasileiro – Algumas Características

A legislação brasileira, basicamente por meio da Lei nº 6.404/76, das Sociedades por Ações, exige a distribuição de dividendos, que deve constar do estatuto social da companhia. Caso não haja a previsão de distribuição de dividendos no estatuto, este deverá ser pelo menos 25% do lucro líquido do exercício.

Tributação e Classes de Ações

No formato de dividendos, os lucros distribuídos não são tributados na distribuição pela companhia distribuidora, mas não podem ser considerados como despesas dedutíveis para fins de impostos sobre o lucro. Também não sofrem nenhuma tributação na declaração de rendimentos das pessoas físicas ou jurídicas que os receberem.

Caso não haja a condição de *tag along*[2] no estatuto da companhia, as ações preferenciais receberão 10% a mais do valor do dividendo por ação destinado às ações ordinárias. Assim, se os dividendos destinados às ações ordinárias forem de $ 1,20 por ação, as preferenciais receberão $ 1,32 por ação.

Juros sobre o Capital Próprio (JSCP)

No Brasil, foi criada em 1995 a figura da dedutibilidade dos juros sobre o patrimônio líquido (JSPL), pagos às pessoas físicas e jurídicas detentoras das ações do capital das empresas (Artigo 9º da Lei nº 9.249, de 26/12/95).

A empresa poderá deduzir os juros, para fins dos impostos sobre o lucro, das importâncias pagas aos acionistas sob essa figura jurídica. Os JSCP serão calculados pela taxa de juros de longo prazo (TJLP) sobre o total do patrimônio líquido, excluindo-se o valor das reservas de reavaliação, e poderão ser considerados dividendos distribuídos para fins de dividendo mínimo obrigatório.

A empresa pode distribuir até 50% do lucro líquido do período após os impostos sobre o lucro, ou até 50% dos lucros acumulados – dos dois o maior. A distribuição dos JSCP será tributada na fonte em 15% e considerada exclusiva para pessoas físicas, e aproveitável em futuras distribuições de lucros para pessoas jurídicas recebedoras. Tributariamente, os JSCP são considerados despesas financeiras para quem paga e receita financeira tributável para pessoas jurídicas que recebem.

Essa figura é muito interessante, pois permite uma distribuição maior de resultados, ao mesmo tempo que encoraja as empresas a se capitalizarem com lucros retidos, evitando maior endividamento financeiro. Os dividendos distribuídos, outrossim, levam a vantagem de não ser tributados por quem recebe.

---

[2] Condição que determina que, no caso de venda das ações ordinárias pelo grupo controlador, a companhia deverá garantir aos acionistas preferenciais a condição de vender suas ações ao comprador, que deverá obrigatoriamente comprar por no mínimo 80% do valor pago pelas ordinárias.

Considerando a retenção de 15% de IR e a dedutibilidade para a empresa, há um ganho financeiro de 19% para a empresa que distribui. O ganho será um benefício para os acionistas pessoas físicas em distribuições futuras. No ato, contudo, o acionista recebe 15% a menos do que receberia sob a forma de dividendos.

Efeito da Dedutibilidade dos JSCP	34% dos Impostos sobre o Lucro
Retenção de IR na Fonte	15%
Ganho Financeiro para a Empresa Distribuidora	19%

* Para a Receita Federal, os JSCP são considerados receitas financeiras tributáveis pelo PIS e Cofins.

Questões e Exercícios

1. Considere os seguintes dados de uma companhia aberta:

	Lucro Líquido – $	Patrimônio Líquido – $	Lucro Distribuído – $
Período 1	35.000	175.000	20.000
Período 2	32.000	187.000	22.000
Período 3	45.000	210.000	22.000

   O capital da empresa é expresso por 50 mil ações. Calcule o lucro por ação de cada período.

2. Com os mesmos dados do exercício anterior, imagine que, no lugar do lucro distribuído apresentado, a empresa use um modelo de distribuição na proporção do lucro, da ordem de 60% do lucro líquido. Qual será o lucro por ação em cada período?

3. Ainda considerando os dados do Exercício 1, suponha que a empresa, em vez de distribuir em dinheiro os $ 22.000, o faça em ações bonificadas. Para tanto, toma como base do valor da ação a média entre o valor de mercado corrente, que é de $ 3,80, e o valor patrimonial do Período 3. Calcule a quantidade de ações a ser emitida e entregue em ações, bem como o novo valor patrimonial após essa bonificação.

4. Tomando os mesmos dados do Exercício 1, considere que o valor de mercado da ação ao final dos períodos 1 e 2 tenha sido, respectivamente, $ 5,00 e $ 4,00. Calcule a rentabilidade anual, tomando como base o valor de mercado e os dividendos recebidos.

5. Com os dados obtidos no Exercício 4, calcule a rentabilidade do patrimônio líquido nos períodos 1 e 2, e faça suas observações após uma análise comparativa entre os dados obtidos.

8 Introdução à Gestão do Capital de Giro

Podemos definir a gestão do capital de giro como a gestão do ciclo de comprar, produzir e vender ou revender produtos e serviços. Ela se caracteriza pela gestão do conjunto de atividades do sistema empresa necessárias para gerar produtos e serviços e entregá-los para sua comunidade de clientes. Significa, portanto, a gestão da utilização dos recursos necessários para o processo de transformação, a gestão do processo de transformação dos produtos e serviços e, finalmente, a gestão do processo de entrega dos produtos e serviços aos clientes.

Esse conjunto denominamos *gestão operacional*. Em outras palavras, a gestão operacional corresponde à gestão dos componentes do capital de giro da empresa, juntamente com a gestão dos recursos imobilizados.

Ciclo Operacional, Ciclo Econômico e Ciclo Financeiro

É extremamente importante a compreensão do ciclo completo de cada atividade. Ele pode ser expresso em três conceitos de ciclos: ciclo operacional, ciclo econômico e ciclo financeiro.

O ciclo operacional corresponde a todas as ações necessárias e exercidas para o desempenho de cada atividade. É o processo de gestão de cada atividade que inclui planejamento, execução e controle.

O ciclo econômico evidencia os eventos econômicos no momento em que eles acontecem, bem como a sua mensuração econômica. É no ciclo econômico que se apura o resultado do desempenho das atividades.

O ciclo financeiro corresponde ao processo de efetivação financeira de cada evento econômico em termos de fluxo de caixa.

Ciclos e Aspecto Temporal

Os *ciclos* são representados pelos momentos de realização dos eventos principais, em termos de transcorrer de tempo. O mais comum é a identificação da duração dos ciclos em quantidade de dias. Obviamente, algumas atividades e tarefas são desempenhadas em horas ou minutos. Porém, é tradicional evidenciar os ciclos em termos de transcorrer de dias.

Quanto maior o ciclo, ou seja, quanto maior a quantidade de dias para se executar um ciclo operacional completo, maior a necessidade de recursos econômicos necessários para a manutenção das atividades. Dessa maneira, uma gestão fundamental operacional é a gestão do tempo.

Há uma necessidade constante de tentar abreviar o tempo de execução das tarefas e atividades, objetivando maior produtividade dos recursos (o conceito de maior giro dos ativos), bem como sua otimização econômica, consumindo menor quantidade de recursos econômicos e, consequentemente, tendo menor necessidade de capital e dos custos financeiros envolvidos para obtenção desse capital.

Podemos evidenciar graficamente os três ciclos, em seus aspectos principais, conforme mostra a Figura 8.1, considerando uma empresa industrial.

Ciclo Operacional

Compreende todas as ações necessárias para a gestão da atividade. Conforme evidenciado na Figura 8.1, vai desde o momento do planejamento da produção e do recebimento da ordem de compra até a gestão dos pedidos de venda, a entrega do produto ou serviço e o recebimento da venda. Envolve desde o momento T0 até o momento T9.

Ciclo Econômico

Caracteriza-se pelo processo de consumo de recursos, produção e entrega do produto ou serviço. Em cada um dos momentos do ciclo econômico há possibilidade e necessidade de mensuração dos eventos nele contidos. Assim, há a necessidade de mensuração do custo do consumo e estocagem dos recursos, do evento da produção e estocagem dos produtos finais, bem como do valor da venda. Compreende desde o momento T2 até o momento T7.

Ciclo Financeiro

O ciclo financeiro em geral é diferente do ciclo econômico, pois os momentos de pagamento e recebimento dos valores dos eventos econômicos normalmente são prolongados por prazos de pagamento e recebimento. Os prazos de pagamento e recebimento, além das condições normais de crédito oferecidas pelas empresas, são utilizados pela necessidade física de se operacionalizar a efetivação financeira das transações. As empresas necessitam de um tempo mínimo para, após o recebimento do produto ou serviço, providenciar o seu pagamento. O ciclo financeiro corresponde ao intervalo entre os momentos T3 e T9.

Apesar de o evento *crédito dos impostos* sobre as compras ser um componente do ciclo financeiro, o seu pagamento é efetivado ao fornecedor e este recolhe os impostos aos órgãos governamentais. Os impostos creditados são então contabilizados e posteriormente deduzidos dos impostos gerados sobre a venda. O recolhimento acontece nos prazos determinados pelo governo, que não têm correlação com o prazo dado pela empresa a seus clientes.

INTRODUÇÃO À GESTÃO DO CAPITAL DE GIRO   197

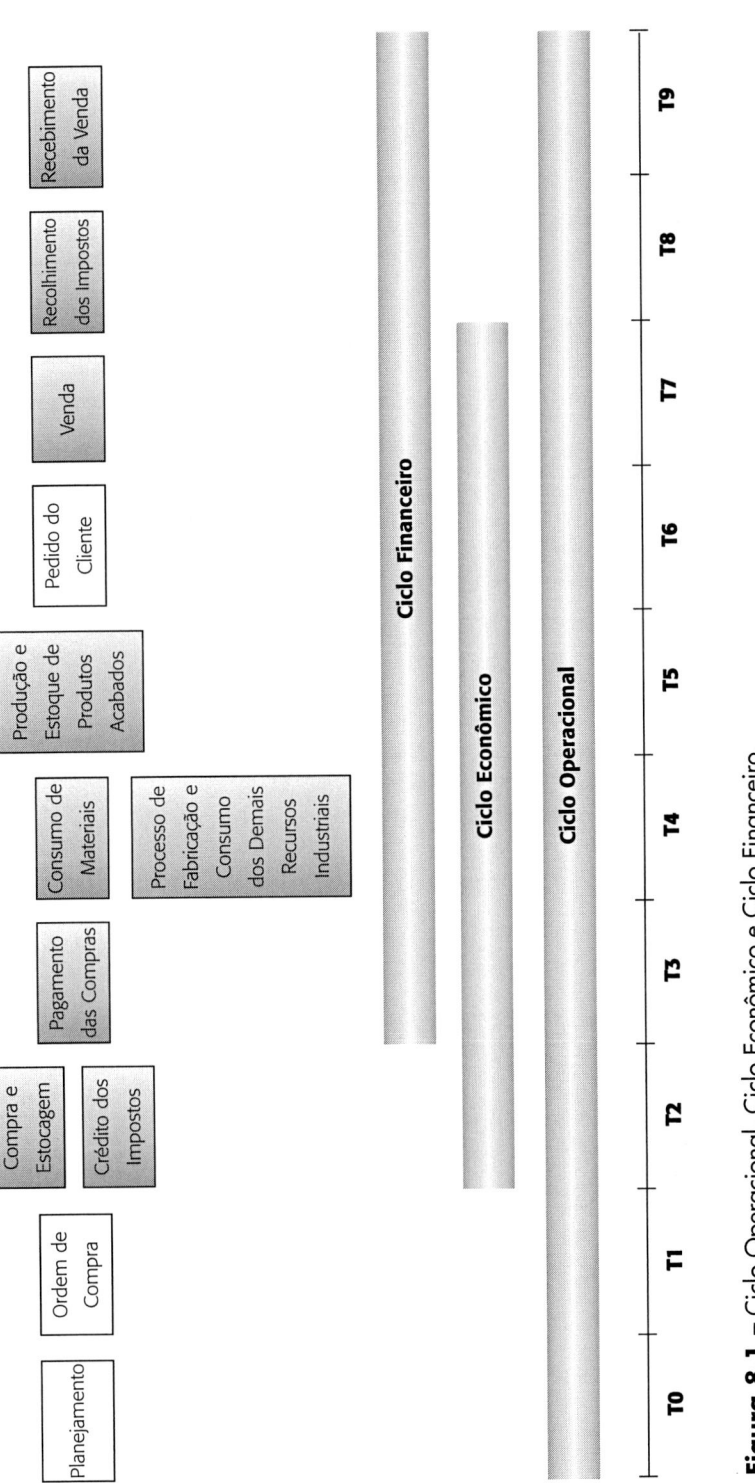

Figura 8.1 – Ciclo Operacional, Ciclo Econômico e Ciclo Financeiro.

Mensuração e Gestão do Ciclo Operacional

Normalmente, a mensuração do ciclo operacional, para fins de sua gestão, é baseada no transcorrer do tempo. Assim, o acompanhamento dos dias transcorridos entre todos os momentos do ciclo operacional é uma gestão fundamental para a otimização do próprio ciclo.

O fundamento da gestão do tempo do ciclo operacional está em que, gastando-se o menor tempo possível, a empresa poderá acionar mais rapidamente o desempenho de suas atividades outra vez, conseguindo com isso um giro maior dos recursos à disposição das atividades. O maior giro, ou maior rotação, é evidência de maior produtividade na utilização dos recursos e, consequentemente, menores custos e maiores ganhos.

Dentro do processo normal de desempenho das operações, que é de modo contínuo e ininterrupto, o ciclo operacional não fica claramente visível. Porém, a cada término de um ciclo operacional, a empresa está acionando um novo ciclo, e assim sucessivamente. Portanto, quanto menos tempo for despendido em cada uma das tarefas de cada atividade mais vezes o ciclo será acionado, e haverá aumento da produtividade e resultados econômicos.

Exemplo: Mensuração do Ciclo Operacional em Dias

Tomando como base os elementos da Figura 8.1 e atribuindo arbitrariamente quantidade de dias para todos os momentos temporais do ciclo, podemos mensurar o ciclo operacional em dias.

Atividade	Dias Necessários para Desenvolver a Atividade
Planejamento da Produção	5
Emissão de Ordem de Compra	2
Recebimento do Material	90
Pagamento ao Fornecedor	30*
Consumo de Materiais na Fábrica	60
Processo de Fabricação – Produção	60
Estoque de Produtos Acabados	30
Processamento do Pedido do Cliente	10
Venda	5
Recebimento da Venda	30
Ciclo Operacional	**292**

* Apesar de constar do ciclo operacional, o pagamento ao fornecedor é executado em paralelo ao consumo do material e ao processo de fabricação. Assim, essa quantidade de dias não deve ser somada ao ciclo operacional, para não duplicar a quantidade física de dias.

Pode parecer exagero uma quantidade de 292 dias para executar um ciclo operacional dentro de uma indústria com alguma complexidade de tecnologia e processo produtivo. Contudo, há que se considerar todos os fatores envolvidos no processo, como exemplificaremos a seguir.

O primeiro grande ciclo em dias é o recebimento do material. Esse prazo acontece entre o momento em que o fornecedor recebe o pedido até o momento em que a mercadoria encomendada adentra na empresa. Para alguns processos produtivos de matéria-prima fartamente disponível e pulverizada, é possível que o tempo seja extremamente reduzido. Contudo, o prazo para entrega pode ser muito grande, tanto em função do material quanto do fornecedor. Como exemplo, podemos citar materiais importados, cujo processo de internação demanda muitos dias, normalmente meses, tanto em função do tipo de transporte (a maior parte é marítima) como do processo burocrático aduaneiro.

Em nosso exemplo, o prazo entre o recebimento do material e sua utilização pela fábrica é de 60 dias, aparentemente muito grande. Contudo, as empresas têm normalmente políticas de estocagem de segurança, para prevenção de problemas conjunturais e inibir a interrupção de fornecimento. Obviamente, dependendo do produto e do material, prazos de estocagem extremamente curtos podem ser obtidos.

O processo de fabricação compreende todas as etapas necessárias para criar o produto partindo de seus materiais básicos. Alguns produtos não levam mais do que segundos ou minutos para ser produzidos, considerando tecnologias automatizadas (produtos de plásticos, por exemplo). Outros produtos, que normalmente exigem processos manuais de montagem, embalagem e expedição, ou maturação pelo próprio transcorrer do tempo (produtos por encomenda, agrobusiness, por exemplo), demandam dias ou meses para sua produção.

A quantidade necessária de dias para estocagem dos produtos já acabados também depende do tipo de produto e do processo de comercialização. Algumas empresas optam por maior estocagem de produtos acabados, objetivando sempre ter produtos à mão para pronta entrega.

O processamento interno do pedido do cliente pode ser totalmente eliminado como adição de dias ao ciclo operacional se ele for feito paralelamente com outros componentes do ciclo. Contudo, o mais comum é ter produtos em estoque, e o tempo de processamento do pedido do cliente impede a venda imediata.

O prazo para venda está entre o momento do pedido já processado e sua expedição por qualquer meio de transporte. O prazo de recebimento da venda depende tanto da política de crédito da empresa como do prazo costumeiro no setor de atuação da empresa.

Ciclos Econômico e Financeiro em Dias

O ciclo econômico compreende todos os períodos de estocagem e o período de produção até a venda. Em nosso exemplo, compreenderia:

Estocagem de Materiais	60 dias
Processo de Fabricação	60 dias
Produtos Acabados	30 dias
Venda	5 dias
Total	155 dias

O ciclo financeiro compreende as etapas do pagamento das compras de materiais até o recebimento da venda. Em nosso exemplo, seria:

Ciclo Econômico	155 dias
(–) Prazo do Fornecedor	(30) dias
(+) Prazo de Recebimento da Venda	30 dias
Total	155 dias

Redução dos Dias do Ciclo: Uma Atividade Fundamental

A gestão do tempo do ciclo operacional é uma gestão contínua e ininterrupta na busca do menor tempo possível para todas as atividades. Todos os tempos exemplificados anteriormente devem ser objetos de políticas específicas para obter sua redução, por meio do seu contínuo monitoramento e da busca de novas alternativas e técnicas de gestão.

Conceitos de Gestão Operacional e Tecnologia de Informação[1]

Just-in-Time, Teoria das Restrições, Produção Lean, Kanban, Produção Modular, MRP e Células de Produção são os conceitos mais utilizados para a redução do ciclo operacional, a maior parte apoiada por softwares para sua implementação. Cada empresa deve estar atenta a quais conceitos se adaptam melhor a seu produto e processo produtivo para utilizá-los de maneira otimizada.

A utilização dos sistemas integrados de gestão (ERP – Enterprise Resource Planning), acoplados com outras soluções oferecidas pela tecnologia de informação (CRM, ECR, EDI, Internet, E-Procurement, dispositivos portáteis etc.), tem sido o caminho preferido para buscar melhoria significativa no ciclo operacional, já que a atual tecnologia da informação permite maior integração e velocidade superior de comunicação de dados.

---

[1] Temas desenvolvidos em Padoveze (2000b).

Mensuração e Gestão dos Ciclos Econômico e Financeiro

Já vimos que o ciclo operacional deve ser mensurado em termos de valor, para sua gestão econômica e financeira. Tanto a mensuração quanto a gestão dos ciclos econômico e financeiro podem ser feitas de duas maneiras:

1. mensuração econômica individualizada, idealizada ou padrão;
2. mensuração econômica genérica, por meio dos demonstrativos contábeis.

A primeira metodologia de mensuração é feita partindo-se dos dados levantados na identificação do ciclo operacional completo, em dias, e dos valores do custo dos recursos envolvidos e necessários para o desempenho de cada atividade das diversas etapas do ciclo. A segunda metodologia – a mais utilizada e a que empregaremos – parte dos valores contábeis dos itens representativos do ciclo operacional (contas a receber, estoques, contas a pagar, impostos a recolher), obtidos no balanço patrimonial, e relaciona-os com os valores resultantes e inter-relacionados com esses elementos do giro, dentro da demonstração de resultados, obtendo os prazos médios das atividades expressos em dias ou em giro.

Mensuração Contábil dos Ciclos Econômico e Financeiro

A mensuração contábil dos ciclos econômico e financeiro da empresa é feita por meio dos dados dos demonstrativos contábeis, do balanço patrimonial e da demonstração de resultados, transformando os dados dos elementos do giro inter-relacionados em indicadores de atividades ou prazos médios, indicados em dias ou em número de giros (rotação).

Tomando como base os dados constantes dos demonstrativos contábeis do Capítulo 9, tabelas 9.1 e 9.2, apresentamos os indicadores dos ciclos econômico e financeiro mais utilizados, tanto no conceito de giro como no conceito de dias. Utilizaremos os dados da demonstração dos resultados do ano de X1 e do balanço patrimonial de 31.12.x1.

Estocagem de Materiais

$$\text{Giro do Estoque (GE)} = \frac{\text{Consumo de Materiais}}{\text{Estoque de Materiais}}$$

$$GE = \frac{\$\ 10.025.476}{\$\ 1.788.347} = 5{,}61 \text{ vezes}$$

Normalmente, a informação do valor do consumo de material não está disponível nos demonstrativos contábeis publicados. Como nosso foco é a gestão interna, essa informação deverá ser gerada normalmente pelo sistema contábil. De qualquer maneira, ela pode ser estimada por meio das fórmulas de inter-relacionamento entre as contas dos elementos contábeis envolvidas, mais uma estimativa de impostos médios das compras, já que o consumo de materiais é líquido dos impostos.

Vejamos como isso é feito:

Consumo de Materiais	$ 10.025.476
(+) Estoque Final de Materiais	$ 1.788.347
(–) Estoque Inicial de Materiais	($ 1.800.000)
= Compras de Materiais, Líquidas de Impostos	$ 10.013.823
(+) Impostos sobre Compras (18%)	$ 1.802.488
= Compras Brutas	$ 11.816.311

$$\text{Dias em Estoque} = \frac{\text{Estoque de Materiais} \times 360 \text{ dias}}{\text{Consumo de Materiais}}$$

$$\text{Dias em Estoque} = \frac{\$ 1.788.347 \times 360}{\$ 10.025.476} = 64{,}21 \text{ dias (64 dias)}$$

Esses indicadores dizem que o estoque de materiais gira 5,61 vezes no ano e que, em média, o estoque de materiais tem valores estocados que correspondem a 64 dias do consumo médio de materiais de um ano de produção.

Pagamento de Fornecedores

$$\text{Prazo Médio de Pagamento} = \frac{\text{Fornecedores (Dupls. a Pagar)} \times 360 \text{ dias}}{\text{Compras de Materiais (Bruto)}}$$

$$\text{Prazo Médio de Pagamento} = \frac{\$ 679.377 \times 360}{\$ 11.816.311} = 20{,}70 \text{ dias (21 dias)}$$

Esse indicador nos mostra que o prazo médio de pagamento da empresa é de 21 dias, ou seja, os fornecedores, em média, dão um prazo de 21 dias para a empresa pagar suas compras de materiais.

Estocagem de Produtos em Processo

$$\text{Giro do Estoque (GE)} = \frac{\text{Custo dos Produtos Vendidos}}{\text{Estoque de Produtos em Processo}}$$

$$GE = \frac{\$\ 15.122.900}{\$\ 839.145} = 18,02 \text{ vezes}$$

$$\text{Dias em Estoque} = \frac{\text{Estoque de Produtos em Processo} \times 360 \text{ dias}}{\text{Custo dos Produtos Vendidos}}$$

$$\text{Dias em Estoque} = \frac{\$\ 839.145 \times 360}{\$\ 15.122.900} = 19,97 \text{ dias (20 dias)}$$

Esses indicadores evidenciam que a fábrica consegue produzir 18 ciclos de fabricação, ou seja, consegue, ao longo do ano, fabricar 18 vezes a linha de produtos. Em outras palavras, o ciclo produtivo da empresa, do consumo de materiais até a produção final, leva apenas 20 dias.

Estocagem de Produtos Acabados

$$\text{Giro do Estoque (GE)} = \frac{\text{Custo dos Produtos Vendidos}}{\text{Estoque de Produtos Acabados}}$$

$$GE = \frac{\$\ 15.122.900}{\$\ 672.679} = 22,48 \text{ vezes}$$

$$\text{Dias em Estoque} = \frac{\text{Estoque de Produtos Acabados} \times 360 \text{ dias}}{\text{Custo dos Produtos Vendidos}}$$

$$\text{Dias em Estoque} = \frac{\$\ 672.679 \times 360}{\$\ 15.122.900} = 16,01 \text{ dias (16 dias)}$$

Recebimento de Clientes

$$\text{Prazo Médio de Recebimento} = \frac{\text{Clientes (Dupls. a Receber)} \times 360 \text{ dias}}{\text{Vendas (Receita Operacional Bruta)}}$$

$$\text{Prazo Médio de Recebimento} = \frac{\$\ 2.048.604 \times 360}{\$\ 23.883.989} = 30,88 \text{ (31 dias)}$$

O dado obtido indica que a empresa demora, em média, 31 dias para receber o valor das vendas. Em outras palavras, a carteira de clientes a receber representa 31 dias de vendas médias diárias.

Gestão do Capital de Giro

A terminologia *capital de giro* vem da visão circular do processo operacional de geração de lucros: comprar estoques, produzir, vender e receber, voltar a comprar estoques, produzir e vender/receber. Em termos contábeis, o capital de giro é representado pelo total do ativo circulante, também denominado *capital de giro bruto*.

Capital de Giro Próprio

Como os estoques podem ser provisoriamente financiados, por meio das duplicatas a pagar de fornecedores, prazos de impostos a recolher e prazos para pagamentos dos salários dos funcionários e despesas, financeiramente o valor do dinheiro necessário para o giro *normal* dos negócios da empresa pode ser menor. Assim, denomina-se *capital de giro próprio* (CGP) a diferença entre o ativo circulante e o passivo circulante.

Eventualmente, alguns elementos clássicos do capital de giro podem estar no longo prazo, tanto no ativo (realizável a longo prazo) como no passivo (exigível a longo prazo). Contudo, normalmente os elementos patrimoniais desses dois grupos do balanço evidenciam direitos ou investimentos de longo prazo, no ativo, e dívidas de longo prazo no passivo, razão que não levaremos em consideração esses grupos patrimoniais neste tópico do trabalho.

Tomando como base os dados das tabelas 9.1 e 9.2, 31.12.x1, teríamos:

Capital de Giro (Bruto)   = $ 6.911.945   (Ativo Circulante)

Capital de Giro Próprio   = $ 6.911.945   (Ativo Circulante)
                                 (-) $ 3.446.209   (Passivo Circulante)
                                 = $ 3.465.736   (Capital Circulante Líquido)

Reclassificação do Balanço Patrimonial para Fins de Finanças

Para fins de análise financeira, os passivos circulantes devem ser considerados redutores do ativo circulante. Assim, temos que colocá-los no ativo, com sinal negativo:

Balanço Tradicional			
Ativo Circulante	$ 6.911.945	Passivo Circulante	$ 3.446.209
Realizável a Longo Prazo	$ 8.000	Exigível a Longo Prazo	$ 4.838.435
Outros Ativos Não Circulantes (1)	$ 5.634.775	Patrimônio Líquido	$ 4.270.075
Ativo Total	$ 12.554.719	Passivo Total	$ 12.554.719

(1) Investimentos, Imobilizado e Intangíveis

Capital de Giro no Balanço Financeiro			
Outros Ativos Não Circulantes	$ 6.911.945		
(-) Passivo Circulante	$ (3.446.209)	Exigível a Longo Prazo	$ 4.838.435
= Capital de Giro Próprio	$ 3.465.736		
Realizável a Longo Prazo	$ 8.000		
Outros Ativos Não Circulantes (1)	$ 5.634.775	Patrimônio Líquido	$ 4.270.075
Ativo Total	$ 9.108.511	Passivo Total	$ 9.108.510

(1) Investimentos, Imobilizado e Intangíveis

Elementos do Capital de Giro Próprio

Dentro da visão tradicional, os componentes do capital de giro são todas as contas do ativo circulante e do passivo circulante. Os principais elementos são:

- Disponibilidades (Caixa, Bancos e Aplicações Financeiras);
- Contas a Receber de Clientes (Duplicatas a Receber);
- Estoques (Materiais, em Processo e Acabados);
- Contas a Pagar a Fornecedores (Duplicatas a Pagar);
- Outras Contas a Pagar (Despesas Provisionadas);
- Salários e Encargos a Pagar;
- Impostos a Recolher sobre Mercadorias.

Outras contas menos comuns e até de montante menos significativo, para a maioria das empresas, também devem ser consideradas no capital de giro:

- Impostos a Recuperar (IR de Aplicações Financeiras, Saldo Credor de IPI/ICMS etc.);
- Provisão para Devedores Duvidosos;
- Títulos Descontados;
- Provisão Retificadora de Estoques;
- Adiantamentos de Fornecedores;
- Despesas do Exercício Seguinte (Despesas Antecipadas);
- Adiantamento de Clientes;
- Impostos a Recolher sobre o Lucro;
- Empréstimos de Curto Prazo;
- Dividendos ou Lucros a Distribuir.

Cada uma dessas contas merece uma gestão diferenciada, pois tem suas características próprias. Contudo, as principais contas, objeto de estudo mais aprofundado, são: Estoques, Clientes e Fornecedores, que formam a espinha dorsal do conceito de capital de giro próprio.

O Modelo Fleuriet – Contas Cíclicas e Erráticas e Necessidade Líquida de Capital de Giro

Fleuriet *et al.* (1978) desenvolveram um modelo de administração do capital de giro chamado de *Análise Financeira Dinâmica*. Esse modelo retoma o tema da liquidez e seus indicadores, sugerindo uma abordagem nova e diferente da abordagem da análise de balanço tradicional. Seu modelo foi desenvolvido, com algumas adaptações, por Olinquevitch e De Santi (1987).

Para desenvolver seu modelo, Fleuriet e outros separaram os elementos do giro, classificando-os em dois tipos em relação ao seu comportamento com o ciclo operacional:

a) contas *cíclicas*, ou seja, contas de natureza operacional;
b) contas *erráticas*, ou seja, as demais contas do circulante.

As contas cíclicas "são as que se relacionam diretamente com o ritmo operacional, refletindo, em seus saldos, o nível de operações fins da empresa... As contas erráticas são aquelas cujos saldos evoluem sem qualquer relação com o ritmo das operações, podendo, portanto, ser zerados quando a empresa estiver desempenhando normalmente suas atividades" (Fioravanti, 1999, p. 15).

As contas cíclicas relevantes são: duplicatas a receber de clientes, estoques, despesas pagas antecipadamente – no ativo; duplicatas a pagar de fornecedores, obrigações tributárias incidentes sobre o faturamento, obrigações trabalhistas – no passivo. As contas erráticas relevantes são: caixa, bancos, aplicações financeiras, mútuos com controladas e coligadas, outras contas correntes – no ativo; financiamentos bancários, títulos descontados, provisões de impostos sobre o lucro, mútuos com controladas e coligadas, outras contas a pagar – no passivo.

Considerando as naturezas diferenciadas das contas do giro, há uma reclassificação do capital circulante: as contas cíclicas são classificadas como giro, e, consequentemente, o total dos ativos cíclicos menos o total dos passivos cíclicos indica a *Necessidade Líquida de Capital de Giro (NLCG)*. As demais contas, de caráter financeiro e não vinculadas às operações, são denominadas *Contas de Tesouraria*, e só com elas devem ser calculadas a liquidez empresarial e a capacidade de solvência da empresa no curto prazo. Com os dados do exemplo inicial, apresentamos uma reclassificação conforme a abordagem dinâmica do Modelo Fleuriet.

O aspecto fundamental dessa abordagem, que tem como objetivo oferecer um modelo de decisão completo para administração do capital de giro (Braga, 1991), centra-se no conceito de que as contas cíclicas são necessárias para o ritmo das operações e, portanto, não podem ser realizadas, sob pena de comprometer a continuidade da empresa. Além de as contas cíclicas não poderem ser realizadas, e, consequentemente, ser utilizadas para quitação de obrigações financeiras (passivos erráticos), o saldo das contas cíclicas varia com o nível de atividade da empresa. Em outras palavras, sempre que existir um aumento no volume de produção ou vendas, haverá a necessidade de ampliar os investimentos e a retenção de giro para fazer face a

Tabela 8.1 – Balanço Patrimonial – Modelo Fleuriet

ATIVO CIRCULANTE		PASSIVO CIRCULANTE	
Contas Erráticas	*1.602.967*	*Contas Erráticas*	*1.901.202*
Caixa/Bancos	1.000	Títulos Descontados	0
Aplicações Financeiras	1.596.167	Impostos a Recolher – sobre Lucros	72.028
Impostos a Recuperar (sobre Lucros)	5.800	Empréstimos	1.649.124
		Dividendos a Pagar	180.050
Contas Cíclicas	*5.308.977*	*Contas Cíclicas*	*1.545.007*
Contas a Receber	2.048.604	Fornecedores	679.377
Provisão Devedores Duvidosos	(43.899)	Salários e Encargos a Pagar	264.981
Estoques	3.300.172	Contas a Pagar	120.446
Adiantamentos a Fornecedores	2.800	Impostos a Recolher – s/ Mercadorias	475.203
Despesas do Exercício Seguinte	1.300	Adiantamento de Clientes	5.000
REALIZÁVEL A LONGO PRAZO	8.000	EXIGÍVEL A LONGO PRAZO	4.838.435
OUTROS ATIVOS NÃO CIRCULANTES (1)	5.634.775	PATRIMÔNIO LÍQUIDO	4.270.075
ATIVO TOTAL	12.554.719	ATIVO TOTAL	12.554.719

(1) Investimentos, Imobilizado e Intangíveis

esse novo nível de atividade. (O inverso também é válido: sempre que houver redução do nível de atividade, deverá haver redução da necessidade de giro.[2])

Dentro dessa abordagem, *a necessidade líquida de capital de giro equipara-se a um conceito de permanente*, mesmo que, à luz dos princípios contábeis geralmente aceitos, não o seja. Porém, em uma abordagem puramente gerencial, não há possibilidade de dispor dos elementos do giro (clientes, estoques), porque eles são necessários e imprescindíveis para manter o nível de atividade da companhia.

No exemplo apresentado anteriormente, a NLCG é de $ 3.763.970. Este valor não deve ser disponibilizado para pagamento de obrigações, pois é necessário para a manutenção das operações.

Necessidade Líquida de Capital de Giro (NLCG) = Ativos Cíclicos (–) Passivos Cíclicos
NLDG = $ 5.308.977 (–) $ 1.545.007
NLDG = $ 3.763.970

Necessidade de Capital de Giro, Crescimento da Empresa e Financiamento do Capital de Giro

Em linhas gerais, as empresas buscam desempenhar um modelo de *crescimento constante*, ganhando ou ampliando mercados. Dentro dessa premissa, há sempre

---

[2] Estamos desconsiderando alterações nas políticas ou ganhos de produtividade nos créditos e estoques.

necessidade adicional de capital de giro ao longo do tempo, pois o capital de giro representa os recursos necessários para o desempenho das operações da empresa. Já deixamos claro que a empresa sempre deverá objetivar uma redução do ciclo operacional. Porém, dentro de determinadas condições, essa redução tem limites e o capital de giro adicional, com crescimento do nível de atividade, é necessário. Além disso, por melhores que sejam as condições do planejamento e do processo de gestão operacional, a realidade dos negócios carrega dentro de si imperfeições, naturais da conjuntura econômica, que afetam o valor da necessidade de capital de giro. Essas condições naturais de mercados imperfeitos imprimem alguma sazonalidade nas necessidades de capital de giro. Essas sazonalidades, com a evolução das contas erráticas, terminam por evidenciar dois tipos de comportamento do capital de giro: um comportamento cíclico, que responde proporcionalmente à evolução do nível de atividade ao longo do tempo, e um comportamento sazonal ou errático, que responde desvinculado da evolução natural do ritmo das operações. Esses dois comportamentos do capital de giro podem ser apresentados graficamente, conforme a Figura 8.2.

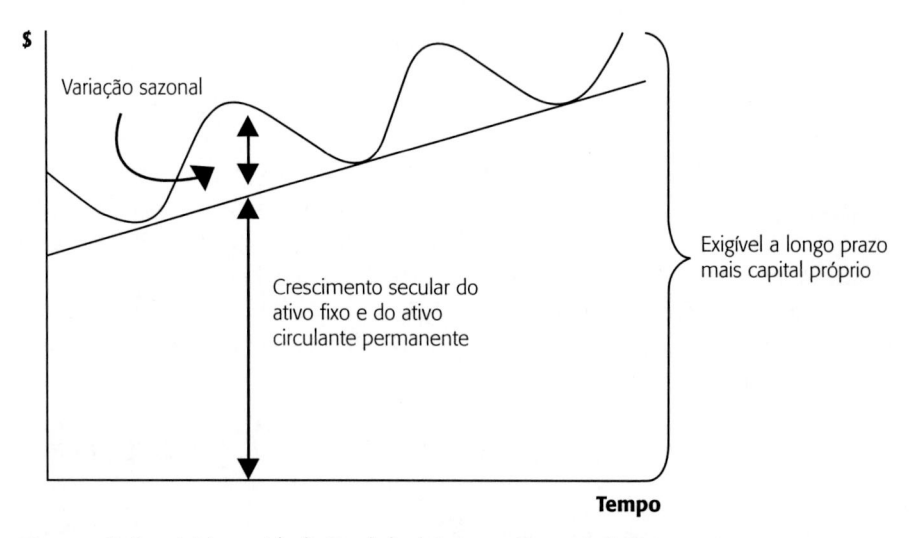

Figura 8.2 – A Necessidade Total de Ativos em Função do Tempo.

Essa figura, em consonância com o conceito de contas cíclicas e erráticas, e dentro do conceito de que a necessidade de capital de giro não pode ser disponibilizada é um investimento necessário, igual ao ativo permanente, mostra também a possibilidade de financiamento do capital de giro.

Em linhas gerais, há duas opções claras de financiamento para o capital de giro em relação ao seu comportamento ao longo do tempo:

- financiar toda a necessidade de giro, cíclica e sazonal, com recursos de longo prazo;

- financiar a necessidade de giro cíclica com recursos de longo prazo, cobrindo as necessidades sazonais com recursos temporários de curto prazo.

Essas duas opções de financiamento são apresentadas nas figuras 8.3 e 8.4.

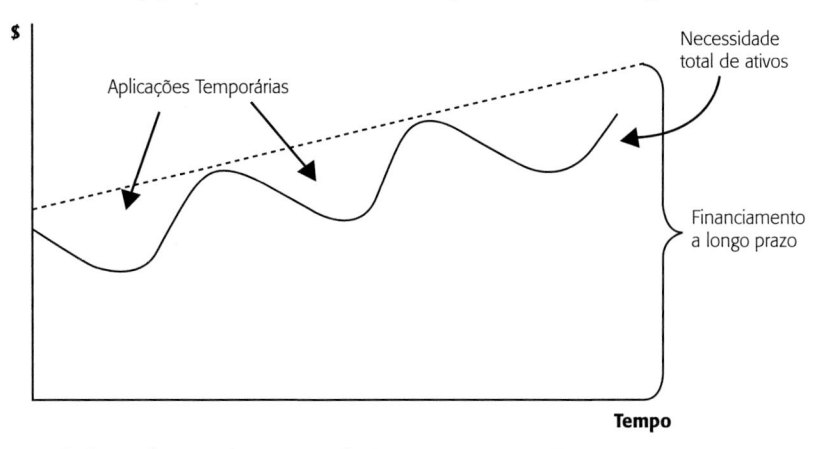

Figura 8.3 – Políticas Alternativas de Financiamentos – Estratégia F.

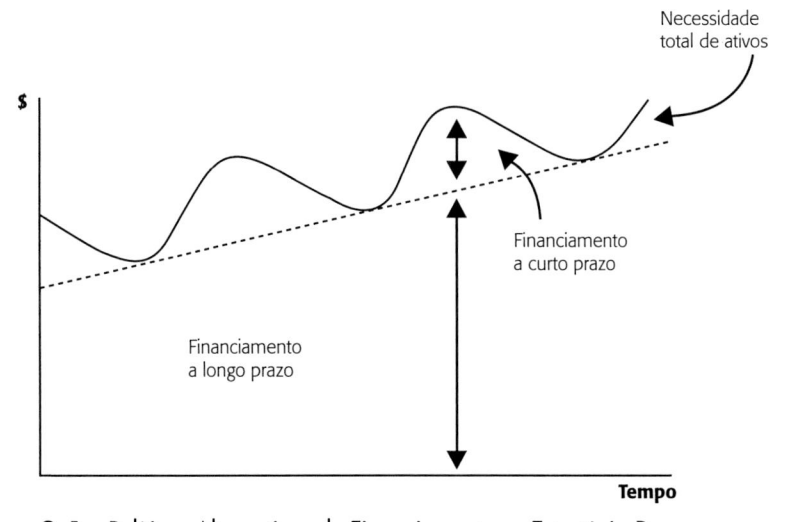

Figura 8.4 – Políticas Alternativas de Financiamentos – Estratégia R.

Gestão do Capital de Giro – Visão Geral

A administração do capital de giro corresponde basicamente ao monitoramento completo do ciclo operacional padrão ou ideal e do impacto financeiro que a magnitude do ciclo provoca nas necessidades dos recursos empresariais.

Podemos dizer que a função de controladoria, em relação à gestão do capital de giro, consiste em apoiar os gestores das diversas áreas e atividades da empresa, na busca de desempenho operacional em termos dos padrões identificados para cada atividade do ciclo operacional.

Como já vimos, os gastos necessários para o giro estão representados em rubricas específicas do balanço patrimonial, que tem uma relação direta e inter-relacionada com dados da demonstração de resultados. Esses dados evidenciam a realidade da empresa, e, portanto, os indicadores dos prazos médios de atividades extraídos dos demonstrativos contábeis devem ser confrontados com os indicadores ideais ou padrão detectados na mensuração individualizada das diversas etapas do ciclo operacional.

Foco da gestão do capital de giro

Indicadores do Ciclo Operacional por meio dos Prazos Médios de Atividade Reais
X
Indicadores do Ciclo Operacional Ideais ou Padrão

A Tabela 8.2 apresenta um modelo de decisão para gestão do capital de giro. Vamos tomar como referência apenas os principais elementos representativos do capital de giro.

Tabela 8.2 – Modelo de Decisão para Gestão do Capital de Giro

	Dados Reais		Dados Padrão		Variação		
	$	Dias	$	Dias	$	Dias	Percentual
Estocagem de Materiais	1.788.347	64	1.676.000	60	112.347	4	6,7%
Estoque de Produtos em Processo	839.145	20	839.000	20	145	0	0,0%
Estoque de Produtos Acabados	672.679	16	625.000	15	47.679	1	7,6%
Total dos Estoques	3.300.171	100	3.140.000	95	160.171	5	5,1%
Fornecedores	679.377	21	646.000	20	33.377	1	5,2%
Clientes	2.048.604	31	1.850.000	28	198.604	3	10,7%
Total Geral	4.669.398	110	4.344.000	103	325.398	7	7,5%

Os dados da tabela indicam que há um excesso de investimento de $ 320.114 em capital de giro, correspondendo a uma média de sete dias a mais do que os dados padronizados no momento. A controladoria, com os gestores responsáveis pelas diversas atividades, deverá identificar as razões que estão ocasionando as variações e buscar eliminá-las.

Principais Fatores que Afetam a Necessidade Líquida de Capital de Giro

A gestão do capital de giro, como já vimos, baseia-se no monitoramento do ciclo operacional padrão. O ciclo operacional padrão ou ideal decorre do processo produtivo e dos tempos necessários para o conjunto de atividades para produzir e vender os produtos e serviços.

O ciclo padrão, contudo, pode ser alterado por decisões arbitrárias, decorrentes de políticas que a empresa queira implementar, sempre objetivando maior rentabilidade e dentro da estratégia de contínuo crescimento.

Política de Crédito x Volume de Vendas

O saldo de contas a receber (Duplicatas a Receber de Clientes) decorre das vendas a prazo da empresa. As vendas a prazo podem ser uma necessidade do negócio em que a empresa atua, mas, na maioria das vezes, são um produto da política de crédito da companhia. Essa política de crédito pode ser um elemento competitivo diferenciador da empresa e incrementador de volume de vendas. Assim, a política de crédito está intimamente associada à variação do volume vendido.

A política de crédito demandará uma necessidade de capital de giro, que aumentará se o volume de vendas crescer. Além disso, uma variação da política de crédito provocará mais necessidade de capital de giro (se os prazos para recebimento das vendas aumentarem), além de reduzir o capital de giro (se os prazos das vendas diminuírem).

Os fatores básicos para determinação de uma política de crédito são:

- volume de vendas a ser incrementado com a adoção de uma nova política;
- volume de capital necessário para fomentar essa nova política;
- qual o custo de capital dos investimentos necessários (custo de oportunidade);
- qual a taxa a ser cobrada dos clientes pelos prazos concedidos nas vendas.[3]

Exemplo

Uma empresa vende apenas à vista. Para aumentar seu faturamento em 12%, ela pretende vender tudo a prazo, para 30 dias. O volume normal de vendas é $ 500.000 ao mês. O custo de oportunidade de capital é de 4% ao mês. Ela pretende recuperar

---

[3] Inclui o impacto dos impostos adicionais faturados sobre os juros cobrados nas vendas.

25% a mais de custo financeiro na venda a prazo. Os impostos sobre vendas, de 20%, são recolhidos à vista. Vamos calcular o índice para vender a 30 dias e o volume necessário de capital de giro em contas a receber.

---

a) **Custo Financeiro a Recuperar** = 5% ao mês (4% + 25% = 4 x 1,25)

b) **Índice para Venda a Prazo =**

Venda à Vista = $ 100,00 Imposto a Recolher = $ 20,00   Receita Líquida = $ 80,00
Venda a Prazo = $ 105,00 Imposto a Recolher = $ 21,00   Receita Líquida = $ 84,00

Valor Presente da Receita da Venda a Prazo = $ 105 : 1,04 = $ 100,96
(-) Imposto Recolhido   (21,00)
Valor Líquido   79,96
Perda por Vender a Prazo   0,04
Valor a Ser Incorporado na Venda a Prazo ($ 0,04 x 1,04%)   0,0416
Venda a Prazo   = 105,0416

Comprovação = $ 105,0416 : 1,04 = $ 101,00 (-) 21,00 Imposto = $ 80,00

c) **Volume de Capital de Giro Necessário em Contas a Receber**[4]

$ 500.000 x 1,12 (12% a mais de vendas) =	$ 560.000
Impostos – 20%	$ 112.000
Valor Anterior de Giro	
Vendas à Vista	$ 500.000
(-) Impostos Recolhidos – 20%	(100.000)
Vendas à Vista	$ 500.000
(+) Diferença de Impostos (112.000 – 100.000)	12.000
= Caixa Necessário	512.000
(+) Custo de Capital (512.000 + 4%[5])	532.480

O exemplo evidencia os seguintes aspectos principais em uma mudança de política de crédito:

a) há necessidade de rever a formação do preço de venda, sob pena de perda de rentabilidade com a antecipação do recolhimento dos impostos, em relação à situação anterior;

b) um aumento de vendas por política de crédito, aumentando o prazo para o cliente, vai exigir um acréscimo de capital de giro;

---

[4] Não estamos levando em conta os estoques necessários para o aumento de venda.

[5] Na política anterior, o valor recebido poderia ser aplicado no mercado financeiro, ganhando o custo de oportunidade do capital.

c) o capital de giro acrescido deve ser financiado, gerando-se um custo adicional e complementar de custo do dinheiro;
d) na relação custo-benefício, a rentabilidade maior pelo aumento das vendas deve cobrir todos esses três aspectos inicialmente apresentados.

Análise de Crédito x Devedores Duvidosos (Inadimplência)

A análise de crédito é ferramenta indispensável dentro da política de crédito, objetivando a melhor carteira de clientes. Ela também permite a adoção de políticas. Política mais dura de análise de crédito inibe a inadimplência e, consequentemente, diminui a probabilidade de haver perdas com créditos de clientes. Como contrapartida negativa, pode inibir vendas. Políticas menos austeras de análise de crédito são um fator importante para obtenção de mais vendas. Como contrapartida negativa, alargam a probabilidade de possíveis perdas com créditos de clientes.

Dentro de uma política de crédito, um ponto importante é o monitoramento da concentração de vendas a prazo por cliente, ou seja, a análise da concentração da política de crédito.

Lote Econômico, Ponto de Pedido e Estoque de Segurança

O principal fator que pode alterar uma política de estocagem é a questão do lote de compra ou de fabricação. As necessidades de materiais são calculadas com base nos sistemas de informações de estrutura de produto e do processo de fabricação. Esses dois sistemas apresentam as quantidades ideais de estoque.

Outrossim, outros aspectos podem levar a empresa a alterar as quantidades teoricamente demandadas:

- custos da estocagem;
- custos de colocar um pedido ou ordem de fabricação;
- materiais de pequeno valor;
- necessidade de estoques de segurança.

Esses aspectos podem determinar políticas alternativas de estocagem. Assim, foram desenvolvidos os conceitos de lote econômico, ponto de pedido e estoque de segurança. Lote econômico representa um lote mínimo a ser comprado ou fabricado que atenda à relação custo-benefício entre custos de estocagem e os custos de colocar pedidos ou ordens de fabricação. Estoque de segurança é um estoque adicional ao tempo padrão para garantia de ininterrupção de fornecimento. Ponto de pedido é a determinação do dia ideal de se fazer uma nova compra ou emitir nova ordem de fabricação para atender aos dois conceitos anteriores.

Estratégias Financeiras: *Hedging,* Derivativos, Securitização, *Factoring*

A gestão de tesouraria, além do planejamento financeiro de curtíssimo, curto, médio e longo prazos, exige a adoção de procedimentos para minimizar o risco decorrente de seus ativos e passivos financeiros e monetários, ou mesmo da produção ou venda de seus produtos.

Os itens monetários, ativos ou passivos, em moeda nacional (caixa, saldo em bancos, contas a receber, contas a pagar) são afetados principalmente pela inflação. Os itens monetários em moeda estrangeira, além da inflação, são afetados pela política cambial nacional e pelos mercados internacionais de moedas, expressos nas cotações das taxas de câmbio.

Os itens financeiros, ativos ou passivos, em moeda nacional ou em moeda estrangeira, são afetados pela inflação e pela oscilação das moedas estrangeiras, e também pela própria natureza de terem prazos de realização mais longos e seu valor atualizado pelas obrigações contratuais (variações monetárias, juros, prêmios etc.) ao longo do tempo.

Os produtos das empresas tanto podem ser afetados por variáveis financeiras, notadamente as *commodities* (produtos básicos, como produtos agrícolas, minerais etc.), pois seus preços são dados pelo mercado e cotados em bolsas de mercadorias, como podem ser afetados por variáveis naturais (desastres, problemas climáticos etc.).

O mercado financeiro, ao longo dos séculos, desenvolveu uma série de instrumentos de proteção para esses riscos, que denominamos *estratégias financeiras*. As principais são apresentadas resumidamente a seguir.

Hedge

Genericamente, o *hedge* é uma estratégia de proteção, como se fosse um seguro. É uma técnica usada para compensar ou proteger contra o risco. Os instrumentos dessa técnica são denominados *derivativos*.

Um tipo de *hedge* muito utilizado é o *hedging* cambial, em que a empresa contrata com uma instituição financeira uma operação de aplicação e financiamento, com o intuito de se proteger das oscilações das taxas de câmbio. Ao final deste tópico será apresentado um exemplo de *hedge*.

Derivativos

São operações financeiras cujo valor de negociação deriva de outros ativos, denominados *ativos-objeto*, com a finalidade de assumir, limitar ou transferir riscos. As principais operações são as seguintes:

- operações a termo (contratos a futuro, ou a termo), ou seja, negociar agora preços futuros de mercadorias entregues na ocasião do vencimento do contrato;

- opções, quando se compram ou vendem opções para adquirir ou vender bens ou instrumentos financeiros no futuro;
- *swaps* de taxas de juros, de moedas etc., que corresponde a contratos de troca (*swap*) de tipo de remuneração ou correção de um contrato original.

Securitização

Em linhas gerais, são operações em que há transferência de dívidas ou créditos para investidores, que passam a ser os novos credores dessas dívidas ou créditos. É comum a securitização de recebíveis existentes ou futuros. Tem sido muito utilizada para antecipação de contratos de exportação.

Factoring

Atividade pela qual uma instituição financeira especializada compra e administra as duplicatas de outras empresas, ou outros títulos a receber, inclusive cheques pré-datados. Esse sistema permite a possibilidade de redução do custo do dinheiro, uma vez que se elimina a intermediação dos bancos nos descontos de duplicatas, auxiliando as empresas na gestão de seu giro (Sandroni, p. 232).

No *factoring* original, a empresa que compra os créditos, com deságio para fazer face a seus custos operacionais e obter sua margem de lucro, compra também o risco do crédito. Contudo, algumas empresas de *factoring* não aceitam essa condição nativa da operação e terminam por fazer uma operação tradicional de desconto de duplicatas, como os bancos, não assumindo a inadimplência do devedor dos títulos.

Exemplo de Hedge

Uma empresa tem uma dívida em moeda estrangeira de US$ 100.000, que deve ser paga em 360 dias, e quer se proteger de uma variação cambial exagerada. A taxa de câmbio atual é de $ 2,00, e a taxa de câmbio que ela espera no vencimento é de $ 2,10. Para tanto, contrata uma operação de *swap*, em que a instituição financeira receberá no período a variação cambial mais juros de 5% sobre o valor corrigido. Em troca, pagará um custo fixo de juros de 10% pelo período sobre o valor em reais esperado para o vencimento, de $ 21.000 (10% de $ 210.000). Imaginando um lucro operacional de $ 18.000 antes dos encargos financeiros, podemos calcular o resultado, para ilustração, nas seguintes hipóteses, para verificar o efeito da estratégia de *hedge*:
   a) considerando que a taxa de câmbio ao final do período tenha a cotação esperada de $ 2,10, não fazendo o *hedge*;
   b) considerando que a taxa de câmbio vá a $ 2,30 ao final do período, também sem ter feito o *hedge*;
   c) considerando que a taxa de câmbio ao final do período tenha a cotação esperada de $ 2,10, fazendo o *hedge*;

d) supondo que a taxa continue a $ 2,00 ao final do período, com o *hedge*;
e) supondo que a taxa vá a $ 2,30 ao final do período, com o *hedge*.

Tabela 8.3 – Hedge – Swap de Moedas

	Sem *Hedge*		Com Hedge		
Valor em Moeda Estrangeira – US$	100.000	100.000	100.000	100.000	100.000
Taxa do Dólar no Início do Período	2,00	2,00	2,00	2,00	2,00
Valor em Moeda Nacional – $	200.000	200.000	200.000	200.000	200.000
Taxa do Dólar no Fim do Período	2,10	2,30	2,10	2,00	2,30
Valor em Moeda Nacional – $	210.000	230.000	210.000	200.000	230.000
Lucro Operacional	18.000	18.000	18.000	18.000	18.000
Variação Cambial	(10.000)	(30.000)	(10.000)	0	(30.000)
Lucro Líquido I	8.000	(12.000)	8.000	18.000	(12.000)
Swap					
Câmbio – Posição Ativa	0	0	20.500	10.000	41.500
Juros – Posição Passiva	0	0	(21.000)	(21.000)	(21.000)
Lucro Líquido II	8.000	(12.000)	7.500	7.000	8.500

As constatações dessa estratégia financeira são as seguintes:

a) se a empresa não fizer o *hedge* e a taxa for a esperada, ela terá um lucro líquido de $ 8.000;

b) se ela não fizer o *hedge* e a taxa for para $ 2,30, uma cotação não esperada, ela assumirá uma variação cambial adicional e terá um prejuízo de $ 12.000;

c) fazendo o *hedge* e acontecendo a taxa esperada, ela minimizará o risco, e o lucro líquido cairá de $ 8.000 para $ 7.500. Essa diferença é considerada o custo esperado do *hedge*, que é o preço que ela esperava pagar para ter o seguro de não ter seu resultado afetado de modo significativo;

d) se porventura a taxa de câmbio não aumentar, ficando em $ 2,00, a empresa deixará de ganhar $ 1.000, pois a vantagem do *hedge* ficará para o banco;

e) caso aconteça o inesperado, o banco arcará com o custo adicional do câmbio e o resultado da empresa poderá ser até melhor do que antes da operação, terminando com um lucro líquido de $ 8.500.

Fica claro também que esse tipo de estratégia financeira, mesmo minimizando o risco, tem um custo. Contudo, por ser uma troca e uma aposta em posições futuras, existe a possibilidade até de ganho para a empresa.

Questões e Exercícios

1. Tendo como referência a empresa em que você trabalha, ou outra empresa de seu conhecimento, identifique a quantidade de dias, em condições normais de ope-

ração, do ciclo operacional da empresa. Em seguida, calcule o ciclo econômico e o ciclo financeiro em dias.

2. Com base nos demonstrativos contábeis apresentados a seguir, calcule em dias o prazo médio de pagamento, o prazo médio de recebimento e o prazo médio de estocagem. Em seguida, apure o ciclo econômico e o ciclo financeiro, também em dias.

BALANÇO PATRIMONIAL

	Ano 1	Ano 2		Ano 1	Ano 2
ATIVO CIRCULANTE	120.000	132.700	Passivo Circulante	85.300	85.600
Aplicações Financeiras	25.000	23.200	Fornecedores	10.000	11.000
Contas a Receber de Clientes	43.000	61.200	Contas a Pagar	7.800	8.300
Estoques	50.000	45.500	Impostos a Recolher	4.500	5.800
Outros Valores a Realizar	2.000	2.800	Dividendos a Pagar	8.000	4.000
			Empréstimos	55.000	56.500
REALIZÁVEL A LONGO PRAZO	2.000	2.400	Exigível a Longo Prazo	34.700	37.400
Depósitos Judiciais	2.000	2.400	Financiamentos	34.700	37.400
INVESTIMENTOS E IMOBILIZADO	88.000	81.900	Patrimônio Líquido	90.000	94.000
Investimentos em Controladas	18.000	19.200	Capital Social	68.000	68.000
Imobilizados	150.000	162.000	Reservas	16.400	22.000
(−) Depreciação Acumulada	(80.000)	(99.300)	Lucros Acumulados	5.600	4.000
Total	**210.000**	**217.000**		**210.000**	**217.000**

DEMONSTRAÇÃO DE RESULTADOS

	Ano 1	Ano 2
Receita Operacional Bruta	320.000	347.000
(−) Impostos sobre Vendas	(35.000)	(38.000)
Receita Operacional Líquida	285.000	309.000
Custo dos Produtos Vendidos	187.400	205.800
Materiais de Consumo	104.000	114.000
Depreciação	18.400	19.300
Outros Custos de Fabricação	65.000	72.500
Lucro Bruto	97.600	103.200
(−) **Despesas Operacionais**	67.500	76.700
Com Vendas	38.400	41.700
Administrativas	29.100	35.000
Lucro Operacional I	30.100	26.500
Receitas Financeiras	2.800	2.500
Despesas Financeiras	(13.050)	(18.000)
Equivalência Patrimonial	800	1.200
Lucro Operacional II	20.650	12.200
Imposto sobre o Lucro	(7.021)	(4.148)
Lucro Líquido do Exercício	13.629	8.052

3. Com base nos demonstrativos contábeis apresentados no exercício anterior, estruture de maneira sintética o Balanço Financeiro, identificando o capital de giro da empresa.

4. Utilizando os mesmos demonstrativos contábeis do Exercício 2, estruture o balanço patrimonial dentro da concepção do Modelo Fleuriet, apurando em seguida a NLCG (Necessidade Líquida de Capital de Giro).

5. Considere os seguintes dados financeiros:

Dupls. a Receber	$ 3.000	Dupls. a Pagar	$ 900	Vendas Anuais	$ 16.800
Estoques	$ 6.000	Financiamentos	$ 5.500	(–) Custo Vendas	$ 13.000
Permanente	$ 7.000	Patr. Líquido	$ 9.600	(–) Despesas	$ 1.800
Ativo Total	$ 16.000	Passivo Total	16.000	Lucro	$ 2.000

   Calcule:
   a) prazos médios de recebimento, estocagem e pagamento;
   b) dias do ciclo operacional e do ciclo financeiro;
   c) a necessidade líquida do capital de giro.

6. Considerando os mesmos dados do exercício anterior, faça uma estimativa de necessidade líquida de capital de giro, sabendo que a empresa estima vender mais 10%, caso conceda um prazo médio de recebimento maior em 8%. Para compensar, haverá uma política como objetivo de uma redução do prazo médio dos estoques em 5%. Considere também que o custo das vendas é totalmente variável. Calcule o novo ciclo financeiro em dias.

7. Proteção de Excedentes – *Hedge*
   Uma empresa estima um lucro operacional de $ 28.000. Tem um endividamento de US$ 60.000, que vencerá dentro de 180 dias. A taxa de câmbio atual é de $ 2,65, e a empresa estima que a taxa de câmbio, por ocasião da quitação da dívida, estará em $ 2,968. Para proteção, contratou uma operação de *swap*; receberá da instituição financeira o câmbio mais 5% de juros sobre o valor da dívida atual. Para tanto, pagará taxa baseada em CDI de 18,0% para seis meses.

   a) Calcule o resultado da operação para a hipótese esperada: taxa de $ 2,968;
   b) Calcule outras duas hipóteses, com taxas de $ 2,65 e $ 3,286.

9 Análise das Demonstrações Financeiras

A metodologia clássica para avaliação do desempenho global da empresa é normalmente chamada de *análise financeira* ou *análise de balanço*. Por meio de um conjunto de procedimentos e conceitos, aplicados de maneira inter-relacionada, obtém-se uma série de indicadores que permite fazer uma avaliação sobre as situações econômica e financeira da empresa, bem como uma avaliação do retorno do investimento.

A visão mais comum da análise de balanço é em relação a balanços publicados. Porém, em nosso entendimento, o mais importante é a aplicação dos fundamentos da análise de balanço com os demonstrativos contábeis da própria empresa, objetivando um monitoramento dos resultados e do desempenho dos gestores e investimentos.

Além dos indicadores e técnicas clássicas de análise de balanço, apresentaremos neste capítulo um painel para análise da geração de lucros e considerações sobre a destinação desses lucros, sob a conceituação de política de dividendos.

Análise Financeira ou de Balanço

Trata-se de um processo de meditação sobre os demonstrativos contábeis, objetivando uma avaliação da situação da empresa em seus aspectos operacionais, econômicos, patrimoniais e financeiros.

A avaliação da empresa tem por finalidade analisar seu resultado e seu desempenho, detectando os pontos fortes e fracos dos processos operacional e financeiro, com o objetivo de propor alternativas de curso futuro a ser tomadas e seguidas pelos gestores.

Nesse processo, o analista vale-se de uma série de cálculos matemáticos, traduzindo os demonstrativos contábeis em indicadores. Esses indicadores buscam evidenciar as características dos principais inter-relacionamentos existentes entre o balanço patrimonial, que apresenta uma visão estática e momentânea da empresa, e a dinâmica representada pela demonstração de resultados.

Os demonstrativos contábeis de fluxo de caixa e demonstração das origens e aplicações de recursos também devem ser utilizados para melhorar a compreensão sobre o desempenho empresarial, pois contêm elementos adicionais para o entendimento das operações da empresa.

Comparabilidade e Tendências

A análise de balanço deve ser um instrumento que possibilite o gerenciamento da informação contábil. Assim, um dos fundamentos desse modelo de análise é a criação de indicadores que permitam sempre uma análise comparativa. A comparabilidade dos dados de análise de balanço pode ser feita em vários aspectos, como a comparação:

- com períodos passados;
- com períodos orçados;
- com padrões setoriais;
- com padrões internacionais;
- com padrões internos da empresa;
- com empresas concorrentes etc.

A maneira adequada de dar um atributo de informação gerencial aos indicadores de análise de balanço é o acompanhamento tendencial. O acompanhamento dos indicadores de maneira contínua (no mínimo mensal e preferencialmente de forma gráfica) possibilita apreender situações de tendência futura, e, portanto, dá aos gestores uma ferramenta adicional para mudança e planejamento.

Técnicas Básicas

O ferramental tradicional da análise de balanço compõe-se de:

- análise vertical;
- análise horizontal;
- indicadores econômico-financeiros;
- avaliação final.

Análise Vertical (AV)

Denominamos *análise vertical* a verificação de participação percentual ou de estrutura dos elementos dos demonstrativos contábeis. Assume-se como 100% um determinado elemento patrimonial, que, em princípio, deve ser o mais importante, e faz-se uma relação percentual de todos os demais elementos sobre ele.

Para o balanço patrimonial convencionou-se adotar como 100% o total do ativo e do passivo. Para a demonstração de resultados convencionou-se adotar como 100% o valor do total da receita de vendas, líquida dos impostos, denominada legalmente *Receita Operacional Líquida*.

A análise vertical da demonstração de resultados é muito mais significativa que a do balanço patrimonial, pois, pelo fato de atribuir 100% à receita operacional, permite uma visão da estrutura de custos e despesas da empresa, em termos de média sobre as vendas. Essa análise deve ser explorada ao máximo, pois permite extrair informações muito úteis.

Análise Horizontal (AH)

A *análise horizontal* é uma avaliação de crescimento (ou de variação). Toma-se como 100% todas as contas de um determinado período e faz-se uma relação percentual em cima dos dados desse período. O novo número relativo indica quanto o período subsequente é maior ou menor que o período anterior. Como é comum utilizar vários períodos, a variação sequencial e consecutiva acaba indicando uma tendência de crescimento (ou diminuição).

A análise horizontal, considerando-se a moeda corrente do país, sem expurgo dos efeitos inflacionários, é denominada *análise horizontal nominal*.

Análise Horizontal Real (AHR)

Como os dados dos demonstrativos contábeis são expressos em moeda (normalmente moeda corrente do país), há a possibilidade de utilizar uma alternativa de identificar o crescimento ou variação de período a período, levando-se em conta a inflação da moeda de cada período.

Assim, a *análise horizontal real* é a análise horizontal nominal menos a inflação considerada para cada um dos períodos subsequentes. Essa técnica é totalmente recomendável quando se utiliza mais de dois períodos, ou sempre, em caso de ambiente conjuntural com altas taxas de inflação permanentemente.

Indicadores Econômico-Financeiros

Compreendem a geração de um painel básico de indicadores para complementar as análises vertical e horizontal. Esses indicadores podem ser de relações entre elementos do balanço patrimonial, ou de elementos da demonstração de resultados que se relacionam com o balanço patrimonial.

São apresentados em termos de índices, percentuais, números absolutos, dias etc., com o objetivo de facilitar ainda mais o entendimento da situação da empresa apresentada nos demonstrativos contábeis.

Avaliação Final

Consiste em um relatório que resume as conclusões obtidas na análise dos demonstrativos contábeis. Deve ser objetiva ao máximo, necessariamente com uma avaliação sobre a situação da empresa e, se preciso, com a apresentação de possíveis cursos futuros de ação.

Restrições dos Dados

De um modo geral, a análise de balanço tem se fundamentado nos demonstrativos contábeis apresentados pela legislação comercial. Esses demonstrativos, elaborados conforme os princípios contábeis geralmente aceitos, incorporam as restrições de mensuração e informação que os próprios princípios apresentam. Portanto, a análise de balanço com a utilização desses demonstrativos deve ser complementada com considerações adicionais em termos de mensuração pelo valor econômico.

Dessa maneira, é imprescindível que o avaliador tenha em mente que uma empresa avaliada segundo princípios de gestão econômica – que considera fluxos futuros de benefícios descontados a custos de oportunidade – apresentará resultados diferentes da avaliação contábil dos demonstrativos tradicionais. Essas diferenças deverão ser consideradas na apresentação do relatório de avaliação final.

Exemplo Numérico: Análises Vertical e Horizontal

Nas tabelas 9.1 e 9.2 a seguir, apresentamos um exemplo de análise horizontal e análise vertical do balanço patrimonial e da demonstração de resultados. Nele, não desenvolvemos a análise horizontal real (descontada da inflação do nível geral de preços), uma vez que nosso exemplo é coerente com uma economia de moeda estável.

Tabela 9.1 – Análise Vertical e Análise Horizontal do Balanço Patrimonial

	31.12.x0	AV	31.12.x1	AV	AH
ATIVO CIRCULANTE	5.527.500	48,0%	6.911.945	55,1%	25,0%
Caixa/Bancos	1.000	0,0%	1.000	0,0%	0,0%
Aplicações Financeiras	777.160	6,7%	1.596.167	12,7%	105,4%
Contas a Receber de Clientes	1.650.000	14,3%	2.048.604	16,3%	24,2%
(-) Provisão Devedores Duvidosos	(30.000)	-0,3%	(43.899)	-0,3%	46,3%
(-) Títulos Descontados	0	0,0%	0	0,0%	0,0%
. Contas a Receber – Líquido	1.620.000	14,1%	2.004.705	16,0%	23,7%
Estoques	3.124.340	27,1%	3.302.972	26,3%	5,7%
.. De Materiais – Bruto	1.800.000	15,6%	1.788.347	14,2%	-0,6%
.. (-) Provisão Retificadora	0	0,0%	0	0,0%	0,0%
. De Materiais – Líquido	1.800.000	15,6%	1.788.347	14,2%	-0,6%
. Em Processo	625.940	5,4%	839.145	6,7%	34,1%
. Acabados	696.000	6,0%	672.679	5,4%	-3,4%
. Adiantamentos a Fornecedores	2.400	0,0%	2.800	0,0%	16,7%
Impostos a Recuperar	4.500	0,0%	5.800	0,0%	28,9%
Despesas do Exercício Seguinte	500	0,0%	1.300	0,0%	160,0%
REALIZÁVEL A LONGO PRAZO	6.000	0,1%	8.000	0,1%	33,3%
Depósitos Judiciais	5.000	0,0%	7.000	0,1%	40,0%
Incentivos Fiscais	1.000	0,0%	1.000	0,0%	0,0%
OUTROS ATIVOS NÃO CIRCULANTES	5.990.000	52,0%	5.634.775	44,9%	-5,9%
Investimentos em Controladas	200.000	1,7%	230.000	1,8%	15,0%
. Imobilizado Bruto	0	0,0%	0	0,0%	0,0%
. Terrenos	0	0,0%	0	0,0%	0,0%
. Reavaliação de Terrenos	0	0,0%	0	0,0%	0,0%
. Outros Imobilizados	8.290.000	71,9%	8.987.000	71,6%	8,4%
. (–) Depreciação Acumulada	(2.500.000)	-21,7%	(3.582.225)	-28,5%	43,3%
Imobilizado Líquido	5.790.000	50,2%	5.404.775	43,0%	-6,7%
Intangível	0	0,0%	0	0,0%	0,0%
ATIVO TOTAL	11.523.500	100,0%	12.554.719	100,0%	8,9%

continua

Tabela 9.1 – Análise Vertical e Análise Horizontal do Balanço Patrimonial (continuação)

	31.12.x0	AV	31.12.x1	AV	AH
PASSIVO CIRCULANTE	2.723.500	23,6%	3.446.209	27,4%	26,5%
Fornecedores	460.000	4,0%	679.377	5,4%	47,7%
Salários e Encargos a Pagar	200.000	1,7%	264.981	2,1%	32,5%
Contas a Pagar	100.000	0,9%	120.446	1,0%	20,4%
Impostos a Recolher – sobre Mercadorias	460.000	4,0%	475.203	3,8%	3,3%
Impostos a Recolher – sobre Lucros	100.000	0,9%	72.028	0,6%	-28,0%
Adiantamento de Clientes	3.500	0,0%	5.000	0,0%	42,9%
Empréstimos	1.200.000	10,4%	1.649.124	13,1%	37,4%
Dividendos a Pagar	200.000	1,7%	180.050	1,4%	-10,0%
EXIGÍVEL A LONGO PRAZO	4.800.000	41,7%	4.838.435	38,5%	0,8%
Financiamentos	4.800.000	41,7%	4.838.435	38,5%	0,8%
PATRIMÔNIO LÍQUIDO	4.000.000	34,7%	4.270.075	34,0%	6,8%
Capital Social	4.000.000	34,7%	4.000.000	31,9%	0,0%
Reservas de Capital	0	0,0%	0	0,0%	0,0%
Reservas de Reavaliação	0	0,0%	0	0,0%	0,0%
Reservas de Lucros/Lucros Acumulados	0	0,0%	0	0,0%	0,0%
Lucro do Período	0	0,0%	270.075	2,2%	0,0%
PASSIVO TOTAL	11.523.500	100,0%	12.554.719	100,0%	8,9%

Tabela 9.2 – Análise Vertical e Análise Horizontal da Demonstração de Resultados

	31.12.x0	AV	31.12.x1	AV	AH
RECEITA OPERACIONAL BRUTA II	23.787.210	127,6%	23.883.989	127,6%	0,4%
(–) Impostos sobre Vendas IPI – ISS	0	0,0%	0	0,0%	0,0%
RECEITA OPERACIONAL BRUTA I	23.787.210	127,6%	23.883.989	127,6%	0,4%
(–) Impostos nas Vendas – ICMS – PIS – COFINS	(5.149.931)	-27,6%	(5.170.884)	-27,6%	0,4%
RECEITA OPERACIONAL LÍQUIDA	18.637.279	100,0%	18.713.105	100,0%	0,4%
CUSTO DOS PRODUTOS VENDIDOS	14.707.102	78,9%	15.122.900	80,8%	2,8%
. Materiais Diretos	9.152.000	49,1%	9.107.375	48,7%	-0,5%
. Materiais Indiretos	798.000	4,3%	793.914	4,2%	-0,5%
Consumo Total de Materiais	9.950.000	53,4%	9.901.289	52,9%	-0,5%
Mão de Obra Direta	1.721.000	9,2%	1.842.222	9,8%	7,0%
Mão de Obra Indireta	1.380.000	7,4%	1.474.799	7,9%	6,9%
Despesas Gerais	940.986	5,0%	1.171.915	6,3%	24,5%
Depreciação	905.000	4,9%	922.559	4,9%	1,9%
(+/–) Variação dos Estoques Industriais	(189.884)	-1,0%	(189.884)	-1,0%	0,0%
LUCRO BRUTO	3.930.177	21,1%	3.590.206	19,2%	-8,7%

continua

Tabela 9.2 – Análise Vertical e Análise Horizontal da Demonstração de Resultados (continuação)

	31.12.x0	AV	31.12.x1	AV	AH
DESPESAS OPERACIONAIS	1.358.678	7,3%	2.444.596	13,1%	79,9%
Comerciais	1.442.731	7,7%	1.442.731	7,7%	0,0%
. Mão de Obra	150.000	0,8%	163.816	0,9%	9,2%
. Materiais Indiretos	50.000	0,3%	66.009	0,4%	32,0%
. Despesas	1.128.678	6,1%	1.171.007	6,3%	3,8%
. Depreciação	28.000	0,2%	28.000	0,1%	0,0%
. Provisão Devedores Duvidosos	2.000	0,0%	13.899	0,1%	594,9%
Administrativas	902.000	4,8%	1.001.865	5,4%	11,1%
. Mão de Obra	512.000	2,7%	591.558	3,2%	15,5%
. Materiais Indiretos	50.000	0,3%	58.178	0,3%	16,4%
. Despesas	220.000	1,2%	220.463	1,2%	0,2%
. Depreciação	120.000	0,6%	131.667	0,7%	9,7%
LUCRO OPERACIONAL I	1.669.499	9,0%	1.145.610	6,1%	−31,4%
Receitas Financeiras de Aplicações	16.800	0,1%	110.257	0,6%	556,3%
Outras Receitas Financeiras	30.000	0,2%	56.400	0,3%	88,0%
Despesas Financeiras com Financiamentos	(552.999)	−3,0%	(590.230)	−3,2%	6,7%
Outras Despesas Financeiras	(90.000)	−0,5%	(106.800)	−0,6%	18,7%
Equivalência Patrimonial	2.000	0,0%	30.000	0,2%	1400,0%
LUCRO OPERACIONAL II	1.075.300	5,8%	645.237	3,4%	−40,0%
Resultados Não Operacionais	(19.000)	−0,1%	(2.200)	0,0%	−88,4%
. Valor de Venda de Imobilizados	1.000	0,0%	800	0,0%	−20,0%
. (−) Valor da Baixa de Imobilizados	(20.000)	−0,1%	(3.000)	0,0%	−85,0%
LUCRO ANTES DOS IMPOSTOS	1.056.300	5,7%	643.037	3,4%	−39,1%
Impostos sobre o Lucro	(316.890)	−1,7%	(192.911)	−1,0%	−39,1%
LUCRO LÍQUIDO DEPOIS DO IMP. RENDA	739.410	4,0%	450.126	2,4%	−39,1%

As análises vertical e horizontal produzem indicadores percentuais relativos. A análise vertical do balanço patrimonial deve ser feita com muito cuidado, para não causar conclusões errôneas ou óbvias demais. Como sua base é o total do ativo, qualquer alteração significativa desse valor, muito diferente das operações tradicionais, pode modificar as estruturas percentuais, e sua análise pode não fornecer informações úteis e conclusivas. Como exemplos dessas alterações não costumeiras, podemos citar a criação de reservas de reavaliação no ativo permanente e uma contrapartida no patrimônio líquido, um investimento significativo em imobilizado com entrada de capital, uma aquisição de controlada etc.

A análise vertical da demonstração de resultados, outrossim, é extremamente significativa, pois deixa bem clara a estrutura de custos e despesas da empresa.

Por indicar variação (crescimento ou diminuição do valor do elemento patrimonial em análise), por si só já fornece uma informação significativa. Além disso, deve ser enriquecida com a análise inter-relacionada das variações entre os elementos do balanço patrimonial que se integram com os elementos da demonstração de resultados. As principais inter-relações são:

Elementos da Demonstração de Resultados	Elementos do Balanço Patrimonial
Receita Operacional Bruta	Contas a Receber de Clientes
	Impostos a Recolher
Custo dos Produtos Vendidos	Produção em Andamento e Produtos Acabados
Consumo de Materiais	Estoques de Materiais
	Contas a Pagar a Fornecedores
Despesas de Pessoal	Salários e Encargos a Pagar
Despesas Gerais	Contas a Pagar
Depreciação	Imobilizado
Despesas Financeiras	Empréstimos e Financiamentos
Receitas Financeiras	Aplicações Financeiras

Assim, caso ocorresse um aumento de vendas de 10%, seria admissível que as contas a receber também aumentassem 10%. Uma redução do consumo de materiais em 5% deveria promover uma redução do estoque de materiais na mesma magnitude, e assim sucessivamente.

Obviamente, outros fatores podem afetar essa relação direta. Por exemplo, é possível que, no caso do aumento de vendas, ele tenha sido conseguido com uma alteração da política de crédito, com mais prazo para pagamento. Neste caso, a conta a receber de clientes provavelmente terá um aumento percentual maior que o aumento da receita.

Outro motivo que causa aumento da carteira de clientes, diferente do aumento de vendas, é o aumento da inadimplência. Assim, caso a empresa tenha maiores problemas com duplicatas em atraso, a carteira de clientes poderá aumentar mais do que o aumento de vendas.

Nas áreas de compras de materiais e custo dos produtos vendidos, a situação é semelhante. Uma redução do prazo médio de pagamento pode diminuir a conta de fornecedores, mesmo que o consumo de materiais aumente. O inverso, um aumento do prazo de pagamento, aumenta a conta de fornecedores em percentual maior que o consumo de materiais.

Exemplo de Avaliação — Análise Vertical do Balanço Patrimonial

O ativo apresentou uma pequena alteração estrutural, com a participação do permanente ficando menor que a participação do ativo circulante. O valor absoluto do ativo permanente diminuiu em 19x1 em relação a 19x0, basicamente porque as novas aquisições de imobilizados foram em valor inferior ao total da depreciação lançada como despesa no ano.

Esse fato, aliado a um aumento geral do passivo circulante, com o aumento do endividamento financeiro e dos passivos de funcionamento, permitiu que as aplicações financeiras de 19x1 tivessem uma elevação para 105,4%, aumentando sua participação no total do ativo, apesar do lucro de 19x1 ter sido menor que o lucro do ano anterior. Os demais itens do ativo circulante também tiveram um aumento de participação na estrutura do ativo.

A estrutura do passivo evidencia apenas uma pequena mudança do perfil da dívida, pois a parcela do endividamento de longo prazo foi transferida para o curto prazo.

Exemplo de Avaliação — Análise Vertical da Demonstração de Resultados

O ano de 19x0 apresenta um custo médio dos produtos vendidos de 78,9% da receita líquida, aumentando para 80,8% em 19x1. A causa foi que o pequeno aumento das vendas de um ano para outro, de 0,4%, não permitiu uma boa diluição dos custos fixos industriais, que aumentaram em valor absoluto.

As despesas operacionais, administrativas e comerciais também tiveram um aumento do valor absoluto em 19x1, e passaram a representar 13,1% da receita líquida de vendas, contra 12,1% do ano anterior.

Com isso, a margem operacional, que era de 9,0% em 19x0, passou a 6,1% em 19x1, prejudicando o resultado da empresa. Os demais itens não tiveram alteração significativa, e o lucro líquido após os impostos, sobre as vendas líquidas, caiu de 4,0%, em 19x0, para 2,4% em 19x1.

Exemplo de Avaliação — Análise Horizontal do Balanço Patrimonial e da Demonstração de Resultados

As variações de crescimento de contas a receber maiores que as variações do total das vendas decorrem de ajustes na política de crédito. O mesmo acontece com as variações de fornecedores e contas a pagar, que decorrem de ajustes em prazos de pagamento.

O imobilizado teve uma variação negativa de 5,9%, tendo em vista que o total bruto aumentou 8,4%, enquanto a depreciação acumulada aumentou 43%, provocando uma redução de 6,7% no conjunto do imobilizado.

No passivo, o aumento de empréstimos de curto prazo (37,4%) decorre de contabilização de juros e novos empréstimos superiores às amortizações. O aumento de 6,8% no patrimônio líquido se deu em virtude da retenção de lucros (resultados não distribuídos) de $ 270.075.

A análise horizontal da demonstração de resultados indica um aumento de 0,4% na receita de vendas. O custo das vendas aumentou 2,8%, uma vez que, mesmo reduzindo 0,5% o custo do consumo de materiais, houve um aumento muito grande das despesas gerais (24,5%). Somado aos aumentos dos custos de mão de obra, em torno de 7,0%, houve um aumento médio do custo dos produtos vendidos.

As despesas operacionais aumentaram em média 8,1%, pois são na maioria custos fixos que tiveram reajustes, principalmente a mão de obra. Com isso, o lucro operacional caiu 31,4%, e o lucro líquido teve uma queda de 39,1%. Portanto, a avaliação final é que o resultado do ano de 19x1 foi comprometido pelo pouco aumento das vendas e pelo aumento geral dos custos fixos, provocando queda de margem e de rentabilidade.

Exemplo Numérico – Indicadores Econômico-Financeiros

O instrumento complementar das análises vertical e horizontal é o painel de indicadores econômico-financeiros. Na Tabela 9.3, apresentamos os principais indicadores, bem como suas fórmulas, parâmetros e o conceito básico.

A análise dos indicadores financeiros deve considerar todos os aspectos conjuntamente. O analista deve assumir alguns parâmetros e buscar dizer se a empresa está bem ou não, tanto em cada um dos indicadores como no conjunto deles.

Deve verificar, entre outras coisas:

a) Os índices de liquidez estão bons?
b) O endividamento é aceitável?
c) O giro do ativo está melhorando?
d) Os prazos médios de recebimento e pagamento são normais?
e) Os prazos médios de estocagem são aceitáveis para o setor? Não há excesso de estoques de forma crônica?
f) O lucro gerado apresenta um grau de segurança para pagamento do serviço da dívida (juros dos financiamentos)?
g) A rentabilidade do capital próprio está dentro da média do custo de oportunidade do mercado?
h) Os dividendos distribuídos satisfarão os acionistas e promoverão maior valor da empresa?
i) A análise geral indica empresa em crescimento e potencial de geração de lucros?

Tabela 9.3 – Painel de Indicadores Econômico-Financeiros

	19x0	19x1	Fórmula	Conceito	Parâmetros
Indicadores de Capacidade de Pagamento					
Liquidez Imediata	0,29	0,46	$\frac{\text{Disponibilidades}}{\text{Passivo Circulante}}$	Capacidade de pagamento de todo o passivo circulante apenas com recursos de caixa	Quanto maior, melhor
Liquidez Corrente	2,03	2,01	$\frac{\text{Ativo Circulante}}{\text{Passivo Circulante}}$	Capacidade de pagamento de dívidas de curto prazo	Acima de 1, sendo considerado normal 1,50
Liquidez Seca	0,88	1,05	$\frac{\text{Ativo Circulante (-) Estoques}}{\text{Passivo Circulante}}$	Idem liquidez corrente, excluindo os estoques por não serem facilmente realizáveis	Entre 0,60 e 0,70
Endividamento Geral	1,88	1,94	$\frac{\text{Passivo Circulante + Exigível a Longo Prazo}}{\text{Patrimônio Líquido}}$	Indicador de solvência ou cobertura de dívida com todos os credores	Até 1,00. Acima de 1, no Brasil, é considerado excessivo
Endividamento Financeiro	1,50	1,52	$\frac{\text{Empréstimos e Financiamentos}}{\text{Patrimônio Líquido}}$	Indicador de solvência ou cobertura de dívida com os credores bancários	Até 1,00. Acima de 1,00, no Brasil, é considerado excessivo
Índice de Cobertura de Juros	3,02	1,94	$\frac{\text{Lucro Operacional}}{\text{Juros de Financiamentos}}$	Indicador da capacidade de pagamento dos encargos com capital de terceiros	Quanto maior, melhor
Indicadores de Atividade					
Prazo Médio de Recebimento (dias)	25	31	$\frac{\text{Dupls. a Receber – Clientes} * 360 \text{ dias}}{\text{Receita Operacional Bruta}}$	Vendas médias diárias retidas em carteira, não recebidas por serem vendas a prazo	Padrão do setor ou produto, sendo normal entre 30 e 60 dias
Prazo Médio de Pagamento (dias)	17	25	$\frac{\text{Dupls. a Pagar – Fornecedores} * 360 \text{ dias}}{\text{Compras Brutas}}$	Compras médias diárias retidas em carteira, não pagas por serem vendas a prazo	Padrão do setor ou produto, sendo normal ao redor de 30 dias
Prazo Médio de Estocagem de Materiais (dias) (Se comércio, é estoque de mercadorias)	65	65	$\frac{\text{Estoque de Materiais} * 360 \text{ dias}}{\text{Consumo de Materiais}}$	Consumo médio diário retido em estoque; estoque necessário para dias de produção	Quanto menor, melhor. Depende dos conceitos de estoque de segurança e administração de produção
Prazo Médio de Estocagem na Produção (dias)	15	20	$\frac{\text{Estoque de Prods. Processo} * 360 \text{ dias}}{\text{Custo dos Produtos Vendidos}}$	Representa o ciclo médio de fabricação; custo médio da fábrica em elaboração	Quanto menor, melhor. Depende dos conceitos de estoque de segurança e administração de produção
Prazo Médio de Estoque Prod. Acabados (dias)	17	16	$\frac{\text{Estoque de Prods. Acabados} * 360 \text{ dias}}{\text{Custo dos Produtos Vendidos}}$	Representa o tempo médio de espera de produtos acabados antes da venda	Quanto menor, melhor. Depende dos conceitos de estoque de segurança e administração de vendas

continua

Tabela 9.3 – Painel de Indicadores Econômico-Financeiros (continuação)

	19x0	19x1	Fórmula	Conceito	Parâmetros
Giro do Estoque – Global (vezes)	4,7	4,6	Custo dos Produtos Vendidos / Total dos Estoques	Representa a quantidade de vezes que a fábrica consegue criar produtos no ano	Quanto maior, melhor. Depende dos conceitos de administração de produção e vendas
Giro do Ativo (vezes)	1,6	1,5	Receita Operacional Líquida / Ativo Total	É a quantidade de vezes que a empresa consegue transformar o ativo em vendas	Quanto maior, melhor. Quanto mais giro, maior possibilidade de reduzir a margem operacional
Giro do Patrimônio Líquido (vezes)	4,7	4,4	Receita Operacional Líquida / Patrimônio Líquido	É a quantidade de vezes que a empresa consegue transformar o capital próprio em vendas	Quanto maior, melhor. Quanto mais giro, maior possibilidade de reduzir a margem líquida
Indicadores de Rentabilidade					
Margem Operacional	5,8%	3,4%	Lucro Operacional / Receita Operacional Líquida	Lucro operacional percentual obtido em cada venda (antes dos juros e impostos)	Setorial/produto. Quanto maior, melhor. Deve ser associado ao giro do ativo
Margem Líquida	4,0%	2,4%	Lucro Líquido Após Impostos / Receita Operacional Líquida	Lucro final percentual obtido em cada venda	Setorial/produto. Quanto maior, melhor. Deve ser associado ao giro do capital próprio
Rentabilidade do Ativo – Bruta	9,3%	5,1%	Lucro Operacional / Ativo Total	Representa a capacidade operacional de geração de lucro antes dos impostos e juros	Setorial/produto. Quanto maior, melhor. Deve ser associado ao giro do ativo
Rentabilidade do Patrimônio Líquido	18,5	10,5	Lucro Líquido Final / Patrimônio Líquido	Representa a remuneração do capital próprio; indicador final de rentabilidade	Libor, Prime Rate, TJLP. Entre 12% e 15% é considerado bom; abaixo, fraco; acima, ótimo
Análise de Preços e Retorno de Ações					
Valor Patrimonial por Ação – $ (Quantidade de Ações = 2.000.000)	2,00	2,14	Patrimônio Líquido / Quantidade de Ações do Capital	Representa o valor contábil unitário de cada ação	Não há. Cada empresa expressa seu capital social com quantidades diferentes de ações
Lucro por Ação	0,37	0,23	Lucro Líquido Final / Quantidade de Ações do Capital	É o lucro anual que cabe a cada ação	Deve ter uma análise de rentabilidade similar à do patrimônio líquido

continua

Tabela 9.3 – Painel de Indicadores Econômico-Financeiros (continuação)

	19x0	19x1	Fórmula	Conceito	Parâmetros
Dividendos por Ação – $	0,15	0,09	Dividendos Propostos/Distribuídos / Quantidade de Ações do Capital	É a parcela do lucro anual que será distribuída para cada ação	É base para avaliar o valor da ação no mercado, pois representa a rentabilidade "caixa" da ação
Cotação da Ação no Mercado – Valor Aleatório	2,80	1,40	Não há	Representa o valor que o mercado dá para a empresa	Se for superior ao valor patrimonial, o mercado considera que a empresa está em crescimento; se inferior, o mercado considera que a empresa está com a rentabilidade prejudicada
P/L – Relação Preço/Lucro (Com Valor de Mercado)	7,57	6,22	Valor de Mercado da Ação / Lucro por Ação	Representa em quantos anos o investidor recupera o valor investido na ação	Para ações com maior risco, o mercado quer P/L menor, aceitando P/L maior em ações de menor risco. Ao redor de 8 é um número normal

* Utilizamos neste exemplo o consumo de materiais, pois nesses demonstrativos não há evidências claras do valor das compras brutas.

A análise de balanço deve também questionar a validade dos números apresentados nos demonstrativos contábeis. Deve haver segurança em todos os dados. Por exemplo:

a) Foram feitas todas as provisões retificadoras para estoques obsoletos e estoques com preço de custo maior que o mercado?
b) Foram feitas todas as provisões para perdas prováveis com investimentos, depósitos em juízo, contingências fiscais e trabalhistas?
c) Foi feita provisão adequada para provisão para créditos de liquidação duvidosa?
d) Todos os passivos estão declarados? Há contratos de *leasing* ou avais não constantes como passivos?
e) A demonstração de resultados não contém elementos em duplicatas? (Exemplo: considerar como vendas valores-base de intermediação.)

Essas considerações têm por finalidade dar um grau de confiança maior para o analista e para o usuário dos relatórios da análise de balanço.

Análise da Rentabilidade

A *análise da rentabilidade* talvez deva ser considerada a melhor análise a ser extraída dos demonstrativos contábeis. Uma rentabilidade continuamente adequada é o maior indicador da sobrevivência e sucesso da empresa.

Podemos separar a análise da rentabilidade em dois grandes aspectos:

1. a análise da geração da margem de lucro;
2. a análise da destinação do lucro.

A primeira análise leva em conta o desempenho operacional da empresa, por meio do conceito de giro do ativo, que implica em maior ou menor necessidade de margem operacional sobre as vendas. A segunda análise leva em conta a alavancagem do capital de terceiros, para aumento da rentabilidade do capital próprio.

Esse tópico já foi apresentado no Capítulo 3, por isso não será desenvolvido neste capítulo.

Valor Econômico Agregado ou Adicionado (EVA®[1] – *Economic Value Added*)

O conceito de EVA (valor econômico adicionado) é um conceito de custo de oportunidade, ou lucro residual, retomado mais recentemente. O conceito de custo de

---
[1] Marca registrada de Stern Stewart & Co.

oportunidade é tradicional na teoria econômica, mas nem sempre tem sido adotado – tanto no tempo como em todas as empresas.

O conceito significa, em linhas gerais, que há realmente valor adicionado à empresa, caso o lucro líquido após o imposto de renda seja superior a um determinado custo de oportunidade de capital. Em linhas gerais, esse custo de oportunidade de capital é considerado o *lucro mínimo que a empresa deve ter para remunerar adequadamente o investimento do acionista*.

Essa rentabilidade mínima do acionista equivale a um custo de oportunidade. Em outras palavras, se o acionista aplicasse seu dinheiro em outro negócio ou outra empresa, teria no mínimo aquele rendimento. Portanto, valor adicionado só pode ser considerado quando o lucro obtido pelo acionista é maior que um rendimento mínimo de mercado.

Recomenda-se a aplicação do conceito do EVA tanto para a rentabilidade do acionista quanto para a rentabilidade do ativo total. A fórmula do EVA, segundo seus criadores, é a seguinte:

$$EVA = Nopat - C\% \, (TC)[2]$$

onde:

Nopat = Lucro Operacional Líquido Após os Impostos
C% = Custo Percentual do Capital
TC = Capital Total

Portanto, o EVA caracteriza-se por ser um conceito de lucro residual. Considera-se lucro, ou valor adicionado, o lucro que excede a uma rentabilidade mínima sobre o investimento.

Que Custo de Oportunidade Adotar?

Não há exatamente um consenso sobre qual taxa de desconto adotar. Algumas sugestões são:

- taxa de juros de títulos do governo norte-americano;
- Libor ou Prime Rate;
- taxa de juros de longo prazo (TJLP), no Brasil;
- custo médio ponderado de capital da empresa;
- custo médio ponderado de capital ajustado pelo risco da empresa;
- custo de capital exigido/declarado pelos acionistas etc.

---

[2] Ehrbar, 1999, p. 2.

Quanto maior a taxa de custo de oportunidade a ser adotada, mais difícil será para a empresa apresentar valor agregado. Portanto, este é um fator fundamental. Não vemos nenhum inconveniente em utilizar o custo de capital exigido pelos acionistas.

Qual o Valor do Capital Total (Investimento)?

Também este elemento exige uma definição. Pode-se simplesmente tomar como referência o valor contábil do ativo; pode-se tomar como referência o ativo operacional líquido, conforme demonstramos na Tabela 3.10; pode-se tomar como referência o valor econômico da empresa obtido por fluxos futuros de caixa descontado no início do período etc.

Como a taxa de juros, este elemento se reveste de capital importância. Entendemos que o conceito de ativo operacional líquido é um referencial significativo.

Exemplo

Tomando como base os resultados das tabelas 3.11 e 3.12, e assumindo um custo de oportunidade exigido pelos acionistas de 12%, teríamos a seguinte mensuração do valor econômico adicionado para os dois exercícios analisados:

Tabela 9.4 – EVA – Custo de Oportunidade de 12% ao ano

	31.12.x0	31.12.x1
Lucro Operacional	1.609.499	1.095.210
(–) Impostos sobre o Lucro (30%)	(482.850)	(328.563)
= **Lucro Operacional Líquido dos Impostos (A)**	1.126.650	766.647
Ativo Operacional Líquido (B)	9.222.840	9.111.517
Custo de Oportunidade – (12% x B) (C)	1.106.741	1.093.382
VALOR ECONÔMICO ADICIONADO (D = A – C)	19.909	(326.735)
Rentabilidade Adicionada (D/B)	0,22%	–3,59%

Nesse exemplo, verificamos que em 19x0 houve um valor adicionado de $ 19.909, que representa uma rentabilidade adicionada de 0,22%. Em 19x1 não houve valor adicionado, porque a rentabilidade final foi inferior à rentabilidade mínima exigida pelo custo de oportunidade dos acionistas.

Dentro do enfoque do EVA, não houve agregação de valor, mas *destruição do valor do acionista*. Considera-se destruição do valor do acionista quando o valor adicionado é negativo. No ano de 19x1, se o acionista tivesse investido em outro negócio, poderia ter uma rentabilidade mínima de $ 1.093.382. Como a empresa só rendeu $ 766.647, o acionista deixou de ter renda de $ 326.735; portanto, sua riqueza foi parcialmente destruída. Percentualmente, o investidor perdeu 3,59% no ano, em relação a um custo médio de oportunidade em outros empreendimentos.

Análise do EVA e o Acionista

No exemplo, consideramos para análise do EVA o ativo operacional líquido, independentemente de como ele foi financiado. Portanto, não consideramos a possibilidade da alavancagem financeira. Quando se quer incorporar o conceito de alavancagem financeira, o custo de oportunidade a ser adotado deve ser o custo médio ponderado de capital.

Questões e Exercícios

1. Com os demonstrativos apresentados a seguir, faça uma análise de balanço, elaborando:
   a) análises vertical e horizontal do Balanço Patrimonial e Demonstração de Resultados;
   b) construção dos indicadores;
   c) avaliação final sobre a empresa em termos de estrutura financeira, estrutura patrimonial e rentabilidade.

BALANÇO PATRIMONIAL	Ano 1	Ano 2
Ativo Circulante	120.000	132.700
Aplicações Financeiras	25.000	23.200
Contas a Receber de Clientes	43.000	61.200
Estoques	50.000	45.500
Outros Valores a Realizar	2.000	2.800
Realizável a Longo Prazo	2.000	2.400
Depósitos Judiciais	2.000	2.400
Investimentos e Imobilizados	88.000	81.900
Investimentos em Controladas	18.000	19.200
Imobilizados	150.000	162.000
(–) Depreciação Acumulada	(80.000)	(99.300)
TOTAL	210.000	217.000
Passivo Circulante	85.300	85.600
Fornecedores	10.000	11.000
Contas a Pagar	7.800	8.300
Impostos a Recolher	4.500	5.800
Dividendos a Pagar	8.000	4.000
Empréstimos	55.000	56.500
Exigível a Longo Prazo	34.700	37.400
Financiamentos	34.700	37.400

Patrimônio Líquido	90.000	94.000
Capital Social	68.000	68.000
Reservas	16.400	22.000
Lucros Acumulados	5.600	4.000
TOTAL	**210.000**	**217.000**
DEMONSTRAÇÃO DE RESULTADOS	Ano 1	Ano 2
Receita Operacional Bruta	320.000	347.000
(–) Impostos sobre Vendas	(35.000)	(38.000)
Receita Operacional Líquida	285.000	309.000
Custo dos Produtos Vendidos	187.400	205.800
Materiais Consumidos	104.000	114.000
Depreciação	18.400	19.300
Outros Custos de Fabricação	65.000	72.500
Lucro Bruto	97.600	103.200
(–) Despesas Operacionais	67.500	76.700
com Vendas	38.400	41.700
Administrativas	29.100	35.000
Lucro Operacional I	30.100	26.500
Receitas Financeiras	2.800	2.500
Despesas Financeiras	(13.050)	(18.000)
Equivalência Patrimonial	800	1.200
Lucro Operacional II	20.650	12.200
Impostos sobre o Lucro	(7.021)	(4.148)
Lucro Líquido do Exercício	13.629	8.052

2. Considerando os mesmos demonstrativos contábeis do exercício anterior, elabore para os dois exercícios:
   a) análise de rentabilidade com o método Dupont;
   b) rentabilidade do capital de financiamento;
   c) rentabilidade do capital próprio;
   d) avaliação da rentabilidade final (se é forte ou fraca).

3. Considerando os mesmos demonstrativos do Exercício 1, apure o EVA, considerando um custo de oportunidade de capital de 12% ao ano.

4. Considerando:
   a) que uma empresa vendeu $ 120.000 em um período e obteve um lucro de $ 11.000;

b) que ela tem um giro do ativo de 1,25;
c) que a participação do capital próprio no ativo total é igual a 60%;
d) que o restante do passivo está dividido em 70% de circulante e 30% de exigível longo prazo;
e) que essa empresa tem um índice de Liquidez Corrente de 1,5 e não tem realizável a longo prazo.

pede-se:
a) o valor do seu ativo permanente;
b) calcular, analisar e interpretar a rentabilidade.

5. Considerando os seguintes dados de uma empresa:
   a) um ativo total de $ 320.000;
   b) um giro do ativo de 0,80;
   c) custos e despesas totais do período de $ 247.000;
   d) um ativo permanente de 72% do ativo total;
   e) um exigível a longo prazo de $ 10.000 (não tem realizável a longo prazo);
   f) um capital próprio representando 65% do ativo.

   pede-se:
   a) calcular o índice de Liquidez Corrente;
   b) calcular, analisar e interpretar a rentabilidade.

PARTE III – PLANEJAMENTO ORÇAMENTÁRIO

10 Planejamento e Controle Orçamentário

A base da controladoria operacional é processo de planejamento e controle orçamentário, também denominado *planejamento e controle financeiro ou planejamento e controle de resultados*. O orçamento é a ferramenta de controle por excelência de todo o processo operacional da empresa, pois envolve todos os setores da companhia.

Uma definição que pode ser dada ao orçamento é a seguinte:

> Orçamento *"nada mais é do que colocar na frente aquilo que está acontecendo hoje".*[1]

Outra definição possível: o orçamento é "a expressão quantitativa de um plano de ação e ajuda à coordenação e implementação de um plano" (Stedry, 1999, p. 22).

Orçar significa processar todos os dados constantes do sistema de informação contábil de hoje, introduzindo os dados previstos para o próximo exercício, considerando as alterações já definidas para o próximo exercício. Portanto, o orçamento não deixa de ser uma pura repetição dos relatórios gerenciais atuais, mas com os dados previstos. Não há basicamente nada de especial a ser feito na elaboração do orçamento; basta colocar no sistema de informação contábil, no módulo orçamentário, os dados que deverão acontecer no futuro, dentro da melhor visão que a empresa tem no momento de sua elaboração. Contudo, convém lembrar que o orçamento tem outros objetivos, e estes devem ser buscados dentro de seu conjunto, sendo ferramenta ideal para o processo de congruência de diversos objetivos corporativos e setoriais.

O orçamento pode e deve reunir diversos objetivos empresariais, na busca da expressão do plano e controle de resultados. Portanto, convém ressaltar que o plano orçamentário não é apenas prever o que vai acontecer e seu posterior controle. Ponto fundamental é o processo de estabelecer e coordenar objetivos para todas as áreas da empresa, de maneira que todos trabalhem sinergicamente em busca dos planos de lucros.

Exemplos de propósitos gerais que devem estar contidos no plano orçamentário:

- *Orçamento como sistema de autorização:* o orçamento aprovado não deixa de ser um meio de liberação de recursos para todos os setores da empresa, minimizando o processo de controle.
- *Um meio para projeções e planejamento:* o conjunto das peças orçamentárias será utilizado para o processo de projeções e planejamento, permitindo, inclusive, estudos para períodos posteriores.

---

[1] Passarelli, 1991, p. 61.

- *Um canal de comunicação e coordenação:* incorporando os dados do cenário aprovado e das premissas orçamentárias, é instrumento para comunicar e coordenar os objetivos corporativos e setoriais.
- *Um instrumento de motivação:* dentro da linha de que o orçamento é um sistema de autorização, permite um grau de liberdade de atuação dentro das linhas aprovadas, sendo instrumento importante para o processo motivacional dos gestores operacionais.
- *Um instrumento de avaliação e controle:* considerando também os aspectos de motivação e de autorização, é lógica a utilização do orçamento como instrumento de avaliação de desempenho dos gestores e controle dos objetivos setoriais e *corporativos*.
- *Uma fonte de informação para tomada de decisão:* contém os dados previstos e esperados, bem como os objetivos setoriais e corporativos; é uma ferramenta fundamental para decisões diárias sobre os eventos econômicos de responsabilidade dos gestores operacionais.

Os objetivos da corporação, genéricos, direcionam os objetivos das diversas áreas ou funções, que são os objetivos específicos. Dessa maneira, o processo de estabelecer objetivos deve ser um processo interativo, que coordena os objetivos gerais com os objetivos específicos. Dentro dessa linha de atuação, o processo orçamentário deve permitir a participação de toda a estrutura hierárquica com responsabilidade orçamentária, não devendo ser um processo ditatorial com uma única direção, de cima para baixo. Não há dúvida de que, em última instância e em caso de dúvidas, prevalecerão os critérios da corporação.

Todos os envolvidos no processo orçamentário devem ser ouvidos. Esse envolvimento permitirá uma gestão participativa, consistente com a estrutura de delegação de responsabilidades, e permitirá o comprometimento de todos os gestores dos setores específicos. Só assim será possível a gestão adequada da etapa final do plano orçamentário, que é o controle orçamentário, com a análise das variações do desempenho individual dos gestores. Diante dessas colocações, podemos elencar alguns princípios gerais para a estruturação do plano orçamentário:

- *Orientação para objetivos:* o orçamento deve se direcionar para que os objetivos da empresa e dos setores específicos sejam atingidos eficiente e eficazmente.
- *Envolvimento dos gestores:* todos os gestores responsáveis por um orçamento específico devem participar ativamente dos processos de planejamento e controle, para obtermos o seu comprometimento.
- *Comunicação integral:* compatibilização entre o sistema de informações, o processo de tomada de decisões e a estrutura organizacional.
- *Expectativas realísticas:* para que o sistema seja motivador, deve apresentar objetivos gerais e específicos que sejam desafiadores, dentro da melhor visão da empresa, mas passíveis de ser cumpridos.

- *Aplicação flexível:* o sistema orçamentário não é um instrumento de dominação. O valor do sistema está no processo de produzir os planos, não nos planos em si. Assim, o sistema deve permitir correções, ajustes, revisões de valores e de planos.
- *Reconhecimento dos esforços individuais e de grupos:* o sistema orçamentário é um dos principais instrumentos de avaliação de desempenho etc.

Conceitos e Tipos de Orçamento

Não existe uma única maneira de estruturar o orçamento, e, consequentemente, de como fazer o processo de avaliação e controle. Apresentaremos a seguir, resumidamente, os principais conceitos existentes, que são importantes, pois dão fundamento para o processo de execução do plano orçamentário.

Orçamento de Tendências

Uma prática orçamentária muito comum tem sido a de utilizar dados passados para projeções de situações futuras. Tal prática tem dado bons resultados, pois, de modo geral, os eventos passados são decorrentes de estruturas organizacionais já existentes, e, por conseguinte, há forte tendência desses eventos se reproduzirem, considerando, contudo, a introdução dos novos elementos componentes do planejamento operacional da empresa.

Seria ingênuo imaginar uma simples reprodução em tendência dos eventos passados, como se fossem replicados no futuro. Na execução do orçamento de tendências, sempre haverá eventos passados de conhecimento da empresa, que não se repetirão e, portanto, não serão reproduzidos no orçamento. Da mesma forma, haverá eventos futuros que não terão um passado em que se possam basear novas estimativas, por isso deverão ser orçados de outra maneira.

Orçamento Base Zero

Esta proposta conceitual de elaboração de orçamento apareceu em contraposição ao orçamento de tendências. A filosofia do orçamento base zero está em romper com o passado. Consiste basicamente em dizer que o orçamento nunca deve partir da observação dos dados anteriores, pois eles podem conter ineficiências que o orçamento de tendências acaba por perpetuar.

A proposta do orçamento base zero está em rediscutir toda a empresa toda vez que se elabora o orçamento. Está em questionar cada gasto, cada estrutura, buscando verificar a real necessidade dele.

> *A questão fundamental permanente para o orçamento base zero é a seguinte: não é porque aconteceu que deverá acontecer.*

Nessa linha de pensamento, cada atividade da empresa será rediscutida não em função de valores maiores ou menores, mas na razão ou não da sua existência. Concluída a definição da existência da atividade, será feito um estudo, partindo do zero, de quanto deveria ser o gasto para estruturação e manutenção daquela atividade, e quais seriam suas metas e objetivos. Dessa forma, podemos dizer que o orçamento base zero está intimamente ligado ao conceito de custo padrão ideal.

Em nosso entendimento, o conceito de orçamento base zero é precursor do conceito mais atual de reengenharia, ou seja, rediscutir a empresa a partir de seus processos e da existência necessária deles.

Tipos de Orçamento

Basicamente, há dois tipos clássicos de orçamento: o orçamento estático e o orçamento flexível.

Orçamento Estático

É o orçamento mais comum. Elaboram-se todas as peças orçamentárias a partir da fixação de determinado volume de produção ou vendas. Esses volumes, por sua vez, também determinarão o volume das demais atividades e setores da empresa. O orçamento é considerado estático quando a administração do sistema não permite nenhuma alteração nas peças orçamentárias.

Caso a empresa, durante o período, considere que esses volumes não serão atingidos, parcela significativa das peças orçamentárias tende a perder valor para o processo de acompanhamento, controle e análise das variações, bem como base para projeções e simulações com os dados orçamentários. Apesar de conter um elemento crítico, que é a sua estaticidade, e, portanto, sem flexibilidade, esse tipo de orçamento é muito utilizado principalmente para grandes corporações, notadamente as que operam em vários países. O motivo básico dessa utilização é a grande necessidade de *consolidação* dos orçamentos de todas as suas unidades dispersas geograficamente, em um orçamento mestre e único da corporação. Esse orçamento consolidado é vital para que a organização tenha uma visão geral de seus negócios e dos resultados econômicos esperados para o próximo ano, para aprovação de sua diretoria máxima. Nesse sentido, o orçamento estático é importante, já que eventuais alterações de volume em alguma de suas divisões não necessariamente causarão um impacto significativo no total dos orçamentos.

Obviamente, quando os impactos de alterações de volumes em todas as unidades da corporação forem significativos, não há por que manter um orçamento estático que não tenha validade para o processo decisorial.

Orçamento Flexível

Para solucionar o problema do orçamento estático, surgiu o conceito de orçamento flexível. Neste caso, em vez de um único número determinado de volume de produção ou vendas, ou volume de atividade setorial, a empresa admite uma faixa de nível de atividades, em que tendencialmente se situarão esses volumes de produção ou vendas. Basicamente, o "orçamento flexível é um conjunto de orçamentos que podem ser ajustados a qualquer nível de atividades" (Horngren, 1985, p. 137). A base para a elaboração do orçamento flexível é a perfeita distinção entre custos fixos e variáveis. Os custos variáveis seguirão o volume de atividade, enquanto os custos fixos terão o tratamento tradicional. Apresentamos a seguir um modelo de orçamento flexível, de forma sintética, adaptado de Horngren *et al.* (1996, p. 296).

Tabela 10.1 – Orçamento Flexível para Vários Níveis de Atividade de Produção ou Vendas

Orçamento por Unidade Níveis de Atividades (Em unidades)	Dados Unitários	7.000	8.000	9.000
Vendas	$ 31,00	217.000	248.000	279.000
Materiais e Componentes	$ 21,00	147.000	168.000	189.000
Outros Custos e Despesas Variáveis	$ 0,80	5.600	6.400	7.200
Soma – Custos e Despesas Variáveis	$ 21,80	152.600	174.400	196.200
Margem de Contribuição	**$ 9,20**	**64.400**	**73.600**	**82.800**
Orçamento – Gastos Mensais				
Custos Fixos de Manufatura		37.000	37.000	37.000
Despesas Comerciais e Administrativas		33.000	33.000	33.000
Total de Custos e de Despesas Fixos		70.000	70.000	70.000
RESULTADO OPERACIONAL		**(5.600)**	**3.600**	**12.800**

O enfoque do orçamento flexível é possível, então, com os eventos que apresentam a possibilidade de uma mensuração unitária, que correspondem aos dados variáveis, como apresentado na primeira parte da Tabela 10.1. Associando-se aos volumes possíveis, podem ser feitos quantos orçamentos flexíveis forem necessários ou desejados. Os gastos fixos continuam sendo apresentados dentro do enfoque tradicional do orçamento, que é o orçamento estático, correspondente à segunda parte do quadro.

Outro enfoque do orçamento flexível: *não assumir nenhuma faixa de quantidades* ou nível esperado de atividade. Faz-se apenas o orçamento dos dados unitários, e as quantidades a ser assumidas seriam as realmente acontecidas. Entendemos que, apesar de ser um conceito com alguma aplicação, foge ao fundamento do orçamento, que é prever o que vai acontecer. Esse conceito dificulta, em muito, a continuidade do processo orçamentário, que são as projeções dos demonstrativos contábeis.

Orçamento Ajustado

O conceito de orçamento ajustado deriva do orçamento flexível. O orçamento ajustado é um segundo orçamento que passa a vigorar quando se modifica o volume ou nível de atividade inicialmente planejado, para um outro nível de volume ou de atividade, decorrente de um ajuste de plano. Em outras palavras, o orçamento ajustado é o ajuste efetuado nos volumes planejados dentro do conceito de orçamento estático ou inicial.

É óbvio que se poderão fazer quantos orçamentos ajustados forem necessários. Em suma, toda vez que houver necessidade de ajustar os volumes planejados para outro nível de volume, será refeito o orçamento com as novas quantidades, e esse novo orçamento será o *orçamento ajustado*, contrapondo-se ao primeiro orçamento, o *orçamento original*.

> *Orçamento Original* (+/−) Ajustes de Volumes = *Orçamento Ajustado*
> (Volumes Planejados)   (Volumes Ajustados)

Orçamento Corrigido

O conceito de orçamento corrigido é o ajuste do orçamento original, de forma automática, sempre que houver alteração de preços em função de inflação. É importante ressaltar que nem todas as empresas aceitam pacificamente esse conceito, já que, para muitas empresas, as alterações de preços são de responsabilidade dos gestores setoriais, e elas devem fazer parte das variações orçamentárias e justificadas, mesmo que ocasionadas por fenômeno inflacionário.

Nosso entendimento é que, se as alterações de preços forem decorrentes de inflação, e, principalmente, de eventos pactuados contratualmente (cláusulas de reajustes com base em índices de inflação futura), ou impostas pelo governo por meio de suas taxas e preços administrados, é aceitável a adoção desse conceito de orçamento, já que não há uma possibilidade clara de controlabilidade pelo gestor do orçamento.

Outrossim, a correção automática de orçamentos por outras variações de preços, não decorrentes cláusulas de reajustes ou preços impostos – onde cabe atuação e, portanto, controlabilidade do gestor – não deve ser incorporada automaticamente ao orçamento.

> *Orçamento Original*   Variação de Preços   *Orçamento Corrigido*
> (Preços Originais)   (+/−)   por Inflação   =   (Preços Corrigidos)

Budget e Forecast

A terminologia inglesa *budget* é a mais utilizada entre as empresas transnacionais e se refere basicamente ao orçamento dentro do conceito estático. A terminologia *forecast* é utilizada para o conceito de projeções. É muito comum, nas empresas transnacionais, chamar também de *forecast* a soma dos dados reais mensais já acontecidos no período, mais os dados restantes do orçamento a cumprir. Não deixa de ser também um conceito de projeção para os dados do período todo. Nesse conceito, as variações entre o orçamento e o real dos meses já acontecidos são desprezadas, prevalecendo os dados reais, que são, então, somados aos meses restantes para cumprir o período orçamentário, funcionando esses dados como a melhor projeção para todo o período em questão.

Orçamento, Inflação e Moedas

Uma questão sempre discutida é a validade ou não do sistema orçamentário em ambientes econômicos sob condições de inflação crônica, com índices significativos e diversificados de variação geral de preços. Entendemos que o sistema orçamentário é válido para qualquer entidade em qualquer situação conjuntural. Para tanto, é necessário o entendimento dos efeitos diversos da inflação nos muitos segmentos do sistema orçamentário e tratar adequadamente cada peça orçamentária à luz dos efeitos específicos que a inflação – e a possível correção monetária – causa a cada segmento do orçamento.

Quando há ocorrência de inflação, a gestão do custo dos recursos e das receitas tende a ficar mais complexa, e, com isso, há uma inclinação de gerir a entidade com números mais agregados, pois os dados detalhados, transacionados na moeda fraca do país, tendem a perder significância nos períodos seguintes. Contudo, convém reafirmar que, mesmo em caso de ambiente orçamentário, o ferramental do orçamento continua válido e tão imprescindível quanto em um ambiente de estabilidade monetária.

Orçamento em Moeda Estrangeira

Independentemente do fenômeno inflacionário, o orçamento em moeda estrangeira pode ser necessário caso a empresa faça parte de um grupo transnacional que deva consolidar seus demonstrativos projetados. Para empresas que não tenham essa obrigatoriedade organizacional, o orçamento em moeda estrangeira pode ser necessário para fins de comparabilidade com concorrência externa, avaliação de investimento etc.

A estruturação do orçamento em moeda estrangeira está baseada nos seguintes critérios:

a) mensuração anterior dos dados históricos em moeda estrangeira, para parametrizar os dados a ser incorporados ao orçamento;
b) dados previstos passíveis de ser mensurados em moeda estrangeira;
c) previsão das taxas de câmbio para transformação dos dados em moeda corrente previstos em moeda estrangeira;

d) adoção de um critério de transformação (taxa mensal, taxa média, taxa diária etc.);
e) introdução dos critérios de transformação dos demonstrativos contábeis em outras moedas.

Orçamento em Moeda Corrente

Independentemente de qualquer situação de utilização de orçamento em outro padrão monetário, há a necessidade da elaboração do orçamento em moeda corrente. Isso se impõe porque, efetivamente, todas as transações são efetivas na moeda corrente do país, mesmo que tenham algum indexador (correção monetária, taxa de câmbio).

Adicionalmente, as projeções dos demonstrativos contábeis devem ser feitas necessariamente em moeda corrente, tendo em vista que todos os aspectos tributários do país são medidos em moeda corrente, e eles envolvem todo o sistema orçamentário. As receitas e despesas financeiras, que também sofrem os efeitos inflacionários, só podem ser obtidas na moeda corrente.

Organização e Processo de Elaboração

O sistema orçamentário compreende o conjunto de pessoas, tecnologia administrativa, sistemas de informação, recursos materiais disponibilizados e administração do sistema para execução dos planos orçamentários. Cabe ao controller a administração do sistema orçamentário, que recebe essa delegação da cúpula da empresa, seja dos proprietários ou da diretoria administrativa e financeira. Ele também é quem deve liderar a organização do processo orçamentário, tanto na sua estrutura informacional como nos cronogramas de execução.

Organização do Orçamento

Compreende um conjunto de medidas e estruturas. A seguir, apresentamos um painel para a organização do processo orçamentário e de sua implantação anual e execução, sem o objetivo de esgotar o assunto.

1. *Comitê Orçamentário:* deve ser instalado um comitê que decidirá pela visão maior do orçamento anual. É composto normalmente das diretorias, mais o controller e o responsável direto pelo processo orçamentário.
2. *Premissas Orçamentárias:* cabe ao comitê orçamentário a definição das regras maiores e gerais a vigorarem para o próximo orçamento, que são as premissas orçamentárias.
3. *Modelo do Processo Orçamentário:* cabe também ao comitê orçamentário a definição do modelo de condução do processo orçamentário, modelo este que

deverá ser totalmente coerente com o subsistema institucional do sistema empresa, decorrente de suas crenças e valores.
4. *Estrutura Contábil*: cabe ao controller, considerando a missão e os objetivos da empresa, estruturar e monitorar o sistema de informação contábil que atenda a todos os princípios orçamentários definidos pela empresa. Dentro deste tópico constam as seguintes necessidades:
   - definição dos critérios de contabilização das receitas e despesas;
   - definição dos critérios de distribuição de gastos, se houver necessidade;
   - manualização dos procedimentos citados anteriormente;
   - estruturação da conta contábil;
   - definição das áreas de responsabilidade para incorporação à conta contábil;
   - definição e criação das tabelas de unidades de negócios, centros de lucros e centros de custos e suas respectivas ligações hierárquicas;
   - estruturação do plano de contas contábil.
5. *Sistemas de Apoio:* cabe ao controller a definição das tecnologias de informação e sistemas de apoio para execução dos cálculos e lançamentos orçamentários no sistema de informação contábil.
6. *Relatórios:* cabe ao controller a definição dos relatórios orçamentários de preparação dos orçamentos, bem como dos relatórios para acompanhamento e controle.
7. *Cronograma:* cabe ao controller a liderança da execução do cronograma orçamentário, em todas as suas etapas (previsão, reprojeção e controle).

Passos da Preparação do Plano Orçamentário

Em linhas gerais, podemos generalizar os seguintes passos da execução do plano orçamentário:[2]
   1. estabelecer a missão e os objetivos corporativos;
   2. estruturar as assunções ambientais; a partir destas, determinar o fator limitante, normalmente vendas (é possível que em determinados empreendimentos o fator limitante seja a produção, do tipo jazidas minerais etc.);
   3. elaborar o orçamento a partir da função restritiva do fator limitante;
   4. elaborar os outros orçamentos, coordenando-os com o fator limitante e os objetivos corporativos;
   5. sintetizar todos os orçamentos para produzir o orçamento mestre;
   6. rever o orçamento mestre à luz dos objetivos corporativos;
   7. aceitar o orçamento mestre, ou, se este não estiver de acordo com os objetivos corporativos, voltar ao passo 2 e repetir o processo até o orçamento ficar aceitável;

---
[2] Adaptado de Kennedy e Dugdale, 1999, p. 22.

8. monitorar os resultados reais contra os resultados orçados e reportar variações;
9. como resultado das variações, (i) tomar ações corretivas para eliminar as variações ou (ii) revisar os orçamentos mestres ou subsidiários para acomodar as variações.

Premissas Orçamentárias

Após a escolha do cenário mais provável, a controladoria deverá preparar o quadro de premissas para o plano orçamentário. Posteriormente, as premissas deverão ser aprovadas pelo Comitê Orçamentário, tornando-se os fundamentos para o processo de elaboração das peças do orçamento.

As premissas decorrem do cenário escolhido. Por meio de informações e dados dos quais já dispõe em seu Sistema de Informação de Acompanhamento do Negócio, a cúpula diretiva tem conhecimento e percepção geral do que deve acontecer com os negócios da empresa caso aconteça o cenário mais provável. Nesse sentido, as informações básicas para delinear o plano orçamentário, tais como comportamento das vendas, produção, novos negócios e oportunidades, necessidades de investimentos e financiamentos, logística etc., são passíveis de ser assumidas em termos quantitativos.

Além disso, a direção da empresa já tem condições de estabelecer outras premissas, fruto das decisões de vendas e investimentos, bem como decorrentes de políticas administrativas e financeiras, ou mesmo de caráter discricionário, ou seja, impostas. Deve ser explicitado todo o conjunto de premissas quantificáveis e que sejam elementos que devem ser trabalhados nas peças orçamentárias.

Consideramos premissas orçamentárias os dados de ordem geral e que tendem a afetar, de forma direta ou indireta, toda a empresa, e que, depois de assumidas, devem ser rigorosamente respeitadas sem discussão. Apresentamos a seguir um quadro exemplificativo de premissas gerais para o processo de elaboração das peças orçamentárias.

Quadro 10.1 – Premissas Orçamentárias Gerais

Programa de Produção – Unidades/Ano	200.000
Número de Funcionários	4.500
Encargos Sociais Previstos – Média	92%
Horas Extras Máximas	2%
Aumentos Salariais – Data Base	4%
Aumentos de Mérito – % Mensal	0,2%
Taxa de Câmbio – %	7%
Taxa de US$ – Inicial	R$ 1,65
Taxa de US$ – Final	$ 1.765
Inflação Anual – país – %	10%
Aumento de Lista de Preços – %	5%

continua

Quadro 10.1 – Premissas Orçamentárias Gerais (continuação)

Inflação Interna – %	7,6%	
TJLP – Empréstimos Nacionais	15,0%	
Taxa de Juros Média – Empréstimos Estrangeiros	8,5%	+ Câmbio
Taxa de Juros Média – Aplicações Financeiras	16%	
IR Retido Fonte Aplicações Financeiras	15%	
Investimentos Necessários	$ 1.600.000	
Política de Contas a Receber	50	dias
Política de Estocagem	90	dias
Política de Fornecedores	30	dias

Estratégia e Orçamento

As premissas orçamentárias fazem parte do conjunto de informações do planejamento operacional. Os cenários fazem parte do conjunto de informações do planejamento estratégico. As premissas fundamentarão a construção do orçamento. Concluídas todas as peças orçamentárias, elas deverão ser incorporadas ao sistema de informação contábil, para que, no próximo período, tenhamos os relatórios de controle, por meio de comparação com os dados reais.

Dessa maneira, podemos evidenciar esse processo, unindo o planejamento estratégico e o planejamento operacional, considerando os principais instrumentos informacionais que suportam esses processos dentro da empresa.

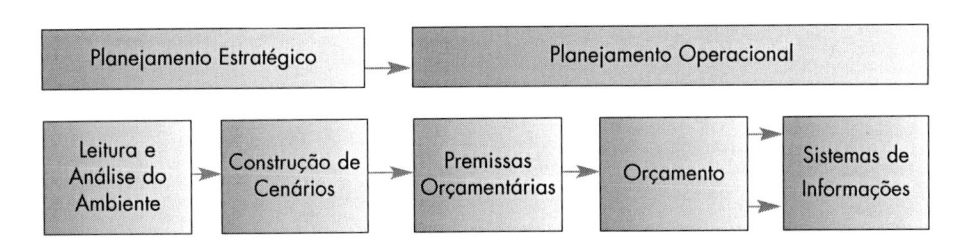

Figura 10.1 – Estratégia, Plano Orçamentário e Sistemas de Informações.

Estrutura do Plano Orçamentário

O plano orçamentário contempla três grandes segmentos:

- o orçamento operacional;
- o orçamento de investimentos e financiamentos;
- a projeção dos demonstrativos contábeis (também chamada de orçamento de caixa).

Orçamento Operacional

É o que contém a maior parte das peças orçamentárias, pois engloba todos os orçamentos específicos que atingem a estrutura hierárquica da empresa, incluindo as áreas administrativa, comercial e de produção. O orçamento operacional equivale, na demonstração de resultados da empresa, às informações que evidenciam o lucro operacional, ou seja, vendas, custo dos produtos, despesas administrativas e comerciais.

O orçamento operacional compreende as seguintes peças orçamentárias:

a) orçamento de vendas;
b) orçamento de produção;
c) orçamento de compras de materiais e estoques;
d) orçamento de despesas departamentais.

O orçamento de *despesas departamentais* ou por centro de custo inclui as despesas de cada setor com um responsável dentro da empresa por gastos controláveis, e inclui:

a) consumo de materiais indiretos pelo centro de custo;
b) despesas com mão de obra direta;
c) despesas com mão de obra indireta;
d) gastos gerais do centro de custo;
e) depreciações do centro de custo.

Orçamento de Investimentos e Financiamentos

Este segmento do plano orçamentário contém as seguintes peças orçamentárias:

a) orçamento de investimentos (aquisições de investimentos, imobilizados e diferidos);
b) orçamento de financiamentos e amortizações;
c) orçamento de despesas financeiras.

Normalmente, este segmento do plano orçamentário fica restrito a algumas pessoas, normalmente da direção, o responsável pela tesouraria e o controller.

Projeção dos Demonstrativos Contábeis

É o segmento do plano orçamentário que consolida todos os orçamentos. Parte do balanço patrimonial inicial incorpora o orçamento operacional e o orçamento de investimentos e financiamentos, projeta as demais contas e conclui com um balanço patrimonial final. Compreende as seguintes peças orçamentárias:

a) projeção de outras receitas operacionais e não operacionais e despesas não operacionais;
b) projeção das receitas financeiras;

c) projeção da Demonstração de Resultados do período do orçamento;
d) projeção do Balanço Patrimonial ao fim do período orçamentário;
e) projeção do Fluxo de Caixa;
f) projeção da Demonstração das Origens e Aplicações dos Recursos;
g) análise financeira dos demonstrativos projetados.

De forma semelhante ao orçamento de investimentos e financiamentos, este segmento do plano orçamentário fica restrito à cúpula diretiva, e ao controller e ao tesoureiro. Apresentamos, na Figura 10.2 a seguir, um resumo do esquema geral de um plano orçamentário e suas peças principais.

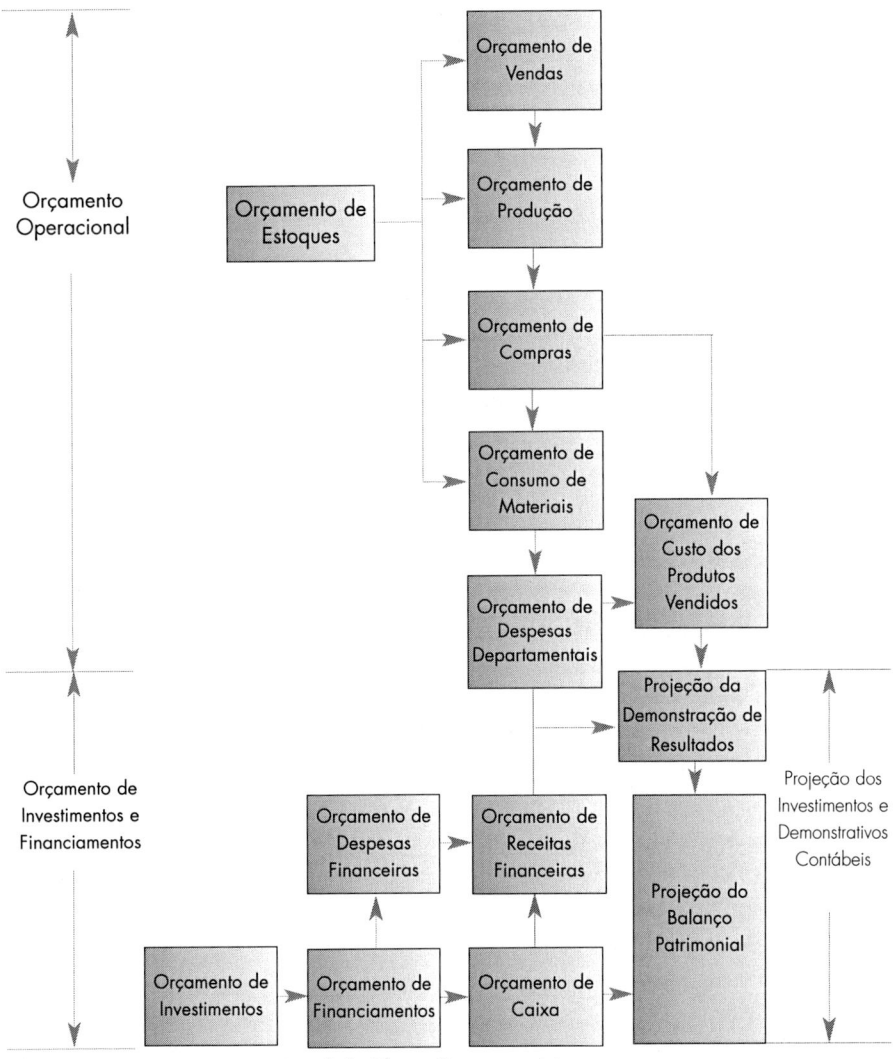

Figura 10.2 – Esquema Geral do Plano Orçamentário.

Orçamento de Vendas

O ponto-chave do orçamento operacional é o orçamento de vendas. Na realidade, o orçamento de vendas é o ponto de partida de todo o processo de elaboração das peças orçamentárias. Essa colocação se deve ao fato de que, para a maioria das empresas, todo o processo de planejamento operacional decorre da percepção da demanda de seus produtos para o período a ser orçado. Com isso, o volume de vendas torna-se o fator limitante para todo o processo orçamentário.

Convém relembrar que, em alguns casos, o orçamento de vendas é decorrente do orçamento de produção. Ou seja, o fator limitante da empresa não é a demanda. Nesse caso, o mercado estaria disposto a comprar todo o volume que a empresa produzisse de seus produtos. Nessa hipótese, o orçamento limitante seria o de produção. Como exemplos desse tipo de empreendimento, temos alguns produtos naturais, como minérios, alimentos *in natura* etc.

Aspectos Gerais

Fundamentalmente, o orçamento de vendas compreende as seguintes partes:

a) a previsão de vendas em quantidades para cada produto;
b) a previsão dos preços para os produtos e seus mercados;
c) a identificação dos impostos sobre as vendas;
d) o orçamento de vendas em moeda corrente do país;
e) a projeção do saldo final de contas a receber.

Dificuldades na Previsão de Vendas

A etapa inicial do orçamento de vendas é a determinação das quantidades a ser vendidas dos produtos da empresa. Cada empresa tem o seu grau de dificuldade de estimar as quantidades a ser vendidas para os próximos períodos. Essas dificuldades são consideradas naturais, pela natural imprevisibilidade das situações conjunturais da economia e sazonalidades existentes. Contudo, a leitura do ambiente e a construção dos cenários, e as outras informações constantes do Sistema de Acompanhamento do Negócio, devem permitir um mínimo de condições de estabelecer probabilidades de acontecimentos de vendas futuras.

Além disso, é normal que a empresa já tenha um conjunto de conhecimentos sobre o comportamento de seus produtos, dentro dos mercados em que ela atua (excetuando-se, eventualmente, produtos totalmente inéditos que serão lançados no mercado no período orçado). Dessa maneira, há possibilidades de um acerto razoável na previsão das quantidades que possam ser vendidas, e consequentemente, iniciar-se o processo de orçamento das vendas, e, em seguida, a conclusão do processo orçamentário. Em resumo, a melhor competência empresarial deverá ser alocada na previsão de vendas.

Principais Pontos a Serem Observados

Apresentamos a seguir um conjunto de aspectos a serem observados na elaboração do orçamento de vendas. Esses aspectos influenciam diferentemente as empresas, e, portanto, cada empresa deve dar ênfase maior ou menor a cada um deles, segundo as características de seu negócio.

- Identificação dos produtos a serem vendidos.
- Determinação do critério de entendimento do que é produto para fins do orçamento de vendas (por versão especificada, por modelo, por linha de produto etc.).
- Identificação dos mercados dos produtos (mercado interno, regiões, filiais, mercado externo, clientes-chave etc.).
- Determinação das quantidades a serem orçadas.
- Determinação dos preços para cada produto e para cada mercado.
- Determinação dos preços à vista e dos preços a prazo.
- Incorporação da eventual mudança da política de crédito.
- Determinação das quantidades de vendas à vista e a prazo.
- Determinação dos aumentos previstos nas listas de preços, segundo as premissas orçamentárias.
- Determinação das projeções das taxas das moedas estrangeiras para vendas ao mercado externo.
- Incorporação das sazonalidades mensais conhecidas e/ou estimadas.
- Inclusão das expectativas de vendas de acessórios, opcionais, produtos complementares, classificadas por produto.
- Identificação dos impostos sobre vendas para cada produto e mercado.
- Identificação dos créditos fiscais para cada produto e mercado.
- Projeção de outras receitas acessórias, como variações cambiais após a venda, recuperações de despesas etc.
- Projeção de inadimplências etc.

Previsão de Vendas

A primeira parte – e a mais difícil – do orçamento de vendas é a determinação das quantidades orçadas. Para isso, existem pelo menos três grandes métodos de previsão, que apresentamos a seguir. Não consideraremos como método de previsão de vendas quando o fator limitante for a quantidade produzida, porque, nesse caso, as vendas seriam exatamente as quantidades produzidas. Nessa condição, o orçamento de produção, o mais importante, será feito por meio da capacidade de produção, seja medida em termos de equipamentos e instalações, seja medida em termos de mão de obra direta disponível.

Métodos Estatísticos

É a utilização de modelos estatísticos de correlação e análise setorial, via recursos computacionais, ou mesmos métodos estatísticos diretos de análise de tendências. Isso será possível quando o passado permitir imaginar um comportamento futuro das vendas. É o método utilizado quando há muita dificuldade de se saber o que vai vender.

Dentro dos métodos estatísticos, podemos classificar os seguintes critérios:

- correlação com o crescimento do setor ou do PIB;
- análise de tendência (regressão linear, mínimos quadrados);
- combinação dos dois métodos anteriores;
- pesquisa de mercado;
- correlação ou participação no tamanho do mercado etc.

Coleta de Dados das Fontes de Origens das Vendas

Neste caso, o orçamento de quantidades de vendas terá como base as informações vindas diretamente dos centros vendedores, e elas serão compiladas no setor de controladoria. É uma metodologia aparentemente interessante, porém a diversidade das fontes de origem, bem como as possibilidades de inadequação de entendimento das premissas orçamentárias, poderão conduzir a resultados finais inconsistentes e até frágeis.

Atualmente, os meios computacionais e as informações contidas no Sistema de Acompanhamento do Negócio podem, seguramente, minimizar o impacto da possível fragilidade desse método. Tem sido comum que os pontos de vendas sejam conectados computacionalmente com o sistema central, por meio dos sistemas de colocação de pedidos (*order entry system*). Dessa maneira, já existe um banco de dados com as informações dos pontos de venda, que servirão de parâmetro para avaliar as estimativas de vendas recebidas das fontes de origem.

Como exemplos desse método, podemos citar a previsão de quantidades vendidas obtidas:

- de cada vendedor;
- de cada gerente de filial;
- de cada ponto de venda de varejo;
- de cada franqueada, concessionária etc.

Uso Final do Produto

Este método deve ser utilizado quando, por meio do conhecimento do uso final do produto de nossos clientes, a empresa pode orçar suas próprias vendas. Saber o que seu cliente vai vender, por meio do conhecimento dos programas de produção desses clientes, será um meio seguro de orçar as quantidades de vendas da empresa, como fornecedora certa para esses clientes.

Essa metodologia tende a ser cada vez mais utilizada, devido aos atuais conceitos praticados de cadeia de fornecimento (*supply chain*) e terceirização (*outsourcing*). Esses conceitos são decorrentes de outro conceito maior de modo de negócios, que é o conceito de parceria. Nesse sentido, quanto mais parceiras forem as empresas, mais elas podem e devem trocar as informações de expectativas de vendas e lançamento dos programas de produção. Além disso, as possibilidades abertas pela tecnologia de informação, por meio do conceito de comércio eletrônico (*e-commerce, eRM – eletronic relationship management* etc.), tendem a estreitar cada vez mais os clientes e seus fornecedores.

Como exemplos da aplicação dessa metodologia, podemos citar:

- fornecedores de autopeças para indústria automobilística;
- fornecedores de serviços ou componentes para empresas que trabalham com programa de produção periódico ou anual;
- cotas obrigatórias de vendas de produtos franqueados ou concessionados;
- empresas prestadoras de serviços com contratos periódicos ou anuais;
- atividades de locação de bens móveis e imóveis etc.

Exemplo

Apresentaremos a seguir um exemplo numérico de orçamento de vendas, dentro de uma abordagem simplificada. Os dados se referem a um período. Necessariamente, o orçamento é um sistema que exige a periodicidade mensal. Portanto, todos os dados e cálculos apresentados no exemplo numérico devem ser feitos para todos os meses do ano, e, posteriormente, consolidados pelo somatório para obtermos também os dados anuais.

Tabela 10.2 – Orçamento de Vendas – Preços, Quantidades, Receita, Clientes

Ano/Mês 1		Dados	Produto A	Produto B	Total
Orçamento de Quantidade					
Quantidade Real – Período Anterior		unid.	30.000	12.000	42.000
Aumento Previsto			10%	8%	
Quantidade Orçada		unid.	33.000	12.960	45.960
Orçamento de Preços					
Preço de Venda Atual – Bruto		$	20,00	30,00	
Estimativa de Reajuste no Período			4%	5%	
Preço de Venda Orçado		$	20,80	31,50	
Orçamento de Vendas					
Receita Operacional Bruta		$	686.400	408.240	1.094.640
(–) Impostos sobre Vendas	25%	$	(171.600)	(102.060)	(273.660)
Receita Operacional Líquida		$	514.800	306.180	820.980

continua

Tabela 10.2 – Orçamento de Vendas – Preços, Quantidades, Receita, Clientes
(continuação)

Ano/Mês 1					
		Dados	Produto A	Produto B	Total
Orçamento de Clientes					
Prazo Médio de Recebimento		dias	25	65	
Saldo Final de Duplicatas a Receber		$	47.667	73.710	121.377
(–) Provisão para Créditos Incobráveis	2%	$	(953)	(1.474)	(2.428)
Saldo Final de Duplicatas a Receber Líquido		$	46.713	72.236	118.949

Modelo Alternativo

Outro modelo de elaboração do orçamento de vendas, mais simplificado, mas também com boa eficácia, é elaborar os cálculos das vendas por produtos e mercados, considerando os dados anuais e preços e taxas de câmbio médios do ano. Após esses cálculos, faz-se a sazonalização mensal, considerando alguma tendência verificada no passado, que tenha consistência, ou mesmo a sazonalidade mensal esperada.

Orçamento de Produção

Este orçamento é totalmente decorrente do orçamento de vendas. Saliente-se também que o orçamento de produção é quantitativo. Não há, em princípio, necessidade de destacar o valor da produção, para fins de orçamento. O orçamento de produção em quantidade dos produtos a serem fabricados é fundamental para a programação operacional da empresa, e dele decorrem o orçamento de consumo e a compra de materiais diretos e indiretos. Além disso, ele é a base de trabalho para os orçamentos de capacidade e logística.

São dois os dados necessários para o orçamento de produção:

a) orçamento de vendas em quantidades por produto;
b) política de estocagem de produtos acabados.

Com esses dados, mais os dados das atuais quantidades em estoque de produtos acabados, conclui-se o orçamento de produção. Portanto, a diferença entre a quantidade vendida e a quantidade a ser produzida decorre da variação da quantidade do estoque de produtos acabados. Em uma empresa onde há possibilidade de venda imediata de toda a produção, e, portanto, a empresa consegue evitar ou não há necessidade de estocagem de produtos acabados, o orçamento de produção é igual ao orçamento de vendas em quantidades. Esse fato pode acontecer em empresas que produzem por encomenda ou em empresas que conseguem uma perfeita aplicação do conceito de *just-in-time* para o produto final.

Normalmente, a política de estocagem de produtos acabados é traduzida em dias de vendas, por tipo de produto. A empresa tem informações e experiência que permitem fixar qual deve ser o estoque mínimo a ser mantido para atendimento às vendas. Além disso, deve ser incorporada a eventual mudança de política de estocagem, seja para maior ou para menor. Há a possibilidade de a empresa desejar um reabastecimento maior, ou, o oposto, uma redução da quantidade estocada. A Tabela 10.3 apresenta o orçamento de produção, em consonância com os dados do orçamento de vendas apresentado anteriormente.

Tabela 10.3 – Orçamento de Produção – Quantidades

Ano/Mês 1	Dados	Produto A	Produto B	Total
Estoque Inicial – Produtos Acabados	unid.	2.000	1.500	3.500
Vendas Orçadas	unid.	33.000	12.960	45.960
Estoque Final – Política de Estocagem	dias	35	35	
Estoque Final – Orçado	unid.	3.208	1.260	4.468
Produção Orçada	unid.	34.208	12.720	46.928

Orçamento de Capacidade e Logística

As quantidades de venda e produção são as que basicamente determinam o nível de atividade da empresa. O Subsistema Físico-Operacional das empresas e de suas respectivas áreas de responsabilidade é estruturado para determinados níveis de atividades, ou faixa de atividades, com limites de capacidade de produção e vendas.

De um modo geral, nas unidades de negócios já estruturadas e em andamento, as empresas tendem a aumentar sua capacidade de produção de forma gradativa, fazendo os ajustes dos recursos de produção e distribuição pontuais dentro de um *continuum* de investimentos. Um dos aspectos que levam a esse procedimento é que, em linhas gerais, a empresa não trabalha normalmente à plena carga, sempre tendo uma ociosidade de recursos físicos (algo ao redor de 10%). Além disso, a empresa tem possibilidades de utilização de turnos ou horários extraordinários para fazer face a aumentos significativos no nível de atividade.

Por outro lado, quando o volume esperado de atividade indica claramente que há necessidade de aumento dos recursos disponíveis para as operações, é necessário avaliar a capacidade atual dos recursos frente à capacidade necessária para atender ao novo patamar de atividade operacional esperado.

Dentro dessa linha, com o orçamento de produção e vendas, há a necessidade do orçamento de capacidade operacional, que inclui a capacidade fabril e a capacidade de comercialização. Ao mesmo tempo, é o momento de rever toda a cadeia de suprimento e entrega, que denominamos *orçamento de logística*.

Lembramos que, apesar de a visão mais comum do orçamento de capacidade e logística estar relacionada com aumento de recursos, o inverso também é verdadeiro. Situações em que os orçamentos de produção e vendas indicarem uma significativa redução do nível de atividade, com a capacidade existente francamente excessiva, por isso consumindo gastos para sua manutenção, exigirão programas para *redução* da capacidade. Essa possibilidade se configura com caráter de permanência, e leva a uma redução do quadro de funcionários e a desinvestimentos operacionais.

Orçamento de Materiais e Estoques

A próxima etapa do processo orçamentário, após a definição das informações-chave, quantidades a serem vendidas e produzidas, é o orçamento dos gastos determinados pelos volumes pretendidos e os gastos necessários para operacionalizar os programas de produção e vendas. O orçamento dos gastos compreende os materiais necessários para o programa de produção e vendas, constantes das estruturas dos produtos, e as despesas que os departamentos vão incorrer para produzir e vender as quantidades planejadas.

Neste tópico, trataremos inicialmente do orçamento dos estoques e consumo de materiais. Primeiramente, faremos os orçamentos ligados aos materiais necessários para os produtos e serviços. Em seguida, faremos os orçamentos ligados aos estoques industriais, para obtenção do orçamento do custo dos produtos vendidos. Não faremos o tratamento dos estoques de produção em elaboração, pela necessidade de exemplos simplificados, e também porque não são muitas as empresas que têm montante expressivo desse tipo de estoque.

Aspectos Gerais do Orçamento de Materiais

O orçamento de materiais compreende quatro peças:

a) de *consumo* de materiais;
b) de *estoque* de materiais;
c) de *compras* de materiais;
d) do saldo final mensal de *contas a pagar a fornecedores*.

O orçamento de consumo de materiais é o primeiro a ser elaborado e indica o custo dos materiais consumidos pelo programa de produção. Não há, tecnicamente, o consumo de materiais para produtos vendidos, pois o que se vende são produtos acabados, que saem do estoque de produtos acabados. Portanto, o consumo de materiais é relacionado apenas com o programa de produção. O orçamento de consumo de materiais é que fará parte da demonstração de resultados do período, dentro do item Custo da Produção Acabada.

O orçamento de estoque de materiais é decorrente da política de estocagem, que pode ser uma opção da empresa, como pode ser determinada por fatores exógenos, alheios à vontade da organização. A política de estocagem normalmente é mensurada em dias de consumo. Determinados os dois orçamentos, o orçamento de compras é consequência deles. As compras de materiais serão feitas para atender às necessidades de consumo mais as necessidades de estocagem. Portanto, o orçamento de compras, em tese, nunca é igual ao orçamento de consumo de materiais.

O orçamento de compras determina o orçamento do saldo final a pagar aos fornecedores, pois sabe-se o prazo de pagamento de cada compra. O mais comum é construir um indicador médio, que é o prazo médio de pagamento de fornecedores, também em quantidade de dias. Não há necessidade de elaborar o orçamento de pagamentos a fornecedores, pois ele é consequência do orçamento de compras mais a variação do saldo de contas a pagar a fornecedores.

Para a execução desses orçamentos, três estruturas ou tipos de informações são necessárias:

a) o conhecimento da estrutura dos produtos, com a mensuração dos materiais que a compõem;
b) o conhecimento dos *lead times* dos processos de produção, vendas e compras;
c) o conhecimento do tipo de demanda dos materiais.

Outros aspectos a serem observados são:

- programa de produção por produtos ou linhas de produtos;
- preços atuais dos materiais (compras ou cotações);
- separação das principais famílias de materiais por produto;
- separação dos materiais nacionais e importados;
- preços à vista e preços a prazo;
- aumentos previstos dos fornecedores (listas e cotações);
- projeções de taxas de câmbio;
- inclusão de acessórios, opcionais, subprodutos (por produtos);
- impostos sobre compras específicos;
- projeção de consumo de materiais indiretos;
- sazonalidades de compras mensais etc.

Tipos de Materiais

De um modo geral, as empresas classificam os materiais em diretos e indiretos. Materiais diretos são os intrinsecamente ligados à estrutura do produto, e classificados como demanda dependente. Compreendem:

- matérias-primas básicas dos produtos finais e complementares;
- componentes agregados às matérias-primas transformadas;
- materiais de embalagem.

Materiais indiretos são aqueles necessários para o processo fabril e o processo comercial, bem como para atender aos departamentos de apoio, incluindo os da área administrativa. Como não estão ligados diretamente à estrutura do produto, são classificados como demanda independente. Compreendem:

- materiais auxiliares, necessários aos processos produtivos e comerciais, mas que não se incorporam aos produtos finais e são consumidos durante os processos;
- materiais para manutenção dos equipamentos e instalações;
- materiais de expediente, necessários aos processos administrativos.

Como exemplos de materiais auxiliares, podemos citar insumos para acomodação de temperaturas dos componentes em fabricação, ferramentas, dispositivos, moldes e modelos de consumo rápido (não ativados), insumos para proteção dos estoques de componentes e produtos, combustíveis, lubrificantes etc.

Os materiais para manutenção compreendem todos os materiais consumidos regularmente, não ativados, para manutenção das máquinas, equipamentos e instalações industriais, comerciais e administrativas, bem como das obras de construção civil. Como exemplos de materiais de expediente podemos citar os materiais de escritório, informática e outros materiais consumidos e necessários aos processos administrativos, como os impressos etc.

Orçamento de Consumo de Materiais

As estruturas informacionais básicas necessárias para o orçamento de consumo de materiais são:

a) orçamento do programa de produção;
b) estrutura dos produtos constantes do programa de produção;
c) informações de demanda média dos materiais indiretos;
d) preço de compra dos materiais, constantes do sistema de suprimentos;
e) política de estocagem.

Os itens *b* e *d* são utilizados também para a apuração do custo unitário dos materiais por produtos. Dessa maneira, uma metodologia muito utilizada para o orçamento de consumo de materiais consiste em, primeiramente, obter esses custos unitários para depois continuar o processo de elaboração do orçamento de consumo.

Orçamento de Compras e Estoque de Materiais

O orçamento de compras de materiais decorre de:

a) política de estoque de materiais;
b) orçamento de consumo de materiais, líquido dos impostos;
c) impostos incidentes sobre compras de materiais.

Exemplo

A Tabela 9.4 apresenta o conjunto de peças orçamentárias relacionadas com materiais, partindo do consumo necessário para o programa de produção e obtendo as compras brutas com impostos e o saldo final de fornecedores. Para apuração do consumo de materiais foi utilizado o critério de preço médio ponderado.

Tabela 10.4 – Orçamento de Materiais – Estoques, Consumo, Compras, Fornecedores

Ano/Mês 1	Dados	Produto A	Produto B	Total
Orçamento de Estrutura do Produto				
Custo dos Materiais por Produto – Atual	$	12,00	17,00	
Estima de Aumento de Custo		5%	4%	
Custo Orçado dos Materiais	$	12,60	17,68	
Consumo de Materiais	$			
Quantidade Orçada de Produção	unid.	34.208	12.720	46.928
Custo Orçado de Materiais	$	12,60	17,68	
Consumo Orçado de Materiais	$	431.025	224.890	655.915
Estoque Final de Materiais				
Prazo Médio de Estocagem	dias	30	40	
Estoque Orçado Final	$	35.919	18.741	54.660
Compra de Materiais				
Estoque Inicial – Real	$	22.000	28.000	50.000
Consumo Orçado	$	431.025	224.890	655.915
Estoque Final – Orçado	$	35.919	18.741	54.660
Orçamento de Compras – Líquido	$	444.944	215.630	660.574
(+) Impostos sobre Compras	30% $	133.483	64.689	198.172
Orçamento de Compras – Bruto	$	578.427	280.320	858.746
Orçamento de Fornecedores				
Prazo Médio de Pagamento	dias	20	20	
Saldo Final de Duplicatas a Pagar	$	32.135	15.573	47.708

Orçamento de Estoque de Produtos Acabados e Custo dos Produtos Vendidos

Neste tópico, desenvolveremos os conceitos e os critérios de valorização dos estoques de produtos acabados. Em termos quantitativos, a base é o orçamento de produção em quantidades, que contém, também, o orçamento de produtos acabados não vendidos e estocados. É importante ressaltar que, para elaborarmos esse orçamento, primeiro deveremos ter o orçamento dos gastos departamentais dos setores industriais, uma vez que o custo dos produtos vendidos, pela contabilidade societária, deve ser feito pelo método de custeio por absorção. Os gastos departamentais compreendem as despesas de mão de obra, direta e indireta, as despesas gerais dos setores fabris, o consumo de materiais indiretos e as depreciações da área industrial. Necessitamos orçar, então, os custos:

a) da produção;
b) da produção acabada;

c) produção vendida;
d) estoques de produtos acabados.

A Tabela 10.5 apresenta um exemplo desse orçamento. Para valorização do custo dos estoques finais e do custo das vendas, adotamos o critério de preço médio ponderado de fabricação.

Tabela 10.5 – Orçamento do Custo dos Produtos Vendidos e Estoque Final de Produtos Acabados

Ano/Mês 1	Dados	Produto A	Produto B	Total
Estoque Inicial – Produtos Acabados	unid.	2.000	1.500	3.500
Estoque Inicial – Produtos Acabados	$	40.000	23.000	63.000
Orçamento de Custos de Produção				
. Consumo de Materiais	$	431.025	224.890	655.915
. Custos de Fabricação	$	28.000	12.000	40.000
. Depreciação Industrial	$	30.000	25.000	55.000
Soma	$	489.025	261.890	750.915
Produção Orçada	unid.	34.208	12.720	46.928
Total – Estoque Inicial + Produção (a)	$	529.025	284.890	813.915
Total – Estoque Inicial + Produção (b)	unid.	36.208	14.220	50.428
Custo Médio Ponderado Orçado (a/b)	$	14,61	20,03	
Quantidade				
. Vendida	unid.	33.000	12.960	45.960
. Do Estoque Final	unid.	3.208	1.260	4.468
Custo dos Produtos				
. Vendidos	$	482.149	259.646	741.796
. Do Estoque Final	$	46.876	25.243	72.119

Orçamento de Impostos a Recolher

Após a elaboração dos orçamentos de vendas e de compras de materiais, devemos elaborar os impostos a recolher sobre mercadorias e produtos e serviços finais. Uma série de impostos nas operações de compras e vendas incidem sobre o valor agregado, isto é, eles não são cumulativos, e os valores dos impostos apurados nas vendas são recolhidos após o desconto dos impostos apurados (e creditados) nas compras. Juntamente com a apuração dos impostos a serem recolhidos, devemos orçar o saldo a recolher, constante do balanço final do período. A Tabela 9.6 apresenta um exemplo desse orçamento.

Tabela 10.6 – Orçamento de Impostos a Recolher sobre Mercadorias e Produtos

Ano/Mês 1	Dados	Produto A	Produto B	Total
Impostos a Recolher do Período				
(+) Impostos sobre Vendas	$	–	–	273.660
(-) Impostos sobre Compras	$	–	–	(198.172)
Líquido a Recolher – Orçado	$	–	–	75.488
Saldo Final de Impostos a Recolher				
Prazo Médio de Recolhimento	dias	–	–	20
Saldo Final Orçado	$	–	–	4.194
Recolhimento de Impostos				
Saldo Inicial	$	–	–	5.000
(+) Impostos a Serem Recolhidos no Ano	$	–	–	75.488
(-) Saldo Final Orçado	$	–	–	(4.194)
Orçamento de Recolhimento de Impostos	$	–	–	76.294

Orçamento de Despesas Gerais

É a parte mais trabalhosa do orçamento, pois consiste em elaborar pelo menos uma peça orçamentária para cada setor da empresa, sob a supervisão de um responsável. Além disso, a variedade de despesas tende a ser significativa. Não se recomenda o orçamento de despesas de forma sintética, e sim da forma mais analítica possível.

Como já salientamos, o orçamento deve ser estruturado dentro das mesmas características do plano de contas da contabilidade tradicional, incluindo as contas analíticas. O orçamento elaborado de forma sintética seria admissível apenas em situações extraordinárias, tais como o primeiro ano da implantação do sistema orçamentário ou em ambientes econômicos com inflação crônica. As palavras *gastos, custos* e *despesas* usadas neste tópico são sinônimas.

Aspectos Gerais

Diversos aspectos devem ser observados para a elaboração desta etapa do orçamento, dos quais apresentamos os principais:

- orçamento seguindo a hierarquia estabelecida;
- departamentalização;
- orçamento para cada área de responsabilidade;
- custos controláveis;
- quadro de premissas;
- levantamento das informações-base;
- observação do comportamento dos gastos;
- orçar cada despesa segundo sua natureza e comportamento etc.

Organograma Empresarial e Departamentalização

O orçamento segue a hierarquia da empresa, que pode ser visualizada dentro de um organograma. A estruturação dentro de um organograma facilita o processo de análise dos gastos, identificação dos setores, bem como o processo de sintetização dos orçamentos analíticos para os orçamentos setoriais ou divisionais, até o orçamento geral da empresa.

O critério mais utilizado para estruturar o sistema de informação contábil orçamentário para incorporar informações segundo o organograma empresarial é a departamentalização. Esse critério consiste em identificar as menores áreas de responsabilidade, que contêm o menor nível de decisão e, portanto, grau de responsabilidade sobre controle, dentro do conceito de *centro de custo* ou *centro de despesa*.

Accountability e Custos Controláveis

É importante que cada responsável, no menor nível de decisão dentro da hierarquia da empresa, tenha seu próprio orçamento. O fundamento dessa responsabilidade é o conceito de custos controláveis, ou seja, devemos orçar para cada centro de custo (setor, departamento) unicamente os custos que são gerenciados e controlados pelo responsável pelo centro de custo.

O conceito de custos controláveis (e obviamente, receitas, quando for o caso) está dentro de um conceito fundamental de contabilidade por responsabilidade denominado *accountability*. Em linhas gerais, *accountability* é a responsabilidade do gestor de prestar contas de seus atos ou a obrigação de reportar os resultados obtidos (Nagakawa, 1999, p. 208). Mais genericamente, podemos definir *accountability* como a responsabilidade individual ou departamental de desempenhar uma certa função. Esta pode ser delegada ou imposta por leis, regulamentos ou acordos (Siegel e Shim, 1995, p. 4).

Rateio no Orçamento de Despesas Departamentais

Algumas despesas são de consumo comum, ou seja, os gastos são efetuados de uma só vez, mas o serviço atende a vários setores ou centros de custos. Por exemplo, gastos com conservação e limpeza dos edifícios, normalmente terceirizados, são pagos por contrato e atendem a toda a empresa ou unidade de negócio. Os serviços de limpeza podem incluir áreas comuns como corredores, pátios, sanitários etc. A questão é: devemos ratear esses gastos por algum critério para todos os setores que recebem o serviço e, consequentemente, orçar também o rateio?

Apesar de utilizado, muitas vezes objetivando uso futuro para custeio dos produtos pelo método de absorção, *o rateio não é recomendado sob o conceito de "accountability"*. Deve-se sempre orçar a despesa no centro de custo do responsável pela gestão do gasto. No exemplo dado, provavelmente alguém na empresa é o responsável pela administração dos serviços de conservação e limpeza e pelo contrato. No centro de custo dele é que as despesas de limpeza devem ser orçadas.

Outrossim, se dentro da contratação do serviço o total do contrato foi negociado considerando-se serviços parciais, existindo, assim, claramente, uma definição de valores em relação aos diversos setores usuários, nada impede a correta alocação da despesa aos diversos centros de custos. Como regra geral, deve-se evitar ao máximo o rateio, já que o conceito de *accountability* é claro: as despesas só devem ser alocadas ao orçamento de um centro de custo se puderem ser administradas por seu responsável. Outras despesas que apresentam essas características são energia elétrica, consumo de água, despesas com central de cópias reprográficas, despesas com centrais telefônicas etc.

Orçamento por Atividades

As empresas que adotam o método de custeamento por atividades (custeio ABC) devem, em princípio, adotar a mesma metodologia no seu processo orçamentário. Assim, o orçamento de cada centro de custo deverá ter suborçamentos por atividades. Cada atividade relevante, em que se baseará posteriormente o custeio ABC, deve ter seus gastos separados em peças orçamentárias, que incluirão também a quantidade esperada de cada direcionador de custo da atividade.

Características Comportamentais dos Gastos

Cada despesa apresenta um valor que decorre de suas características próprias. Dentro dessas características, a principal é a variação do seu valor em relação a alguma outra variável, que ocorre dentro ou fora da empresa e que se relaciona com a despesa. A essa reação denominamos *comportamento das despesas*.

> *Cada despesa deve ser orçada segundo suas características comportamentais.*

O ponto-chave no orçamento das despesas é analisar e detectar seu comportamento, incluindo as variáveis-chave, e, a partir daí, criar uma base de dados para calcular os valores futuros a ser considerados no plano orçamentário, em cada centro de custo. Eventualmente, a mesma despesa pode ter um comportamento diferenciado para centros de custos diferentes.

Dentro da diversidade dos gastos, podemos agrupá-los em alguns tipos, normalmente considerando como base de classificação seu comportamento em relação a determinadas variáveis físicas decorrentes das operações da empresa.

A classificação tradicional para a análise do comportamento dos gastos em relação a alguma atividade é a sua separação em custos e despesas fixos e custos e despesas variáveis. Nesse caso, as variáveis utilizadas são o volume de produção e o de vendas, ou volumes da atividade direcionada aos gastos.

Custos Fixos Comprometidos

É possível um aprofundamento dessa análise comportamental dos gastos, introduzindo os conceitos de gastos comprometidos, discricionários e estruturados (Horngren, 1985, p. 162). Os custos fixos são denominados também *custos de capacidade* e medem os gastos necessários para a operação da fábrica e a comercialização dentro de determinado nível de capacidade. Podem ser classificados em custos fixos comprometidos e custos fixos discricionários.

> Custos comprometidos *são os aqueles ligados intrinsecamente à utilização de um parque fabril ou comercial – são os gastos para manter em operação a fábrica ou as vendas.*

São gastos comprometidos de tal maneira com a necessidade de operar as instalações empresariais que não são evitáveis. O valor desses gastos tende a permanecer inalterado durante o exercício (exceto, é claro, por eventuais variações de preço), independentemente do volume vendido ou produzido.

São exemplos clássicos aluguéis dos imóveis operacionais, prestações de arrendamento mercantil de equipamentos, taxas de funcionamento, gastos com associações de classe, contratos de manutenção e conservação de imóveis e edifícios etc.

Custos Fixos Discricionários

> Custos fixos discricionários *são gastos administrados e que podem ser alterados, dependendo da dotação orçamentária anual.*

Apesar de conceitualmente serem fixos, esses gastos podem ser evitados ou minimizados. São fixos porque não são relacionados com os volumes de produção ou venda, e, se adotados, não variam com o volume. São discricionários porque podem até ser cancelados, eventualmente.

Como exemplo, podemos citar despesas com treinamento de pessoal, que normalmente recebem uma dotação orçamentária, mas não são, de modo geral, comprometidas com a operação. Outros exemplos são: despesas com publicidade e propaganda, contratos de assessoria e consultoria, benefícios sociais a empregados, doações e subvenções etc.

Custos Variáveis

Quando um custo tem uma relação direta e proporcional com o volume de produção, de venda ou de outra atividade, denominamos *custo variável*. Quando a relação com o parâmetro quantitativo não for proporcionalmente exata, e apenas parcela do gasto se altera em função do parâmetro quantitativo, denominamos esse gastos de *custo semivariável ou semifixo*. Os exemplos clássicos de custos variáveis são materiais diretos e comissões sobre vendas.

Custos Semivariáveis

Um custo é considerado semivariável se a sua variação não ocorre na mesma proporção da variação do volume de produção ou vendas. Se, por exemplo, dado um aumento de produção, o custo aumenta, mas não no mesmo percentual do aumento do volume, este é considerado semivariável. Exemplos típicos são os gastos com materiais indiretos, como gastos com ferramentas, dispositivos, manutenção, materiais auxiliares, materiais de escritório etc.

Custos Semifixos

Podem ser assim considerados os custos que contêm, na sua formação de valor, uma parcela fixa e uma parcela que varia com a atividade. Somando-se a parcela fixa e a parcela variável, notamos uma semelhança com os custos semivariáveis. Contudo, a diferença está em que os custos semivariáveis partem do valor zero, ou seja, se não houver produção ou venda, é possível que não haja o gasto. Já o custo semifixo sempre apresentará o gasto da parte fixa. São exemplos desses tipos de gastos as despesas com telefone (assinatura mais impulsos), despesas com energia elétrica (demanda contratada mais consumo), despesas com consumo de água e esgoto, contratos com consumação mínima etc.

Custos Estruturados

Um aprofundamento do enfoque do caráter variável dos custos é possível com o conceito de custo estruturado, quando podemos fazer uma relação do gasto com outra atividade física que não seja a produção ou venda.

> *Chamamos um custo de estruturado quando ele tem uma variação em relação ao elemento sob o qual ele é estruturado ou ligado, e é a causa de seu valor maior ou menor.*

Como exemplos, podemos citar: despesas de viagens são relacionadas com a quantidade de vendedores, assistentes técnicos e compradores, principalmente; despesas de consulta a entidades de proteção ao crédito estão relacionadas com os pedidos de venda e análise de crédito a serem efetuados; despesas de cobrança com duplicatas são estruturadas em relação à quantidade de duplicatas emitidas etc.

Determinação do Comportamento dos Custos e Orçamento

De modo geral, a experiência empresarial é suficiente para classificação dos custos em relação a seu comportamento diante das diversas variáveis físicas. É importante, contudo, um trabalho científico visando caracterizar com precisão tal comportamento, para fundamentar todo o processo de orçamento dos gastos.

Para tanto, devemos recorrer aos fundamentos da disciplina de Métodos Quantitativos Aplicados. É óbvio que faremos um trabalho mais aprofundado com os gastos relevantes, que serão posteriormente acompanhados e controlados pelos mesmos critérios adotados para sua análise comportamental. Gastos de pouca monta poderão ser orçados de forma mais simples.

Despesas a Serem Orçadas

Como já introduzimos, o fundamento para o orçamento de despesas gerais é a associação das despesas controláveis por departamento ou centro de custo. Assim, para cada departamento (centro de custo) deverá haver uma peça orçamentária que compreenda as despesas de sua responsabilidade e administração. Em linhas gerais, são quatro grupos de despesas:

- mão de obra direta e mão de obra indireta;
- consumo de materiais indiretos;
- despesas gerais departamentais;
- depreciações e amortizações departamentais.

Mão de Obra

O orçamento dessas despesas apresentará os gastos previstos com as despesas de pessoal de toda a empresa. Os gastos com pessoal incluem todo o tipo de remuneração paga aos funcionários, bem como os encargos sociais incidentes sobre a mão de obra.

Parte do orçamento de mão de obra (principalmente a mão de obra direta) está atrelada aos orçamentos de produção e vendas. O orçamento de mão de obra direta tem sua base quantitativa (horas necessárias e homens necessários) calcada no orçamento de capacidade. O orçamento de vendas poderá ser determinante, dependendo da empresa, para estimativa de mão de obra de vendedores e assistentes técnicos, caso um volume adicional de vendas e entregas exija necessidade adicional de mão de obra.

O orçamento de mão de obra comporta maior ou menor detalhamento, dependendo da empresa. Se ela quer tratar, por exemplo, as diversas remunerações dos funcionários em orçamentos detalhados, como o orçamento de salários, horas extras, prêmios de venda, prêmios de produção, adicionais legais etc., esta parte do orçamento deverá ter suborçamentos. Da mesma forma, a empresa poderá detalhar os diversos encargos sociais e salariais decorrentes do quadro de funcionários, tais como: encargos legais, férias, décimo terceiro salário, assistência médica, alimentação, transporte de funcionários, plano de aposentadoria etc.

Dados Quantitativos

É fundamental no orçamento de despesas incorporar os dados quantitativos básicos referente à mão de obra:

a) número de funcionários por centro de custo, classificando em mão de obra direta e indireta;
b) horas a serem trabalhadas por centro de custo, classificando por tipo de mão de obra.

Além do caráter informacional e gerencial dessas informações, elas serão base para o processo de elaboração dos custos orçados ou padrões.

As empresas que optam também por desenvolver o *orçamento por atividades* devem providenciar o orçamento das quantidades físicas dos direcionadores de custos ou atividades, que geram o consumo dos recursos.

Consumo de Materiais Indiretos

Compreende o orçamento dos materiais indiretos utilizados nas operações do departamento ou atividades, sejam eles ligados indiretamente aos produtos finais ou necessários para as atividades dos funcionários. Esses gastos devem ser orçados por centro de custos, pois não são gastos ligados diretamente aos produtos, e o seu consumo é acionado, basicamente, pelo responsável do departamento. Os principais materiais indiretos são:

- materiais auxiliares;
- ferramental e dispositivos;
- combustíveis;
- lubrificantes;
- material de manutenção;
- material de conservação e limpeza;
- materiais de segurança do trabalho;
- material de expediente;
- material de escritório etc.

É muito comum que alguns desses gastos tenham relevância em termos de valor. Conforme já introduzimos neste capítulo, neste caso é adequado um tratamento estatístico-matemático para sua projeção, objetivando fundamentação científica para o processo orçamentário. Vários materiais indiretos apresentam uma característica comportamental de custos semivariáveis.

Despesas Gerais Departamentais

São as demais despesas de consumo dos centros de custos ou atividades, conforme o plano de contas utilizado pela empresa. Cada uma das despesas deve ser orçada considerando suas características próprias e seu comportamento em relação a alguma atividade estruturada, se houver. As despesas mais comuns são:

- energia elétrica;
- telecomunicações e comunicações;

- despesas de viagens, estadias e refeições;
- gastos com consumo de água e esgoto;
- publicidade, propaganda, brindes, anúncios, publicações;
- comissões sobre vendas;
- aluguéis e arrendamento mercantil;
- fretes e carretos de venda;
- outros fretes e carretos não incorporados ao custo dos materiais;
- seguros de todos os tipos (incêndio, intempéries, transporte, crédito, responsabilidade civil etc.);
- serviços terceirizados;
- outros serviços de terceiros não incorporados ao custo dos materiais;
- consultoria, assessoria, auditoria externa;
- jornais, revistas e livros;
- associações de classe e entidades associadas;
- despesas legais;
- serviços de autônomos etc.

Nem todos os centros de custos assumem todas as despesas, assim como uma despesa pode apresentar um comportamento diferente para cada setor ou atividade. As características comportamentais das despesas são as mais variadas possíveis, desde algumas claramente variáveis, como comissões e fretes sobre vendas, até despesas claramente fixas, como aluguéis e arrendamentos, razão pela qual cada uma delas merece atenção individualizada.

Depreciações e Amortizações

Compreendem as depreciações e amortizações de bens e direitos à disposição de cada centro de custo. O subsistema que auxilia o cálculo das depreciações e amortizações por departamento é o subsistema de Controle Patrimonial. São importantes a alocação e o orçamento desses tipos de gastos por centro de custo/departamento, uma vez que há necessidade de atribuição de responsabilidade pelo uso dos bens à disposição das atividades departamentais, também dentro do conceito de *accountability*.

As despesas a serem orçadas compreendem depreciações e amortizações dos bens e direitos:

a) existentes;
b) a serem adquiridos durante o exercício orçamentário e decorrentes do orçamento de investimentos.

Premissas e Dados-Base

Uma metodologia muito válida e utilizada para facilitar o cálculo do orçamento de despesas é a construção de um conjunto de premissas para validar o processo de orçamentação das principais despesas de forma genérica. Com as premissas, recomenda-se a construção de um banco de dados-base com valores ou informações que também possam auxiliar a construção de todas as peças orçamentárias de despesas para todos os centros de custos. As premissas específicas para o orçamento de despesas podem ser apresentadas sob algumas formas principais:

- como um painel dos aumentos periódicos (normalmente mensais) previstos para as despesas a serem orçadas;
- como uma série de indicadores de correção de preços, caso se adote como base de indexação o conceito de orçamento corrigido a partir de dados fixos.
- como fatores de ajustes em relação aos dados-base, que podem significar tanto variações de preços como variações de produtividade;
- como dados percentuais ou relativos para identificar sazonalidades, participações, reduções mensais esperadas;
- como valores-base para referenciais cálculos posteriores, principalmente para as despesas semivariáveis e estruturadas etc.

A Tabela 10.7 apresenta um esboço de um modelo de orçamento de despesas. O modelo deverá ser reproduzido para setor ou departamento (centro de custo ou despesa) para todos os meses de um período orçamentário.

Tabela 10.7 – Orçamento de Despesas Departamentais

Ano/Mês 1	Departamentos		
Gastos	Industriais	Comerciais	Administrativos
Mão de Obra Direta			
. Salários e Outras Remunerações			
. Horas Extras			
. Incentivos			
. Encargos Legais e Espontâneos			
Soma			
Mão de Obra Indireta			
. Salários e Outras Remunerações			
. Horas Extras			
. Incentivos			
. Encargos Legais e Espontâneos			
Soma			
Materiais Indiretos			
. Materiais Auxiliares, Ferrramentas etc.			
. Materiais de Manutenção			
. Materiais de Expediente etc.			
Soma			

continua

Tabela 10.7 – Orçamento de Despesas Departamentais (continuação)

Ano/Mês 1	Departamentos		
Gastos	Industriais	Comerciais	Administrativos
Despesas Gerais			
. Energia Elétrica			
. Telefone e Comunicações			
. Viagens com Veículos etc.			
. Serviços de Terceiros, Comissões etc.			
. Aluguéis			
. Publicidade			
. Fretes, Seguros etc.			
Soma			
Subtotal	40.000	35.000	15.000
Depreciações			
. Imóveis			
. Máquinas e Equipamentos			
. Móveis e Utensílios etc.			
Soma	55.000	2.000	3.000
TOTAL GERAL	95.000	37.000	18.000

A Tabela 10.8 é um orçamento complementar ao orçamento de despesas, em que estimam-se os saldos finais de salários, encargos e contas a pagar, elementos patrimoniais no passivo relacionados com as despesas.

Tabela 10.8 – Orçamento de Salários e Contas a Pagar

Ano/Mês 1	Total	
Saldo Inicial de Salários e Contas a Pagar	8.000	
Orçamento de Mão de Obra e Despesas	90.000	
Prazo Médio de Pagamento	15	dias
Saldo Final de Salários e Contas a Pagar	3.750	

Orçamento de Investimentos e Financiamentos

Este segmento do plano orçamentário tem por finalidade fazer o orçamento dos demais componentes do balanço patrimonial e da demonstração de resultados, que não foram contemplados no orçamento operacional. Na abordagem da teoria de finanças, refere-se ao orçamento dos elementos não operacionais da demonstração de resultados. O enfoque básico é elaborar o orçamento dos gastos previstos com investimentos que serão ativados como ativo não circulante, bem como dos financiamentos necessários para fazer face a necessidade de fundos para sua aquisição. Uma característica desses orçamentos é que sua elaboração e análise tendem a ficar restritas às áreas de finanças e controladoria, além da cúpula diretiva da companhia. Outra característica desses orçamentos é que exigem poucas peças orçamentárias, e, portanto, de mais fácil obtenção dos seus números.

O Orçamento de Investimentos liga-se com o Ativo Não Circulante. O Realizável a Longo Prazo pode ser localizado no Orçamento de Investimentos, se for relevante, ou deixado como um item da projeção, se não for significativo. As entradas e saídas de capital e os financiamentos são objeto do Orçamento de Financiamentos. Os demais itens são mais facilmente trabalhados no fechamento das projeções, ou Orçamento de Caixa, como é denominado mais comumente. Alguns itens operacionais, se não forem relevantes, também poderão ser trabalhados no fechamento das projeções.

Orçamento de Investimentos

Esta peça orçamentária não se liga apenas aos planos de curto prazo. Parte dos investimentos necessários para o próximo exercício é decorrente dos planos operacionais que decorrem do planejamento estratégico. Exemplificando: os investimentos necessários para suportar os projetos de investimentos em novos produtos, em novas plantas ou em novos canais de distribuição serão gastos efetuados no próximo período, mas que provavelmente serão para produtos e atividades a ser produzidas em exercícios futuros, decorrentes de decisões do passado.

Essa é uma das razões por que esse orçamento não está ligado intrinsecamente ao orçamento operacional. Ele está os planos operacionais e estratégicos. Outra razão é que as peças orçamentárias desse orçamento ficam restritas à alta administração da empresa.

É óbvio que, em um modelo de gestão empresarial em que a responsabilidade dos investimentos é delegada ao responsável pelo centro de investimento ou unidade de negócio, é ele quem deverá elaborar essa peça orçamentária. Orçamento compreende, portanto, os investimentos dos planos operacionais já deflagrados no passado e em execução no período orçamentário, bem como os investimentos necessários detectados para o período em curso. Exemplos definidos em horizonte de curto prazo, e não ligados necessariamente a planos operacionais maiores, são os investimentos para manutenção e reformas de equipamentos operacionais, reformas de obras civis, trocas de máquinas da atual estrutura de operações, aquisição de equipamentos menores como computadores, softwares, móveis, veículos etc.

Análise das Alternativas de Investimentos

É condição intrínseca do orçamento de investimentos a aplicação das técnicas de análise de alternativas de investimentos e rentabilidade de projetos. Cada investimento ou plano de investimento será objeto de um estudo específico de sua rentabilidade e das alternativas possíveis, utilizando-se conceitos como VPL, TIR e *payback* apresentados no Capítulo 4.

Finalidades e Principais Orçamentos de Investimentos

Em princípio, todos os elementos do Ativo Não Circulante deverão ser atendidos por uma peça orçamentária. A finalidade desses orçamentos, além de ser um dado natural para o orçamento de caixa, é também complementar o orçamento das depreciações por centro de custos (que serão apresentadas no Capítulo 11), bem como dar subsídios para o Orçamento de Financiamentos.

Faz parte integrante desse orçamento a previsão dos desinvestimentos. Os desinvestimentos – vendas ou disponibilização de ativos permanentes – podem acontecer de forma natural, por troca ou renovação tecnológica, como podem fazer parte de planos originais de investimentos, como elementos para reduzir a necessidade de investimento financeiro.

Podemos então ter as seguintes peças orçamentárias:

a) orçamento de aquisição de investimentos em outras empresas;
b) orçamento de venda de investimentos em outras empresas;
c) orçamento de aquisição de imobilizados;
d) orçamento de venda de imobilizados;
e) orçamento de despesas geradoras de intangíveis;
f) orçamento de baixa de ativos intangíveis;
g) orçamento de depreciações, exaustões e amortizações das novas aquisições e baixas.

Orçamento de Financiamentos

Este orçamento tem por finalidade prever tudo que é relacionado com a área de obtenção de fundos, os gastos para sua manutenção, bem como os pagamentos previstos. A obtenção dos novos fundos, basicamente, deveria estar ligada às necessidades de investimentos em ativos permanentes. Contudo, outras necessidades de fundos podem ocorrer, como fundos para prover necessidades de aumento de capital de giro, programas estratégicos de propaganda, instalação ou atualização dos canais de distribuição, atualização de sistemas de informação, introdução de novas tecnologias de informação necessárias, projetos de reestruturações organizacionais, fusões, reestruturação do perfil das dívidas, reformulação da estrutura de capital etc.

Principais Orçamentos e Informações Necessárias

As seguintes peças orçamentárias fazem parte do conjunto do Orçamento de Financiamentos:

a) orçamento dos novos financiamentos ou fontes de fundos, suas despesas financeiras e desembolsos;
b) orçamento das despesas financeiras e desembolsos dos financiamentos já existentes;

c) orçamento de outras despesas financeiras;
d) orçamento de outras receitas financeiras.

Para a correta elaboração dessas peças orçamentárias, principalmente as relacionadas com os financiamentos, existe a necessidade de identificação e coleta de todas informações que permitam o adequado cálculo para o orçamento.

Em linhas gerais, as informações necessárias para a elaboração do orçamento para todos os financiamentos existentes ou previstos são as seguintes:

a) tipo de financiamento e sua moeda de origem;
b) indexador contratual, se houver;
c) taxa de juros;
d) *spread* e comissões bancárias;
e) impostos incidentes (IOF, IOC, IRRF – Imposto sobre Operações Financeiras, imposto sobre Operações de Câmbio, Imposto de Renda Retido na Fonte sobre remessas ao exterior);
f) prazos de carência e cronograma de amortização do principal e dos juros.

Normalmente, é necessário um sistema de informação que apoie esse orçamento. É o Sistema de Informação de Financiamentos, de responsabilidade do setor de tesouraria. O mais usual também é o formato de planilha para cada empréstimo, com uma totalização para fins orçamentários.

As taxas de moeda estrangeira, previsões de taxas externas (Libor, Prime Rate) e taxas internas (TJLP, Copom, TR, IGPM) a serem utilizadas nos orçamentos são as que devem constar das premissas gerais orçamentárias.

Exemplo

As tabelas 10.9, 10.10 e 10.11 são exemplos de peças orçamentárias para estimação de investimentos e financiamentos e os seus complementos.

Tabela 10.9 – Orçamento de Investimentos e Financiamentos

Ano/Mês 1	Total
Orçamento de Capital	
Investimentos em Imobilizados	50.000
Outros Investimentos	0
Total	50.000
Orçamento de Financiamentos	
Financiamentos	20.000
Debêntures	0
Capital Social	0
Total	20.000

Tabela 10.10 – Orçamento de Depreciações

Ano/Mês 1		Total	
Orçamento de Imobilizados			
Saldo Inicial de Imobilizados – Vr. Bruto		600.000	
Orçamento de Aquisições do Período		50.000	
Orçamento de Baixas do Período		0	
Saldo Final de Imobilizados – Orçado		650.000	
Orçamento de Depreciações			
Taxa anual de depreciações			
. Sobre Imobilizados Existentes	7,5%	45.000	
. Sobre Novos Imobilizados	30%	15.000	
Total		60.000	(1)

(1) Devem ser distribuídas pelos departamentos.

Tabela 10.11 – Orçamento de Despesas Financeiras

Ano/Mês 1		Total	
Orçamento de Financiamentos			
Saldo Inicial de Financiamentos		0	
Orçamento de Financiamentos do Período		20.000	
Orçamento de Amortizações do Período		0	
Saldo Final de Financiamentos – Orçado		20.000	
Orçamento de Despesas Financeiras			
Taxa Anual de Juros			
. Sobre Financiamentos Existentes	0,0%	0	
. Sobre Novos Financiamentos	10%	1.000	(1)
Total		1.000	

(1) Supondo que os financiamentos entraram no meio do período.

Orçamento de Outras Despesas e Receitas Financeiras

Além das despesas financeiras com os financiamentos e empréstimos, a empresa incorre em outros gastos financeiros não oriundos especificamente dos financiamentos. São gastos necessários para as atividades normais junto aos estabelecimentos bancários, decorrentes de outras operações financeiras ou serviços prestados pelos bancos, ou despesas financeiras marginais a outras operações e que, normalmente, são consideradas despesas financeiras pela contabilidade.

Esses gastos devem ser orçados da melhor maneira possível. A observação do passado, sua tendência, os valores absolutos e a existência ou não de sazonalidades são elementos importantes para o processo de orçamento dos gastos. O apoio das áreas de tesouraria, contas a receber e a pagar é muito importante para a elaboração desta peça orçamentária.

As receitas financeiras com excedentes de caixa (aplicações financeiras) só podem ser calculadas após o orçamento de caixa ou a demonstração do balanço final e a demonstração de resultados serão objeto do próximo capítulo. Contudo, existem outras receitas eventuais caracterizadas também como receitas financeiras. São exemplos juros por atraso de clientes, variações cambais pós-embarque de exportações, descontos obtidos, ajustes a valor presente etc.

Controle Orçamentário

Esta etapa acontece após a execução das transações dos eventos econômicos previstos no plano orçamentário. Não se concebe um plano orçamentário sem o posterior acompanhamento entre os acontecimentos reais *versus* os planejados e a análise de suas variações. A base do controle orçamentário é o confronto dos dados orçados contra os dados reais obtidos pelo sistema de informação contábil. As variações ocorridas entre os dados reais e os dados orçados permitirão uma série de análises, identificando se as variações ocorridas foram decorrentes de plano, preços, quantidades, eficiência etc.

Objetivos, Conceitos e Funções

Os objetivos principais do controle orçamentário são:
 a) identificar e analisar as variações ocorridas;
 b) corrigir erros detectados;
 c) ajustar o plano orçamentário, se for o caso, para garantir o processo de otimização do resultado e a eficácia empresarial.

Responsabilidade pelo Controle Orçamentário

Dentro da premissa de que os gestores são responsáveis pela geração do lucro de suas áreas de responsabilidade, o controle orçamentário é mais um dos instrumentos de gestão necessários para otimizar esse objetivo. Portanto, cada gestor deve efetuar o seu controle orçamentário.

O setor de controladoria deve, concomitantemente, efetuar o monitoramento e apoio aos gestores individuais sobre seus orçamentos. Além disso, cabe à controladoria o papel de efetuar o controle orçamentário da empresa ou corporação como um todo, uma vez que ela é a responsável pelo conjunto do processo orçamentário e o acompanhamento e coordenação dos objetivos globais do empreendimento.

Cabe também à controladoria propor as ações corretivas, decorrentes do controle orçamentário, tanto para os gestores individualmente como para a empresa como um todo.

Conceito de Controle

Dentro da linha de delegação de responsabilidade e autoridade e orçamento participativo, o conceito de controle efetuado pela controladoria é no sentido de buscar a congruência de objetivos, otimização dos resultados setoriais e corporativos, apoio aos gestores, correção de rumos, ajustes de planos etc. – nunca em um conceito de controle punitivo, que enfraquece a atuação do controller.

As justificativas e explicações das variações ocorridas auxíliam no processo de otimização do lucro e eficácia empresarial. Obviamente, cada gestor tem a consciência de que o controle orçamentário é parte integrante do processo de avaliação de desempenho.

Relatórios de Controle Orçamentário

Todas as peças orçamentárias devem ser objeto dos relatórios de acompanhamento em relação ao realmente acontecido. O relatório clássico de controle orçamentário, por tipo de despesa e receita, para todos os centros de custos ou divisões, compreende:

a) os valores orçados para o mês em pauta;
b) os valores reais contabilizados no mês;
c) a variação do mês entre o real e o orçado;
d) os valores orçados acumulados até o mês em pauta;
e) os valores reais acumulados contabilizados até o mês;
f) a variação acumulada entre o real e o orçado até o mês.

Pode ser complementado com as seguintes informações:

a) variação percentual do mês;
b) variação percentual até o mês;
c) total do orçamento do ano (*budget*);
d) soma dos dados reais até o mês mais o orçamento restante do ano (*forecast*).

Na Figura 10.3, apresentamos um modelo básico de relatório de controle orçamentário.

Discriminação	DO MÊS – R$				ATÉ O MÊS – R$				Dados Anuais		
	Real	Orçado	Variação	%	Real	Orçado	Variação	%	Real + orçado	Orçado	Variação %
Receita/Despesa											
Centro de Custo											

Figura 10.3 – Modelo de Relatório de Controle Orçamentário.

Análise das Variações

Tendo como base as informações levantadas pelos relatórios de controle orçamentário, faz-se a análise das variações. A análise das variações busca identificar em maior detalhe os principais motivos que causaram a variação em valor de cada item orçamentado, fundamentando sua justificativa pelos gestores responsáveis pelos orçamentos e operações.

A diferença de valor entre os dados reais e orçados basicamente decorre de dois elementos:

a) quantidade real diferente da quantidade orçada;
b) preço real diferente do preço orçado.

Portanto, a variação em valor do item orçado é um somatório da diferença de quantidade mais a diferença de preço.

$$\text{Variação em Valor (Real x Orçado)} = \text{Diferença de Preço (Real x Orçado)} + \text{Diferença de Quantidade (Real x Orçado)}$$

Questões e Exercícios

1. O que é orçamento e quais os principais objetivos de um plano orçamentário?

2. Quais são os segmentos do plano orçamentário? Discorra sobre cada um deles.

3. Existem questionamentos sobre a validade de se elaborar um plano orçamentário em economias com inflação crônica. Apresente alguns argumentos contra e outros a favor de se fazer orçamento em ambiente inflacionário. Dê sua opinião sobre o assunto.

4. Caso uma empresa, tendo em vista um ambiente inflacionário no país, queira fazer o plano orçamentário em moeda forte, isso torna desnecessária a feitura do orçamento na moeda corrente do país? Justifique.

5. Coloque nos espaços em branco as letras que correspondem a cada conceito de orçamento.

   a) Orçamento feito a partir da rediscussão
      da necessidade ou não de cada gasto   _____ Orçamento Flexível
   b) Orçamento feito a partir de determinado   _____ Orçamento de
      volume de produção/vendas   Tendências
   c) Orçamento feito considerando-se diversos _____ Orçamento Base
      níveis de volume de produção   Zero
   d) Orçamento feito a partir de observação
      de dados passados   _____ Orçamento Estático

6. Analise o atual ambiente empresarial e elabore três cenários possíveis (otimista, moderado e pessimista).
   Faça suas ponderações sobre os dados e as variáveis consideradas.
7. Tome como referência a empresa em que você trabalha ou qualquer outra empresa conhecida, e, partindo da adoção de um dos cenários construídos no exercício anterior, elabore um quadro de premissas gerais para conduzir um processo orçamentário para o ano seguinte. Apresente o máximo possível de dados e variáveis, justificando cada uma delas.
8. Discorra sobre os principais métodos de previsão de vendas. Apresente também algumas situações ou empresas que possam se adaptar melhor cada um deles.
9. A seguir, apresentamos a evolução das vendas anuais de uma empresa, bem como a variação do PIB de nosso país nesses respectivos anos.

	Vendas em US$	Variação do PIB
1990	190.000	–4,3
1991	170.000	1,0
1992	120.000	–0,5
1993	145.000	4,9
1994	200.000	5,9
1995	230.000	4,2
1996	240.000	2,7
1997	300.000	3,3
1998	270.000	0,2
1999	260.000	0,8
2000	340.000	4,5
2001	360.000	1,5

   a) Calcule as variações percentuais de um ano para o outro, subsequentemente, das vendas e da variação do PIB.
   b) Encontre a variação média de todos os anos para as duas variáveis.
   c) Mesmo não havendo uma correlação estatística perfeita ou positiva, é possível inferir alguma tendência entre as duas variáveis. Partindo da premissa de que a variação do PIB para o próximo ano seja positiva em 2,3%, que faixa de valor anual de vendas você estimaria para essa empresa para o ano seguinte?
   d) Faça a mesma estimativa, considerando uma previsão de crescimento negativo do PIB em –1,5%.
10. Tome como referência a empresa em que você trabalha, ou outra empresa conhecida, e elabore um orçamento de vendas completo (quantidades, preços, valor

bruto, valor líquido), considerando os produtos e os principais mercados da empresa, bem como os impostos sobre vendas que incidem sobre as operações e sobre a empresa escolhida. Para facilitar, faça um orçamento anual.

11. Um empresa vende dois produtos principais, **A** e **B**, e peças para reposição do produto **A**. Com os dados a seguir, obtidos junto ao setor de comercialização e já criticados e aceitos pelas áreas correlatas, elabore um orçamento de vendas para o próximo ano, apurando o total da receita bruta e da receita líquida.

	Produto A	Produto B
Vendas Totais Previstas	1.600 unidades	500 unidades
• Mercado Interno	65%	90%
• Mercado Externo	35%	10%
Preço de Venda – Sem Impostos		
• Mercado Interno	$ 22.500	$ 65.000
• Mercado Externo	$ 18.000	$ 55.250
Impostos Sobre Vendas		
• Mercado Interno	30%	30%
• Mercado Externo	–	–

12. Os dados apresentados a seguir se referem ao último exercício encerrado de uma empresa industrial:

Quantidades	Vendas	Estoque Final – Produtos Acabados
Produto A	10.000	2.000
Produto B	12.000	3.000
Produto C	7.000	200
Produto D	5.000	900

A empresa estima vender no próximo exercício 10% a mais do produto A, 5% a menos do produto B, 8% a mais do produto C e a mesma quantidade do produto D. Como política de estocagem, a empresa deseja manter no máximo 20 dias de vendas para os produtos A e B e dez dias para os demais produtos.
Elabore:
a) um orçamento de quantidade de vendas;
b) um orçamento de estoque final;
c) o orçamento de produção.

13. Após obtido o orçamento de produção no exercício anterior, considere que o produto A exige 2,1 horas de mão de obra direta para produção de cada unidade; o produto B exige 2,4 horas, o produto C exige 4,1 horas e o produto D exige 5,0 horas. Qual a capacidade, em termos de horas de mão de obra direta, que será necessária para executar o programa de produção orçado?

14. Com os dados obtidos no exercício anterior, e considerando que a empresa tem um efetivo atual de 60 funcionários diretos, verifique se haverá necessidade de contratação ou liberação de mão de obra direta no próximo exercício. Considere, para tanto, que um funcionário trabalha em média 160 horas por mês nos 12 meses do ano.

Orçamento de Materiais e Estoques

1. Tendo como referência os produtos finais apresentados a seguir:

   a) Hambúrguer BigMac
   b) Microcomputador

   elabore uma estrutura de produto para cada um deles, contendo os materiais, as quantidades e as unidades de medidas.

2. Com base nas estruturas elaboradas no exercício anterior, assuma preços de aquisição para os materiais dentro do seu conhecimento e apure o custo de materiais para cada um desses produtos.

3. A empresa está orçando vendas, para o próximo exercício, de 1.600 unidades do Produto A e 500 unidades do Produto B, que utilizam as seguintes quantidades de materiais para cada unidade de produto final:

	Produto A	Produto B
Matéria-Prima 1	1,5 t	2,0 t
Componente 2	400 unidades	1.800 unidades

   As peças de reposição, para atender às vendas esperadas para o próximo ano, consumirão em média 4% das quantidades previstas para o componente 2 do produto A.

   a) Elabore um quadro de orçamento de quantidades de materiais necessárias para atender ao programa de produção, que, estima-se, será igual às quantidades previstas para a venda no próximo ano.
   b) Calcule a quantidade em estoque final de materiais ao final do ano previsto, sabendo que a empresa quer ter sempre um estoque mínimo suficiente para atender a dois meses de produção.

4. Com os dados obtidos no exercício anterior, de quantidades necessárias para o programa de produção e quantidades esperadas de estoque final, e considerando os seguintes dados adicionais, elabore:

   a) o orçamento de compras, líquidas e brutas, para o próximo ano;
   b) a previsão do valor dos estoques finais para fins contábeis com o critério de preço médio ponderado. Os impostos das compras são recuperados.

	Matéria-Prima 1	Componente 2
Preço cotado – Sem Impostos	$ 1.000,00	$ 10,00
Impostos sobre Compras	30%	30%
Estoque Inicial		
Quantidade	650 tons	150.000 unidades
Preço Médio Ponderado	$ 980,00	$ 10,20
Total em Estoque	$ 637.000	$ 1.530.000

5. Uma empresa produz e vende apenas um único produto e tem os seguintes dados de estoques em processo e produtos acabados:

Estoque Inicial de Produtos em Processo	$ 850.000
Estoque Inicial de Produtos Acabados	$ 620.000
Quantidade em Estoque Inicial de Produtos Acabados	30.250 unidades do Produto A
Quantidade Produzida no Ano	1.000.000 unidades do Produto A
Quantidade Vendida no Ano	1.008.000 unidades do Produto A
Custos Totais de Fabricação do Ano	$ 22.500.000

Considere que o Estoque Final de Produtos em Processo será 35% maior do que o estoque inicial. Calcule:
a) o custo da produção acabada;
b) o custo médio de produção do Produto A;
c) a quantidade em estoque final de produtos acabados;
d) o custo médio ponderado dos produtos acabados;
e) o custo dos produtos vendidos;
f) o valor do estoque final de produtos acabados.

6. Partindo dos dados obtidos no exercício anterior, considere que a empresa venderá o Produto A por um preço médio de $ 55,00 com impostos. Considerando as alíquotas de 12% de ICMS, 3,00 de Cofins e 0,65% de PIS (produto sem IPI), qual será o lucro bruto estimado da empresa para o próximo exercício? Identifique também a margem bruta a ser obtida.

Orçamento de Despesas Gerais

1. Coloque nos espaços em branco as letras que correspondem a cada conceito de comportamento de custo para orçamento.
   a) Custo relacionado diretamente com o volume
      de produção ou venda   _____ Custo Discricionário
   b) Custo ligado à utilização do parque
      fabril e não evitável   _____ Custo Variável
   c) Custo relacionado com o volume de produção
      e venda não totalmente proporcional   _____ Custo Estruturado

d) Custo que pode ser administrado e
com dotação orçamentária   ———— Custo Semivariável
e) Custo relacionado com outra atividade
física que não seja produção ou venda ———— Custo Comprometido

2. Tendo como referência a empresa em que você trabalha ou outra empresa conhecida, verifique qual o conceito adotado de controlabilidade das despesas departamentais e se há rateios de despesas nos centros de custos.

3. Tomando como referência a empresa em que você trabalha ou outra empresa conhecida, elabore um quadro de premissas a serem aplicadas para as seguintes despesas, partindo da hipótese da execução de um plano orçamentário para o próximo ano:
   a) despesas com mão de obra;
   b) percentual de encargos sociais estimados;
   c) despesas com energia elétrica;
   d) despesas com telefonia e telecomunicações;
   e) aluguéis imobiliários;
   f) aumento de combustíveis para frota interna;
   g) serviços terceirizados de limpeza.

4. Elabore o orçamento de mão de obra de cada departamento, considerando os dados atuais e as premissas listadas a seguir.
   Dados atuais para um mês:

	Depto. Industrial	Depto. Adm.	Depto. Comercial
Mão de Obra Direta	80.000	–	–
Mão de Obra Indireta	20.000	13.500	30.000
Horas Extras Diretas	3.200	–	–
Prêmios de Venda	–	–	9.000
Encargos Sociais	92.880	12.150	35.100
Soma	196.080	25.650	74.100
Homens Diretos	100	–	–
Homens Indiretos	20	15	25

Premissas para o orçamento para o próximo ano:
a) Horas/Ano/Funcionário Direto = 1900 horas
b) Horas trabalhadas ano anterior
 Para 4.860 unidades do Produto A – 97.200 hs (4.860 unid. x 20 horas)
 Para 2.000 unidades do Produto B – 70.000 hs (2.000 unid. x 35 horas)
 Para itens de reposição   22.800 hs
 Total   190.000 hs
c) O programa de produção (que é igual ao de vendas) aumentará 10% para o Produto A e 15% para o Produto B, sendo que itens de reposição sobem proporcionalmente.

d) MOD aumentará proporcionalmente à necessidade do programa de produção a partir de janeiro.
e) MOI industrial: haverá contratação de três homens a partir de abril, com salário médio maior em 20%.
f) Horas extras diminuirão 50%.
g) E. Sociais aumentarão 2 pontos percentuais (incidem sobre Salários + H. Extras + Prêmio Vendas).
h) Acordo coletivo de 6% a partir de maio.
i) Política de aumentos de mérito estimadas em 1% nos meses de abril, julho e outubro.
j) Dias trabalhados em janeiro: 15 dias; dezembro: 15 dias.
k) Prêmios de vendas aumentarão proporcionalmente ao aumento das vendas.

5. Elabore o orçamento de despesas gerais de cada departamento, considerando os dados atuais e as premissas listadas a seguir.

Dados atuais para um mês:

	Depto. Industrial	Depto. Adm.	Depto. Comercial
Mat. Indiretos	15.000	–	–
Mat. Expediente	5.000	2.000	3.000
Energia Elétrica	10.000	–	–
Serviços de Terceiros	5.000	–	6.000
Comunicações	–	7.000	–
Comissões	–	–	6.000
Soma	35.000	9.000	15.000

Premissas para o orçamento para o próximo ano:
a) Materiais indiretos e energia elétrica devem subir metade do aumento ocorrido na produção, conforme observado no exercício anterior.
b) Mat. Expediente subirá 20% do aumento da produção.
c) Serviços de Terceiros são fixos, com aumento de preços de 5% previsto para maio.
d) Comunicações – 40% do aumento da produção.
e) Comissões – proporcionais ao aumento de produção do Produto B.

6. Análise de Regressão Linear Simples para estimativas do comportamento de custos.

Desejando-se saber o comportamento atual dos gastos com energia elétrica, foi feito o seguinte levantamento de dados, buscando encontrar fundamentos para uma previsão orçamentária de tal custo. Os dados a seguir foram coletados da contabilidade de despesas da empresa, e os valores estão expressos em moeda de poder aquisitivo constante. O consumo de energia elétrica tem uma dependência da quantidade produzida. Vejamos os dados:

	Gastos com Energia Elétrica ($)	Quantidade Produzida (kg)
Ano 1	294.500	8.940.300
Ano 2	283.000	8.500.000
Ano 3	318.000	9.414.000
Ano 4	346.000	10.405.800
Ano 5	330.000	9.910.500
Ano 6	359.000	10.801.050
Ano 7	359.000	11.174.200
Ano 8	369.000	11.510.500

Sabe-se que o consumo de energia elétrica tem um componente fixo e outro variável. Dessa forma, pede-se:

a) Faça o diagrama de dispersão (gráfico) com os dados levantados.

b) Calcule os componentes **a** e **b** da reta de regressão (a parte fixa e o componente variável).

c) Faça o ajustamento dos dados reais e construa a reta teórica.

d) Verifique a confiabilidade da reta teórica por meio dos coeficientes de determinação e correlação.

e) Utilizando as variáveis **a** e **b** já calculadas, projete qual deverá ser o consumo de energia elétrica para os próximos dois anos, com produções estimadas em 12.000.000 kg e 12.400.000 kg, respectivamente.

Orçamento de Investimentos e Financiamentos

1. Uma empresa vai investir em um novo negócio e tem duas opções de investimento em infraestrutura já levantadas pela equipe de desenvolvimento do projeto. A primeira alternativa (A) consiste em adquirir um prédio industrial pronto, e a segunda alternativa (B) consiste na construção por conta própria do edifício industrial. A alternativa A implica em um desencaixe imediato de $ 20.000 ($ 5.000 para o terreno e $ 15.000 para o edifício), mais $ 25.000 de equipamentos, cuja instalação total levará por volta de 12 meses. A partir do ano seguinte, a empresa já poderá operar, e os lucros estimados anuais são da ordem de $ 13.500 por ano para os próximos cinco anos.

A alternativa B implica na aquisição de um terreno em outro local por $ 2.000, com desencaixe imediato, gastos pré-operacionais no primeiro ano de $ 4.000, construção do prédio no segundo ano, totalizando $ 16.000 e aquisição de equipamentos de $ 30.000 no terceiro ano. A partir do quarto ano, a empresa estima um lucro de $ 17.500 nos cinco anos seguintes.

a) Faça um quadro de orçamento de investimento de cada alternativa.

b) Calcule o valor presente líquido de cada opção, considerando um custo de capital de 12% ao ano, e verifique qual delas deverá ser aceita.

2. Com os dados do exercício anterior, faça um orçamento das novas depreciações e amortizações para as duas alternativas, considerando as seguintes taxas anuais: prédios, 4% ao ano; despesas pré-operacionais, 10% ao ano; equipamentos, 10% ao ano.

3. Uma empresa tem um endividamento financeiro de $ 30.000 (valor ao final do exercício) constituído por um financiamento em moeda estrangeira com base em dólares, mais juros e encargos financeiros de 8% ao ano (4% ao semestre). Faltam ainda seis parcelas semestrais a ser pagas, vencíveis em junho e dezembro de cada ano. Faça o orçamento de financiamentos para o próximo exercício, tendo como premissas que a taxa do dólar subirá 0,3% ao mês e os encargos financeiros serão pagos semestralmente com a amortização do principal.

4. Tomando como base os dados do Exercício 1 desta seção, imagine que a opção escolhida permita um financiamento de 80% do seu valor total, liberado pelo seu total no primeiro exercício do orçamento. Faça um orçamento de financiamentos em bases anuais, até sua liquidação, tendo como premissa que o financiamento será resgatado em quatro parcelas anuais, ao final de cada ano. Os juros são prefixados de 10% ao ano e também são pagos ao final do ano, junto com as parcelas de amortização.

Controle Orçamentário

1. O departamento de assistência técnica havia orçado para determinado mês um gasto com reembolso de quilômetros rodados de $ 13.200, a um preço orçado de $ 0,55 por km. O gasto real foi de $ 14.022 a um preço $ 0,57 por km. Faça a análise das variações entre o real e o orçado.

2. Considerando os dados do exercício anterior e sabendo que o corpo de assistentes técnicos compõe-se de 12 funcionários, qual a média mensal de quilômetros rodados real e a orçada?

3. A receita líquida das vendas orçadas para determinado mês foi de $ 210.000 para uma quantidade orçada de 4.200 unidades de produto final. A receita líquida real do mês foi de $ 220.000 para uma quantidade de 4.450 unidades. Faça a análise das variações entre o real e o orçado.

4. Considerando os dados do exercício anterior, havia sido orçado um lucro bruto de $ 58.800 na venda do produto final.
   a) Apure o custo total das vendas orçado.
   b) Calcule o custo médio do produto final orçado.
   c) Sabendo que o lucro bruto real das vendas foi de $ 56.000, faça uma análise das variações do custo das vendas entre o real e o orçado.

11 Projeção das Demonstrações Financeiras

É a conclusão do processo orçamentário, em que todas as peças orçamentárias são reunidas dentro do formato dos demonstrativos contábeis básicos (Demonstração de Resultados e Balanço Patrimonial). Como já vimos, cada peça orçamentária, quando é o caso, traz as informações necessárias para a elaboração da projeção dos demonstrativos contábeis. Portanto, a elaboração das projeções dos demonstrativos contábeis que utilizaremos será feita, em grande parte, com a utilização de informações já elaboradas anteriormente.

A projeção dos demonstrativos contábeis, encerrando o processo orçamentário anual, permite à alta administração da empresa fazer as análises financeiras e de retorno de investimento que justificarão ou não todo o plano orçamentário. Além disso, são imprescindíveis tais projeções, tendo em vista que tanto o balanço patrimonial como a demonstração de resultados são os pontos-chave para o encerramento fiscal e societário da empresa, em que se apurarão os impostos sobre o lucro e as perspectivas de distribuição de resultados.

Demonstrativos Contábeis a Serem Projetados

São eles:

a) Demonstração dos Resultados;
b) Balanço Patrimonial;
c) Fluxo de Caixa;
d) Demonstração das Origens e Aplicações de Recursos.

Dentro das projeções contábeis, incorporaremos os dados adicionais faltantes que não foram contemplados em nenhuma das peças orçamentárias anteriormente elaboradas:

a) Previsão de Equivalência Patrimonial;
b) Receitas Financeiras dos Excedentes de Caixa/Aplicações Financeiras;
c) Resultados Não Operacionais;
d) Impostos sobre o Lucro;
e) Distribuição de Resultados;
f) Saldos de Caixa, Bancos e Aplicações Financeiras;
g) Saldo de Impostos a Recuperar;
h) Saldo de Impostos a Recolher sobre Lucros;
i) Outras Contas a Receber ou a Realizar que não sejam objeto de orçamentos anteriores;
j) Outras Contas a Pagar que não sejam objeto de orçamentos anteriores;
k) Dividendos ou Lucros a Pagar;
l) Reservas e Lucros Retidos.

Orçamento de Caixa ou Projeção dos Demonstrativos Contábeis?

É muito comum, na literatura contábil, entender que o orçamento de caixa encerra o ciclo do processo orçamentário. É certo que necessitamos do fluxo de caixa, seus saldos iniciais e finais, para obtermos as receitas financeiras. Contudo, o saldo de caixa é apenas mais um dos saldos do balanço patrimonial, e *decorre*, fundamentalmente, das demais contas de resultados e do próprio balanço.

É mais fácil, portanto, entender o saldo de caixa, ou orçamento de caixa, como um dado residual. O saldo de caixa é o que sobra (ou, eventualmente, falta) depois que todas as transações operacionais, de investimentos e de financiamentos são projetadas e refletidas no balanço patrimonial. Portanto, decorre delas.

Dessa maneira, o conceito de Projeção dos Demonstrativos Contábeis é mais adequado do que o conceito de Orçamento de Caixa para o encerramento do orçamento. Na abordagem das técnicas básicas, retornaremos ao assunto.

Análise Financeira das Projeções

É fundamental a conclusão do processo com a análise financeira das projeções. Compreende basicamente:

    a) análise de balanço tradicional;
    b) análise da margem de segurança;
    c) análise da geração de lucros;
    d) análise de retorno do investimento;
    e) análise da criação de valor da empresa;
    f) análise da variação do risco empresarial;
    g) análise do valor da empresa.

Metodologia das Projeções

A metodologia básica a ser utilizada deve fundamentar-se na estrutura do lançamento contábil pelo método das partidas dobradas, e, no inter-relacionamento dos demonstrativos contábeis básicos, o balanço patrimonial e a demonstração de resultados. Assim, para a execução de um dos trabalhos mais nobres da contabilidade gerencial, que é a projeção dos demonstrativos contábeis, voltamos à origem da estrutura da contabilidade como ciência e sistema de informação.

A Técnica Básica: Coordenação dos Fatos e os Demonstrativos Contábeis

A projeção dos demonstrativos contábeis fundamenta-se em:

    a) um balanço patrimonial inicial;
    b) a demonstração de resultados do período orçado (projetado);
    c) o balanço final após a demonstração de resultados;
    d) o fluxo de caixa como consequência (diferença) dos três itens anteriores.

Colocado em outra perspectiva, teríamos:

Informação 1 – Dado do Balanço Patrimonial Inicial
Informação 2 – Dado da Demonstração de Resultados do item relacionado
Informação 3 – Dado do Balanço Patrimonial Final
Informação 4 – Efeito no Fluxo de Caixa

Podemos exemplificar com o elemento patrimonial Contas a Receber, que é relacionado na Demonstração de Resultados com o item Receita Operacional Bruta. Vejamos como deve ser feita a projeção desses itens, com os dados da Tabela 10.1 do Orçamento de Vendas do capítulo anterior.

	$
Informação 1 – Dado do Balanço Patrimonial Inicial (obtido no início do período)	80.000
Informação 2 – Dado da Demonstração de Resultados do item relacionado (obtido no Orçamento de Vendas – Receita Operacional Bruta, Tabela 10.1)	1.094.640
Informação 3 – Dado do Balanço Patrimonial Final (obtido pelo prazo médio de recebimento orçado, constante do Orçamento de Vendas – Saldo de Contas a Receber, Tabela 10.1)	118.949
Informação 4 – Efeito no Fluxo de Caixa = Recebimento de Vendas	1.055.691

Métodos para Determinar o Saldo Final de Caixa

O saldo final de caixa em nosso exemplo está representado pelas disponibilidades, que compreendem Caixa, Bancos e Aplicações Financeiras. A projeção do seu saldo pode ser determinada de duas maneiras:

Método 1 – Fluxo de Caixa

É a resultante das movimentações de entradas e saídas de caixa, por meio do relatório de Fluxo de Caixa, conforme demonstramos na técnica básica de projeção.

Método 2 – Valor Residual no Balanço Patrimonial

Neste método, o saldo final de caixa é obtido pela diferença de ativos e passivos antes do saldo final de caixa. Não é necessário fazer o fluxo de caixa para se saber o saldo final de caixa.

Na projeção do balanço patrimonial, o último valor a ser projetado é o saldo final de caixa. Portanto, todos os demais valores são passíveis de ser projetados (orçados) antecipadamente. Partindo da equação fundamental da contabilidade de que *ATIVO = PASSIVO*, após projetarmos todos os demais itens do balanço patrimonial, e depois de incluirmos o Lucro Líquido após os Impostos sobre o Lucro, automaticamente a diferença será o saldo de caixa.

Vejamos os passos para a obtenção do saldo de caixa pelo Método 2 – Valor Residual:

Primeiro passo: projetar a demonstração de resultados completa.

Segundo passo: projetar todos os itens do balanço patrimonial, incluindo previsão de distribuição de lucros, menos o saldo final de caixa.

Terceiro passo: somar o total do passivo.

Quarto passo: obter o saldo final de caixa, por diferença entre o total do passivo e o total do ativo antes do saldo final de caixa.

Vejamos o mês de março/x1:

	$
TOTAL DO PASSIVO	731.762
TOTAL DO ATIVO (antes do saldo final de Caixa/Aplicações financeiras)	715.728
= *Diferença* = *Saldo final de Caixa/Aplicações financeiras*	16.034

Este método possibilita maior rapidez de fechamento de projeções mensais, porque com ele podemos deixar de fazer o demonstrativo de fluxo de caixa. Com esse método, os critérios de cálculo dos dados do balanço patrimonial devem ser rigorosos, pois um erro de avaliação de ativos ou passivos e suas correções, variações monetárias, juros, prazos médios etc. provocarão erros no saldo final de caixa.

Receitas Financeiras Projetadas

A questão que sempre fica pendente para o fechamento da projeção da demonstração de resultados é a obtenção do valor das receitas financeiras oriundas dos excedentes de caixa. As receitas financeiras futuras dependem de:

a) saldo atual dos excedentes de caixa disponíveis para aplicação;
b) saldo gerado em cada próximo período (dia, mês etc.).

A cada dia a empresa gera um saldo de caixa, positivo ou negativo, que é adicionado ao saldo anterior disponível para aplicação. Esse saldo gera eventual receita financeira para o dia seguinte, e assim sucessivamente. Portanto, em princípio, teremos que calcular diariamente a projeção diária do fluxo de caixa para obtermos o saldo diário disponível para aplicação, e, em cima desse saldo, projetarmos as receitas financeiras.

Projeção Mensal das Receitas Financeiras

A experiência tem demonstrado que não há sentido prático em projetar saldos diários de fluxo de caixa dentro do processo orçamentário, tanto pela relevância da informação para esta tarefa como pelo seu grau significativo de imprevisibilidade. Esse tipo de projeção é necessário apenas na gestão diária do fluxo de caixa, quando do processo de execução do planejamento financeiro de curto prazo.

Dessa maneira, recomenda-se a projeção das receitas financeiras *mensais*, considerando apenas dados de saldos de caixa também em periodicidade mensal. Dentro desse critério, temos duas metodologias básicas:

1) Considerar como base para projeção apenas o saldo inicial de disponibilidades de caixa (o saldo anterior do balanço patrimonial), aplicando-se a taxa mensal média esperada de aplicação (de receita financeira).
2) Considerar como base para projeção:
    a) o saldo inicial de disponibilidades, aplicando-se a taxa mensal média esperada de aplicação, *mais*;
    b) o movimento de caixa do mês em curso, aplicando-se *metade* da taxa mensal média esperada de aplicação.

Em ambas as metodologias, remanesce a questão de se colocar ou não, com o saldo de caixa, a própria receita financeira gerada no mês. Isso porque, no mundo real, cada receita financeira diária pode aumentar o fluxo de caixa diário, e, consequentemente, faz parte da base de cálculo da próxima receita financeira diária.

Entendemos que a aplicação do procedimento mais complexo sempre é o mais recomendável. Em empreendimentos financeiros, nos quais a receita financeira é a maior fonte de renda e orçamento, deve-se aplicar a melhor metodologia possível. Em empreendimentos comerciais, de serviços e industriais, onde a maior fonte de renda são as receitas de venda, e as receitas financeiras tendem a ser marginais ou complementares, pode-se adotar um procedimento mais simplificado.

Geração de Caixa Negativo e Receitas Financeiras Negativas

Este tema está sendo conduzido no pressuposto de que a empresa possui um excedente de caixa e consegue mantê-lo durante todo o período orçado. Contudo, é possível que o fluxo de caixa gerado no ano seja negativo, suplantando até as disponibilidades iniciais, e que a empresa detecte a necessidade de suprir-se de outras fontes de financiamentos para fazer face às insuficiências de caixa.

Na ocorrência desse fato, geração de caixa negativo, em vez de ocorrer receita financeira haverá a ocorrência de despesas financeiras. Havendo disponibilidades negativas, a taxa a ser considerada não deve mais ser a taxa de aplicação, e sim a de captação, normalmente maior. Em resumo, se o fluxo mensal de caixa for negativo e

Tabela 11.1 – Projeção das Demonstrações Contábeis

Dados Reais/Atuais		Dados Projetados a Partir dos Orçamentos			
Coluna 1	Coluna 2		Coluna 3	Coluna 4	
BALANÇO INICIAL	DEMONSTRAÇÃO DE RESULTADOS		BALANÇO FINAL	FLUXO DE CAIXA	
ATIVO		RECEITA OPERACIONAL BRUTA	1.094.640	**ATIVO**		ATIVIDADES OPERACIONAIS	
Caixa e Aplicações Financeiras	20.000	(−) Impostos sobre Vendas	(273.660)	Caixa e Aplicações Financeiras	16.034	Recebimento de Vendas	1.055.691
Duplicatas a Receber – Líquido	80.000	RECEITA OPERACIONAL LÍQUIDA	820.980	Duplicatas a Receber – Líquido	118.949	(−) Pagamento a Fornecedores	(851.038)
Estoques				Estoques		(−) Salários e Despesas	(94.250)
. De Materiais	50.000	(−) CUSTO DOS PRODUTOS VENDIDOS	741.796	. De Materiais	54.660	(−) Recolhimento de Impostos	(76.294)
. Produtos Acabados	63.000	. Consumo de Materiais	655.915	. Produtos Acabados	72.119	(−) Impostos sobre o Lucro	(8.675)
Imobilizado		. Custos de Fabricação	40.000	Imobilizado		Saldo Operacional	25.434
. Valor Original	600.000	. Depreciação Industrial	55.000	. Valor Original	650.000		
. Depreciação Acumulada	(120.000)	(+) Estoque Inicial - Prods. Acabados	63.000	. Depreciação Acumulada	(180.000)	ATIVIDADES DE INVESTIMENTO	
Total	693.000	(−) Estoque Final - Prods. Acabados	(72.119)	Total	731.762	Aquisição Imobilizados	(50.000)
			741.796				
PASSIVO		LUCRO BRUTO	79.184	**PASSIVO**		ATIVIDADES DE FINANCIAMENTO	
Duplicatas a Pagar	40.000			Duplicatas a Pagar	47.708	Novos Empréstimos	20.000
Salários e Contas a Pagar	8.000	(−) DESPESAS OPERACIONAIS		Salários e Contas a Pagar	3.750	Juros Pagos	(1.000)
Impostos a Recolher	5.000	Comerciais	35.000	Impostos a Recolher	4.194	Receitas Financeiras	1.600
Financiamentos	0	Administrativos	15.000	Financiamentos	20.000	Saldo	20.600
Patrimônio Líquido		Depreciações	5.000	Patrimônio Líquido			
. Capital Social	600.000			. Capital Social	600.000	SALDO DO PERÍODO	(3.966)
. Lucros Acumulados	40.000	LUCRO OPERACIONAL	24.184	. Lucros Acumulados	40.000		
. Lucro do Período	-	(−) Despesas Financeiras	(1.000)	. Lucro do Período	16.110	CAIXA E APLIC. FINANCEIRAS	
Total	693.000	(+) Receitas Financeiras	1.600	Total	731.762	. Saldo Inicial	20.000
						. Saldo Final	16.034
		LUCRO ANTES DOS IMPOSTOS	24.784				
		(−) Impostos sobre o Lucro	(8.675)				
		LUCRO LÍQUIDO DO PERÍODO	16.110				

suplantar também o saldo inicial de caixa, haverá insuficiência de caixa, ou geração de caixa negativo. Nesse caso, não existirá receita financeira no sentido literal da palavra, mas receita financeira negativa (despesa financeira), que deverá ser obtida aplicando-se ao caixa negativo a taxa de captação.

Podemos resumir as duas possibilidades:

1) Saldo Inicial de Caixa (de disponibilidades)
   (+) Geração de caixa negativo mensal
   = *Saldo disponível para aplicação*
   Geração: receita financeira
   Taxa a ser aplicada: *de aplicação*

2) Saldo Inicial de Caixa (de disponibilidades)
   (+) Geração de caixa negativo mensal
   = *Saldo negativo (insuficiência de caixa)*
   Geração: receita financeira negativa (despesa financeira)
   Taxa a ser aplicada: *de captação*

A apresentação da receita financeira negativa pode ser feita com a receita positiva, já que esse fato pode ocorrer uma vez ou outra durante o período, e no conjunto das duas, apresentar-se como receita financeira líquida.

Exemplo

A Tabela 11.1 apresenta um exemplo com as principais demonstrações financeiras projetadas, considerando os dados constantes de todos os orçamentos apresentados no capítulo anterior. Tendo em vista o conteúdo simplificado do exemplo, adotamos, para fins de cálculo da receita financeira, a taxa de 8%, aplicada apenas sobre o saldo inicial de Caixa e Aplicações Financeiras. Para a conclusão da apuração do resultado do período, admitimos uma taxa única de 35% para os impostos sobre o lucro, considerando como premissa que foram pagos dentro do próprio período.

Questões e Exercícios

1. Considere o balanço inicial dado a seguir e os dados adicionais. Elabore a projeção da demonstração de resultados para o período orçado, bem como o balanço final projetado.
   a) Balanço Inicial

Ativo Circulante	$	Passivo Circulante	$
Caixa/Bancos	–	Duplicatas a Pagar	1.700.000
Duplicatas a Receber	4.833.000	Impostos a Recolher	100.000
Estoque de Materiais	2.167.000	Impostos sobre o Lucro	–
		Ex. Longo Prazo	–
		Empréstimos	15.000.000

Imobilizado		Patrimônio Líquido	
Equipamentos	25.000.000	Capital Social	15.200.000
Total	32.000.000	Total	32.000.000

b) Orçamentos anuais e dados adicionais:

	$
Orçamento da Receita Operacional Bruta	84.329.500
Orçamento da Receita Operacional Líquida	67.832.500
Orçamento de Consumo de Materiais	19.070.571
Orçamento de Compras Brutas	26.106.600
Orçamento de Compras Líquidas de Impostos	20.082.000
Orçamento de Despesas Gerais de Fabricação	26.500.000
Orçamento de Depreciações Industriais	4.000.000
Orçamento de Despesas com Vendas	9.000.000
Orçamento de Despesas Administrativas	3.200.000

Despesas Financeiras – 12% de juros ao ano

Impostos sobre o Lucro – 40% sobre o Lucro depois das despesas financeiras

c) Considere ainda:
- Foram adquiridos $ 4.300.000 em novos equipamentos à vista.
- 75% dos impostos sobre o lucro gerado no ano já foram pagos, restando apenas 25% a pagar.
- 50% dos juros gerados no ano foram pagos, restando 50% a pagar, além do valor principal dos empréstimos, nada pago ainda.
- O total do lucro líquido após os impostos sobre o lucro foi retido na empresa.
- Os impostos a recolher das vendas menos os das compras têm um prazo médio de recolhimento de 30 dias.
- A conta de duplicatas a receber equivale a 35 dias das vendas, e a conta de duplicatas a pagar equivale a 28 dias de compras.
- O saldo final de caixa será obtido por diferença e não há necessidade de projetar receitas financeiras.

2. Concluído o exercício anterior, faça a projeção do Fluxo de Caixa do ano, utilizando os dados dos balanços iniciais e finais e da demonstração de resultados projetada.

3. Considere a solução do Exercício 1 e verifique e analise a liquidez e o endividamento da empresa. Calcule e analise a rentabilidade.

4. Considere o Balanço Inicial, os dados e as informações apresentas a seguir:

A) Balanço Inicial $
   Disponibilidades   20.000
   Clientes   80.000
   Estoques
   . Materiais   50.000
   . Acabados – Quantidade = 3.500   63.000   Custo Médio = 18,00
   Imobilizado
   . Valor Original   600.000
   . Depreciação Acumulada   –120.000
   Total   693.000
   Fornecedores   40.000
   Contas a Pagar   13.000
   Patrimônio Líquido
   . Capital Social   600.000
   Lucros Acumulados   40.000
   . Lucro Projetado   0
Total   693.000

B) Dados Atuais/Reais   Produto A   Produto B   Total
   . Estoque Inicial – Qtde.   2.000   1.500   3.500
   . Vendas do Ano Anterior – Qtde. 30.000   12.000   42.000
   . Preço Médio Obtido – $ 20,00   30,00
   Custo de Materiais por Unidade
   de Produto – $ 12,00   17,00

C) Informações para o Orçamento de Vendas, Produção e Consumo de Materiais
   a) Espera-se vender no próximo ano 10% a mais de quantidade do produto A e 8% do produto B.
   b) Estima-se um aumento de preço de venda da ordem de 4% para o produto A e 5% para o produto B.
   c) Os impostos sobre vendas representam 25% da Receita Bruta.
   d) O saldo final da conta Clientes deve corresponder a 40 dias da Receita Bruta.
   e) O estoque final de produtos acabados deve manter-se em 35 dias de venda para os dois produtos.
   f) Estima-se que o custo dos materiais terá aumento de 5% para o produto A e 4% para o produto B.
   g) As compras serão iguais ao consumo.
   h) Os impostos sobre compras representam 20% das compras líquidas.
   i) O saldo final da conta Fornecedores deve corresponder a 20 dias das Compras Brutas.
   j) Os impostos sobre vendas serão recolhidos no ano, descontados os impostos sobre compras.

D) Outros dados:
a) Os gastos de fabricação do ano estão previstos em $ 40.000.
b) As despesas operacionais do ano estão previstas em $ 50.000.
c) A taxa de depreciação é de 10% ao ano do valor original do imobilizado e é considerada despesa.
d) Os investimentos serão de $ 50.000, realizados no meio do ano, não depreciáveis, dos quais 40% serão financiados a uma taxa de juros de 10% ao ano, a longo prazo. Os juros serão pagos no exercício.
e) O saldo orçado de conta a pagar não deverá ter alteração.
f) O saldo de disponibilidades será obtido por diferença, e a receita financeira equivale a 8% ao ano, calculáveis sobre o saldo inicial.

E) Pede-se fazer:
a) o orçamento de vendas – quantidade, valor líquido, valor bruto, conta clientes;
b) o orçamento de produção em quantidades;
c) o orçamento de consumo de materiais, compras líquidas, compras brutas;
d) o orçamento do custo dos produtos vendidos e estoque final de produtos acabados, considerando como custo de produção o consumo de materiais e os gastos de fabricação;
e) a demonstração de resultados projetada, desconsiderando imposto sobre o lucro;
f) o balanço final.

5. Concluído o exercício anterior, faça a projeção do Fluxo de Caixa do ano, utilizando os dados dos balanços iniciais e finais e da demonstração de resultados projetada.

6. Considerando a solução do Exercício 4, verifique e analise a liquidez e o endividamento da empresa. Calcule e analise a rentabilidade.

7. Tome como referência os cálculos efetuados nos orçamentos de todas as tabelas apresentadas no capítulo anterior. Eles foram elaborados com planilha eletrônica. Descreva o formato de cálculo de todas as células.

8. Partindo da resolução do exemplo desenvolvido no Capítulo 10, a partir da Tabela 10.2, considere:
a) que o aumento previsto no orçamento de vendas da Tabela 10.2 será de 12% para o Produto A (em vez de 10%) e de 9% para o Produto B (em vez de 8%);
b) que a política de estocagem de produtos acabados, constante da Tabela 10.3, em vez de 35 dias, será de 40 dias;

c) que a estimativa de aumento de custo da estrutura dos produtos da Tabela 10.4 será de 6% para o Produto A (em vez de 5%) e de 6% para o Produto B (em vez de 4%).

Com base nessas novas premissas, e com os demais dados de todas as tabelas do Capítulo 10 mantendo-se iguais:

I. refaça todos os orçamentos;
II. faça uma nova projeção dos demonstrativos contábeis.

Referências Bibliográficas

ABREU FILHO, José Carlos Franco (Coord.). *Finanças corporativas*. Rio de Janeiro: Editora da FGV, 2003.

ASSAF NETO, Alexandre. *Estrutura e análise de balanços*. 4. ed. São Paulo: Atlas, 1998.

_____; SILVA, César Augusto Tibúrcio. *Administração do capital de giro*. 2. ed. São Paulo: Atlas, 1997.

ATKINSON, Anthony A. et al. *Contabilidade gerencial*. São Paulo: Atlas, 2000.

BRAGA, Roberto. Análise avançada do capital de giro. *Caderno de Estudos Fipecafi* – FEA-USP, n. 3, set. 1991.

_____. *Fundamentos e técnicas de administração financeira*. São Paulo: Atlas, 1992.

BREALEY, Richard A.; MYERS, Stewart C. *Princípios de finanças empresariais*. Portugal: Mc-Graw Hill, 1992.

BRIGHAM, Eugene F. et al. *Administração financeira*. São Paulo: Atlas, 2001.

CATELLI, Armando. *Controladoria*. São Paulo: Atlas, 1999.

_____; GUERREIRO, Reinaldo. Gecon – Sistema de informação de gestão econômica: Uma proposta para mensuração contábil do resultado das atividades empresariais. In: *Boletim do CRC-SP*, set. 1992, p. 12.

CAVALCANTE FILHO, Francisco da Silva; MISUMI, Jorge Yoshio. *Mercado de capitais*. Belo Horizonte: CNBV, 1998.

COPELAND, Tom et al. *Avaliação de empresas – Valuation*. São Paulo: Makron Books, 2000.

DAMODARAN, Aswath. *Avaliação de investimentos*. Rio de Janeiro: Qualitymark, 1999.

EDER, Cristiane Ferreira e outros. *Avaliação dos Métodos da Taxa Interna de Retorno Modificada: Uma Aplicação Prática*. Artigo; Programa de Pós-Graduação em Engenharia de Produção – Porto Alegre, UFRS, 2004.

EHRBAR, Al. *EVA – Valor econômico agregado*. Rio de Janeiro: Qualitymark, 1999.

FALCINI, Primo. *Avaliação econômica de empresas*. São Paulo: Atlas, 1992.

FIORAVANTI, Maria Antonia. *Análise da dinâmica financeira das empresas*: uma abordagem didática do "Modelo Fleuriet". São Paulo, 1999. Dissertação (Mestrado) – Universidade Metodista de São Paulo.

FLEURIET, Michel et al. *A dinâmica financeira das empresas brasileiras*. Belo Horizonte: Fundação Dom Cabral, 1978.

FREZATTI, Fábio. *Orçamento empresarial*. São Paulo: Atlas, 1999.

_____. *Gestão de valor na empresa*. São Paulo: Atlas, 2003.

GALESNE, Alain et al. *Decisões de investimentos da empresa*. São Paulo: Atlas, 1999.

GITMAN, Lawrence J. *Princípios de administração financeira*. 7. ed. São Paulo: Harbra, 1997.

_____; MADURA, Jeff. *Administração financeira*. São Paulo: Pearson, 2003.

HOGI, Masakazu Hoji. *Administração financeira*. 3. ed. São Paulo: Atlas, 2001.

HORNGREN, Charles T. *Introdução à Contabilidade Gerencial*. 5. ed. Rio de Janeiro: Prentice-Hall, 1985. p. 137.

_____. *et al.* (Adaptado de) *Introduction to Management Accounting*. 10. ed. New Jersey: Prentice-Hall, 1996, p. 781.

_____. *Sistemas de Informações Contábeis*. São Paulo: Atlas, 2000b.

HUMMEL, Paulo Roberto Vampré; TASCHNER, Mauro Roberto Black. *Análise e decisão sobre investimentos e financiamentos*. São Paulo: Atlas, 1988.

IUDÍCIBUS, Sérgio de. *Análise de balanços*. 5. ed. São Paulo: Atlas, 1988.

JORION, Philippe. *Value at Risk*. São Paulo: BM&F, 1999.

KASSAI, José Roberto *et al. Retorno de investimento*. São Paulo: Atlas, 1999.

KENNEDY, Alison; DUGDALE, David. Getting the most from Budgeting. *Management Accounting*. Londres, v. 77, n. 2, fev. 1999.

KITZBERGER, Hurgor. *Proposta de análise das demonstrações contábeis*: abordagem tradicional integrada com o Modelo Fleuriet. São Paulo, 2001. Dissertação (Mestrado) – Centro Universitário Nove de Julho.

MARTINS, Eliseu. *Contabilidade de custos*. 2. ed. São Paulo: Atlas, 1982. p. 260.

_____. (Coord.). *Avaliação de empresas*: da mensuração contábil à econômica. São Paulo: Atlas, 2001.

_____; ASSAF NETO, Alexandre. *Administração financeira*: as finanças das empresas sob condições inflacionárias. São Paulo: Atlas, 1985.

MATARAZZO, Dante C. *Análise financeira de balanços*. 2. ed. São Paulo: Atlas, 1989.

MOREIRA, José Carlos. *Orçamento empresarial*: manual de elaboração. São Paulo: Atlas, 1984.

NAGAKAWA, Masayuki. In: CATELLI, Armando. *Controladoria*. São Paulo: Atlas, 1999. p. 208.

NEIVA, Raimundo Alelaf. *Valor de mercado da empresa*. São Paulo: Atlas, 1992.

OLINQUEVITH, José Leônidas; DE SANTI FILHO, Armando. *Análise de balanços para controle gerencial*. 2. ed. São Paulo: Atlas, 1987.

PADOVEZE, Clóvis Luís. A controladoria no planejamento operacional: modelo para determinação da estrutura do ativo. *Revista de contabilidade do CRC-SP*, São Paulo, 2002a.

_____. *Contabilidade gerencial*: um enfoque em sistema de informação contábil. 7. ed. São Paulo: Atlas, 2010.

PADOVEZE, Clóvis Luís. *Controladoria estratégica e operacional*. 2. ed. São Paulo: Cengage Learning, 2009.

_____; BENEDICTO, Gideon Carvalho de. *Análise das demonstrações financeiras*. 3. ed. São Paulo: Cengage Learning, 2010.

PASSARELLI, João. Orçamento como Instrumento Gerencial. *Caderno de Contabilidade*, Departamento de Contabilidade, PUC/MG, n. 1, v. 1, maio 1991, p. 61.

QUILICI, Frediano. *Leituras em administração contábil e financeira*. Fundação Getúlio Vargas, 1973. cap. 7 e 8.

RAPPAPORT, Alfred; MAUBOUSSIN, Michael J. *Análise de investimentos*. São Paulo: Campus, 2002.

ROSS, Stephen A. et al. *Administração financeira*. São Paulo: Atlas, 2002.

ROSSETTI, José Paschoal. *Contabilidade Social*. 7. ed. São Paulo: Atlas, 1995. p. 81.

SÁ, Graciano. *O Valor das Empresas*. Rio de Janeiro: Expressão e Cultura, 2001. p. 60.

SANDRONI, Paulo. *Novíssimo dicionário de economia*. 5. ed. São Paulo: Best Seller, 2001.

SIEGEL, Joel G.; SHIM, Jae K. *Dictionary of Accounting Terms*. 2. ed. Nova York: Barron's, 1995. p. 4.

SILVA, José Pereira da. *Análise financeira das empresas*. 3. ed. São Paulo: Atlas, 1996.

STEDRY, A. C. Getting The Most from Budgeting. In: KENNEDY, Alison; DUGDALE, David. *Management Accounting*, Londres, v. 77, n. 2, fev. 1999.

SZUSTER, Natan. *Análise do lucro passível de distribuição*: uma abordagem reconhecendo a manutenção do capital da empresa. São Paulo, 1985. Tese (Doutorado) – FEA-USP.

TOSTA DE SÁ, Geraldo. *Administração de investimentos, teoria de carteiras e gerenciamento do risco*. São Paulo: Qualitymark, 1999.

TUNG, Nguyen H. *Controladoria financeira das empresas*: uma abordagem prática. 4. ed. São Paulo: Edusp, 1974.

VAN HORNE, James C. *Financial Management and Policy*. 11. ed. Upper Saddle River, NJ: Prentice-Hall, 1998.

WALTER, Milton Augusto. *Introdução à análise de balanços*. 2. ed. São Paulo: Saraiva, 1981.

WELSCH, Glenn A. *Orçamento empresarial*. 4. ed. São Paulo: Atlas, 1983.

WESTON, J. Fred; BRIGHAM, Eugene F. *Fundamentos da administração financeira*. 10. ed. São Paulo: Makron Books, 2000.

Impressão e acabamento
psi7 | book7